U0103291

序

1997年7月中旬，我應邀出席在北京舉行的「第三屆海峽兩岸周易學術研討會」，有幸認識到大陸許多研究《周易》的同道們。而最令我興奮的是認識了大陸年輕一輩的學人，如傅榮賢君。記得會議中傅君宣讀的是《易學研究本體特徵論》，認爲周易象數學以承認六十四卦爻象和六十四卦爻辭的絕對統一性爲前提，力求使每個符號都以明白無誤的清晰方式界定出它們的意義，由此把我們引入一個客觀的事實世界；周易義理學不把周易符號視爲現成、既定、外在的實在的模仿，而是要超乎事實，重構起一個自足的世界。君子從中洞察出隨變而適的認識價值，從而最終獲得對實在的價值把握，恢復人的主體地位。結論則指出正確的易學研究應該致力於象數學和義理學的統一。傅君這種直探易學本體的研究心得，在我心坎產生強烈的震撼。我個人近年對卡西勒（Ernst Cassirer.1874－1945）在《人論》（*An Essay on Man.*1944)中把「人」定義爲「符號的動物」，進而體認人類運用符號創造各種不同文化的現象，並尋求「理想世界」，以及博藍尼（Michael Polanyi, 1891－？）、浦洛施（Harry Prosch）在《意義》（*Meaning.* 1974）中盼望由科學建立的意義，和由人文學建立的意義，如何邁向存在的和諧，爲生命意義的恢復指引出一條可行的道路：心常戚戚焉。六十四卦爻之象，不正是一種符號，溯源於數據，落實於現象；六十四卦爻之辭，不正體現著人類各種不同的文化活動，並在變易的世界中尋求其不易的眞理嗎？傅君易學本體的研究，正好增強了我對存在和諧及理想世界之追求的信心。傅君宣讀完論文回到台下，我趨前向他致意，表達自己的激賞。

今年（1999）3月間，忽然收到傅君來函，並附來《中國古代圖書分類學研究》目錄和提綱，說是將由臺北學生書局出版，祈盼我寫一篇序。

記得1965年前後，我跟楊家駱教授學目錄學。楊師在所著《四庫全書通論》（1946）第二章論及（四庫全書的知識體系），曾說中國圖書四分法從其基本理論來說，可構成如下圖：

<table>
<tr><th>根</th><th>幹</th><th>枝</th></tr>
<tr><td rowspan="2">文化根源——經部
有如中世紀歐洲文化，以「新舊約全書」爲其根源，而看成特別尊崇的書一樣。</td><td>記載性的——史部
亞里斯多德、培根根據人類記憶、理性、想像三種心能，分學問爲歷史、哲學、詩文三大類。狄岱麓學典的第一冊據此畫成一張「人類知識系統圖」。四分法的史部，恰當其歷史類。</td><td rowspan="2">文學——集部
恰當於左述三大類的詩文類。</td></tr>
<tr><td>思想性的——子部
恰當於上述三大類的哲學類。</td></tr>
</table>

並強調書籍分類的意義，是將所有的書籍，使其在知識整體中得一比較固定的位置，以表示出每一書在知識整體中所盡的職責。

楊師這種圖書分類的意見，對我日後治學教學也有一些影響。記得我在臺灣師範大學和香港中文大學講授「讀書指導」課程時，便依照楊師四部分類的理論，並參考英哲斯賓塞(Herbert Spencer 1820—1903)《第一原理》(*First Principles* 1862)中的進化論：事物的開始，常是簡單、渾沌、不確定、不連貫的，而後複雜的從簡單的引導出來，輪廓鮮明的從渾沌的引導出來，逐漸具有確定性與連貫性。我把四部中的「史」、「子」、「集」以及其所屬各目視爲複雜的、輪廓鮮明的、具確定性與連貫性的知識系統，而追溯其簡單、渾沌的原始形態：那就是「經」。而我講授《周易》，也曾作類此的表示：在中國圖書經、史、子、集四分法中，史部根源是經部的《尙書》和《春秋》，是記憶活動的記錄，以求眞爲重點；子部根源於經部的《周易》、《周禮》、《儀禮》、《禮記》，是理智活動的成果，以求善爲重點；集部根源於經部的《詩經》、《樂經》，是情感活動的產物，以求美爲重點。而且進一步指出《周易》卦爻辭中記載的如：「鳥焚其巢，旅人先笑後號咷，喪牛於易，凶。」說的是殷先祖王亥在「有易」這個地方作買賣，而喪失牛羊的事。「高宗伐鬼方，三年克之，小人勿用。」說的是殷祖武丁征討犬戎的事。此外，如：「帝乙歸妹，以祉元吉。」「箕子之明夷，利貞。」「拘係之，乃從維之，王用亨於西山。」「康侯用錫馬蕃庶，晝夜三接。」說的是商周之際的史實，可以視爲《尙書》、《春秋》記事的濫觴。又如：「匪我求童蒙，童蒙求我。」「訟：有孚，窒惕。中吉，終凶。」「師出以律，否臧凶。」「視履考祥，其旋元吉。」「咸：亨，利貞。取女吉。」「家人嗃嗃，悔厲吉；婦子嘻嘻，終吝。」等，點出了教育、司法、軍事、禮儀、人倫等的原則，可以視爲三「禮」的根源。至如「明夷于飛，垂其翼；君子于行，三日不食。」「鳴鶴在陰，其子和之；吾有好爵，吾與爾靡之。」更已有詩經如歌的節奏了。謂之《詩》、《樂》之祖，孰曰不宜？所以，《易經》可說是經典中的經典，根源裏的根源，於是肯定了它在中國文化史上原始性的地位。道樣講「四部」，講《易經》，仍然是楊師意見的的引申，仍然有斯賓塞的影子。《第一原理》原就說過：「最下級的知識就是不統一的知識；科學是部分統一的知識，哲學則是完全統一的知識。」我的意識中，圖書分類應該提升到哲學的層次，成爲完全統一的知識；而《周易》在這完全統一的知識中應該有一個原始的有恆的地位。

回頭再來說傅君《中國古代圖書分類學研究》。在〈緒論〉，傅君開宗明義，就指出：圖書分類過程本身參與著文獻意義的建構。文獻主題的確立及其排序組織，直接反映了深層的文化結構和觀念結構，有助於人們從反思的角度重新認識傳統文化，進而重估其價值。傅君這種論述，就有意把圖書分類、文獻意義的建構、傳統文化和觀念結構，三者合而爲一，不僅傳統文化價值因此得以重估，而人類主體生命的意義，亦將因此而挺立。按著在〈制約中國古代圖書分類學的因素〉中，傅君認爲中國古代圖書分類取決於文獻在內涵上的事理關係，以及分類行爲主體的主觀心理現實之上之可能形成的分組。凝聚著創造和使用該系統的漢民族的思想認識、歷史文化和民族情感。這又和我所受楊師教誨，因而以求眞的記憶活動、求善的理智活動、求美的情感活動，以說明中國古籍的史部、子部、集部：多所交集。傅君接著陳述〈中國古代圖書分類學的基本特徵〉有三：以文獻主題概念爲類名的標識符號；以線性次序爲基礎的結構模式；分類標準兼顧理性的文獻現實意義及社會功能上的特徵，和感性的對現實世界時空結構的臨摹和投影。傅書的苦心孤詣，大大提高了閱讀主體對文獻整序行爲背後的理性取向和價值選擇之深層了解。於是傅君努力作〈中國古代圖書分類學的文化學透視〉，以爲古代圖書分類與傳統文化是相通的。他一方面從傳統文化的價值觀、主體性等方面討論古代圖書分類，揭示其本質上是漢民族價值理想和天人合一、物我相諧之世界觀規約下的產物，是以儒家倫理觀念爲基本取向的；另一方面也從古代圖書分類看傳統文化，說明作爲傳統文化認知模式的古籍分類，可以提供對傳統文化全面而準確理解的嶄新視角，洞察隱伏在不同分類體系底下的不同觀念體系。最後在〈中國古代圖書分類學的現代價值〉中，傅君指出：文獻作爲文化的載體，不應局限於理性邏輯，更多的是一種心理意義上的存在，尊重文化的行爲主體——現實的人，人類心靈中的情感、欲望與希冀，以求彌補現代圖書分類學立足於理性邏輯之不足。並認爲中國古代圖書分類具有一種眞正哲學眼光的審愼，以能動的方式建構，成爲一種浸潤到所有閱讀主體心靈的一切活動中的力量，從而使人由這個統一的情意交流的背景中，學習應如何來看待自已、他人和世界，推知整個世界和人生的意義。就這樣，傅君說明了中國古代圖書分類學的哲學收益。使我大有吾道不孤的感受。

我這樣介紹傅君中國古代圖書研究的理論脈絡，有些讀者可能會覺得太重理論，是否有偏離實際之虞？那麼我請讀者諸君注意一個事實：傅君現任江蘇鹽城師專圖書館館員。所以傅君非但能從認知主體的認識能力、特定歷史積澱因素、現實的社會結構和意識形式，三方面去探討古籍分類學的相應性類型、結構和形式；而且也擁有環境客體的便利，能從古籍一切形式和內容的總和出發，按照古籍分類的事實，而非按照預設的某種模式從事研究。在〈緒論〉中，傅君提出了五種具體的研究方法：描寫研究和解釋研究相結合；形式研究和意義研究相結合；封閉研究和開放研究相結合；微觀研究和宏觀研究相結合；考據研究和義理研究相結合。可以理解傅君這種由物理世界秩序上升到依目的和理想的建構秩序之反思所獲致的理論建構，雖是「高屋建瓴」，但絕非「空中樓閣」。在其中，我再度看到存在的和諧、知識的統一、世界的希望和生命的意義。

黃慶萱　1999年4月15日於臺北見南山居

序

江蘇鹽城師範學院圖書館傅榮賢先生，新近完成「中國古代圖書分類學研究」，囑付我幫他寫個序，實是榮幸之至。

民國79年自美歸國以來，曾在大學部及研究所執教多年。透過親身的觀察，發覺台灣近年圖書資訊學系所開設的目錄學已經逐漸式微，學生更視修這門課爲畏途。我曾私下問學生，爲什麼對它沒有興趣。主要的反應通常是，這門課與我們何干？

針對這個問題我曾思索多時，覺得最主要的癥結是前此目錄學的傳授，常常都是站在傳統版本及目錄的觀念，而沒有將內容與現代的圖書資訊學結合，也難怪學生會產生時空錯置的感覺。因此，我常常告訴這些碰到困擾的學生，讀目錄學時，把它視爲一種對中國古代分類學的體系來了解，就不會有上述的問題存在。

事實上，當我們反思早期目錄學史中的七略、四部及其他私家藏書的分類體系時，我們即可體會那是當時藏書家爲了類分藏書的概念。而我也一直期待有人能以古代圖書分類的觀念，重新架構目錄學的內涵，讓它成爲圖書資訊學學生了解分類學的歷史發展及文化思維的基礎。很高興地，傅榮賢先生這本書正好朝著這個方向。

在本書中，傅先生指陳，古代分類學研究的主要問題，乃是沒有從目錄學中獨立出來，因而影響它的健全發展。爲此，傅先生主張回到中國古代圖書分類學系統本身，探索理論研究的新途徑。他更堅持應該在不受既定模式的影響下，進行古代圖書分類學形式和內涵的探究，尋找隱含在東西方分類學體系下的不同觀念系統。

傅先生這樣的認識，是經過一番省察才出現的。他指出，眞正的科學必須建立在嚴格定義的範疇系統基礎之上。然而，中國傳統目錄學在這方面卻相對落後，諸如校讎、互著、別裁、分類等核心概念，在中國傳統目錄學中並沒有非常明確的定義。

也因爲缺乏定義明確的範疇系統，乃造成傳統目錄學缺乏理論體系的完整性及邏輯體系的嚴密性。傅先生指出，傳統目錄學依靠具象感悟、整體觀照和模糊把握的方法比較多，這樣的傾向顯然與中國人的價值觀有關；中國人一向不以改造外在世界爲鵠的，而是向內探求，以完善自身爲主要的目標。

由此所發展出來的古代分類學，正像傳統哲學一樣，旨在治世。傅先生指出，中國古代圖書分類學的中心思想，是在尋找文獻分類行爲與天、地、人之間的理性關係。古代圖書分類學的文獻整序，本質上就是一種「道」。它並非知識論的探究，因此，相應的分類學概念也不是知識分類的追求。它所強調的乃是主體的體悟，及文化價值對人的作用。也因此，類別的釐定一向醞涵「寓褒貶，多甄別」的主觀判斷，每一個分類體系更是「爲治之具」。

由上面所述傅先生的觀察，可見他是經過深思才發爲言論的，因此頗能深入到文化及思維的層次，揭示傳統目錄學的基本問題。由這樣的基礎出發，這本專書所開展出來的學術內容深具創造性，足供分類學有興趣的學者思考。是爲序！

賴鼎銘　於世新大學圖書館1999/4/28

中國古代圖書分類學研究

目次

序……………………………………………………黃慶萱………… I

序……………………………………………………賴鼎銘…………Ⅶ

第一章　緒　　論……………………………………………… 1

第一節　作爲目錄組織唯一形式的古代圖書分類……………… 2

第二節　建立中國古代圖書分類學…………………………………… 8

第三節　中國古代圖書分類學的研究內容…………………13

㈠緒　論……………………………………………………13

㈡制約中國古代圖書分類學的主、客觀因素………………14

㈢中國古代圖書分類的基本特徵……………………………16

㈣中國古代圖書分類學的文化學透視………………………18

㈤中國古代圖書分類學的現代價值…………………………20

第四節　中國古代圖書分類學的研究概況…………………22

㈠1917年之前的研究概況……………………………………24

㈡1917年以來的研究得失……………………………………31

第五節 中國古代圖書分類學的研究原則和方法……………35
㈠中國古代圖書分類學的研究原則……………………36
㈡中國古代圖書分類學的研究方法……………………39

第二章 制約中國古代圖書分類學的因素………… 47

第一節 中國古代的邏輯思維特徵及其相關的古代分類學…47
㈠象性思維……………………………………………48
㈡中國古代的「類」概念…………………………………51
㈢中國古代圖書分類學的邏輯學視角……………………53

第二節 中國古代文獻的特徵及其相關的古代分類學………60
㈠「文獻」詞義的嬗變…………………………………61
㈡「經」和儒家「六經」…………………………………63
㈢文以載道及其相關的古代分類學………………………71

第三章 中國古代圖書分類的基本特徵……………75

第一節 中國古代圖書分類的標識符號…………………………75
㈠古代分類學標識符號之類型……………………………76
㈡制約標識符號類型的若干分類學內外因素……………87
㈢對古代分類學標識態度的基本評價……………………97

第二節 中國古代圖書分類的形式結構…………………… 100
㈠線性結構之事實………………………………… 101
㈡線性次序的制約因素………………………………… 110
㈢以線性次序爲基礎的形式結構的表義性……………… 112

第三節　中國古代圖書分類的分類標準…………………… 118
(一)認知原則………………………………………………… 121
(二)古代分類學的理性分類標準……………………………… 136
第四節　中國古代圖書分類的非知識分類取向及其對文獻意義的建構………………………………………………… 149
(一)古代分類學的非知識分類取向………………………… 149
(二)古代分類學之文獻意義的建構………………………… 155

第四章　中國古代圖書分類學之文化學透視…… 159

第一節　古代分類與傳統文化相通約…………………… 159
第二節　從傳統文化看古代分類………………………… 166
(一)從不同的認知主體、歷史條件和社會現實看不同的古代分類………………………………………………… 166
(二)從傳統文化的價值觀看古代分類的價值觀………… 172
(三)對古代分類學之價值觀的評價………………………… 187
第三節　從古代分類看傳統文化………………………… 192
(一)從具體的意義上來看…………………………………… 193
(二)從觀念層次上對文化的影響…………………………… 199

第五章　中國古代圖書分類學的現代價值……… 213

第一節　類分中國古籍…………………………………… 214
(一)《四庫法》和《中圖法》的本質區別………………… 215
(二)中國古籍的本質特徵…………………………………… 219

㈢中國古籍分類……………………………………………… 222
第二節 對現代分類學之借鑑價值…………………………… 225
㈠現代分類學之局限性……………………………………… 227
㈡現代分類學之取向………………………………………… 238
㈢中國古代圖書分類學的借鑑價值………………………… 243
第三節 哲學收益：古代分類學啓迪了我們對整個世界所應持的根本態度……………………………………… 250
㈠分類學的實體論和哲學的實體論………………………… 251
㈡分類學的建構論和哲學的建構論………………………… 254
㈢分類學的目的論和哲學的目的論………………………… 257
後記……………………………………………………………… 260

第一章　緒　論

圖書分類在整序文獻的同時，也整序了文獻背後的文化。因此，分類學系統與其被整序的文化背景，在總體精神上應該是相協而不是相悖的。圖書分類學的基本態度和策略，其實也必定是相關文化的基本態度和策略。這一命題啓發我們用中國傳統文化的基本特徵來考察中國古代圖書分類學；以及反過來，從古代分類學的基本特徵來反證中國傳統文化的基本特徵，看看古代分類學究竟有哪些特點，它們是怎樣適應並支持傳統文化的相應性特點的。

我們認爲，中國古代圖書分類學以歷史悠久的華夏文化爲底蘊，並不遵守近現代西方分類學的某些預先設定的理論範式。古代分類學超越了那種把分類學系統僅僅當作反映學科知識系譜的總結系統以及作爲知識信息（即訊息、資訊——下同）的存取系統的操作層面，而努力將分類系統的文化建構和漢民族世界觀的建構聯繫起來，具有一種極其深刻的分類本體論意識。古代分類學的根本目標是要通過對若干文獻之規整性的揭示，呈現出整個世界和人的規整性、秩序性。分類不再是一種實然的、具體的文獻整序行爲，而是一種表述、組織和認識外部世界的形式。

然而，迄今爲止，尚沒有人全面而深刻地揭示出中國古代圖書分類學的基本特徵及其蘊含在分類學表層結構底下的獨特價值。本書擬就此做一些粗淺研究，旨在建構一個概括力強、概括方式準確、概括層次貼切的古代分類學理論系統。該系統要求能夠分析並回答有關中國古代圖書分類學的一般理論和實踐問題。並且，既然古代分類學體系是整個傳統文化的反思類型，那麼，該理論系統對整個傳統文化的分析和理解，也必將具有廣泛而深刻的指導價值。

第一節　作為目錄組織唯一形式的古代圖書分類

中國是最早把分類思想應用到目錄上的國家之一。肇始於公元前一世紀的我國古典目錄學第一部系統著作《七略》，就是以「分類」作爲組織和揭示圖書的唯一方法的。《七略》以降的各種官修、私修和史志目錄都無一例外地經由分類的路徑而實現對文獻的整序。目錄通過分類的形式來整序文獻，使文獻（文化）獲得代際傳承，從而將個人的智慧和經驗積累起來，成爲整個社會的和歷史的經驗。

分類的概念和符號，是古代目錄學家借以表達若干文獻之秩序性和規整性的工具。而這種來自分類的秩序性和規整性，迺即眞理和知識的根本條件。南宋毛幵爲尤袤《遂初堂書目》所作的序言云：「若其部析條流，整齊綱紀，則有目錄一卷。甲乙丙丁之別，可以類知，一十百千之凡，從於數舉」。在中國古代，分類與目錄是密不可分的，圖書經過分類編排後的成果祇能反映在目錄上。如果祇有分類而沒有形成目錄，則所分之類祇能是一時的安排，不能自成系統；而未加分類的目錄又必將是混亂的，目錄祇有通過分類纔能體現它自身的價值。

相應地，從分類出發去研究目錄，也成爲中國古典目錄學一開始就具有的特點。從某種意義上說，一部中國古典目錄學史就是一部分類學史。離開了分類學的研究，中國古典目錄學彷彿就無所附麗。汪國垣先生《目錄學研究》云：「研究目錄學之標準，當必博稽其源流，商榷其類例，與夫義例之變遷，分隸之出入，皆宜詳究」（北京：商務印書館1955年重印版，P11）。中國古典目錄學家通過考察分類而得出關於目錄學的一般結論。分類構成了目錄的基礎，構成了目錄體系的「能」，必須充分認識分類纔能眞正了解目錄體系的建構。所以，中國古代目錄學以分類的研究爲核心和主導。鄭樵和章學誠的目錄學理論是其最典型的代表。鄭樵提出「類例既分，學術自明」的著名文化論斷，旨在強調分類的重要。他甚至將圖書的亡佚也委過於「類例不明」。鄭樵在《校讎略·泛釋無義論》中還說：「古之編書，但標類而已，未嘗注釋，其著注者，人之姓名耳。蓋經入經書，何必更言經？史入史類，何必更言史？但隨其凡目，則其書自顯，惟《隋志》於疑晦者則釋之，無疑晦者，則以類舉。」可見，書有應釋與不應釋之分，而應釋與否的標準是看它能否「睹類而知義」。章學誠目錄學思想的核心理論是「辨章學術，考鏡源流」，根本目的是要實現「即類求書，因書究學」的文化理想。章氏亦認爲「部次不清，學術所以日散」。

事實上，中國古代從《七略》到《四庫全書總目》（以下簡稱《四庫總目》）的各類序（包括大序、小序、總序、部序、類序等）、凡例、案語、提要等等都與分類學的理論和實踐有關，分類和目錄是骨肉相聯的。因此，作爲分類文本形態的各種書目仍將是中國古代圖書分類學研究的重要對象和主要資料來源。汪國垣先生《目錄學研究》又說：「目錄學者，則非僅類居部次，又在確能辨別源流，詳究義例，本學術條貫之旨，啓後世著者之規方足以當之。」分類款目既密切聯繫類序和解題，又相對獨立於目錄學的類序和解題之外。因而，古代目錄學中的「分類」完全可以作爲獨立的實體加以研究。我們完全可以從一個獨立的側面，揭示出古代文獻之組織形式和策略。事實上，本書的努力正是在於：將類別部次（分類）從各種書目的著錄方式、提要等目錄形式中游離出來作一獨立的研究，以期能夠揭示分類類名所結構起來的分類學形式構架的全部特點及其背後的所有原則隱含。

衆所周知，作爲目錄學之整序對象的文獻，具有多種特徵，諸如題名、責任者、內容、主題、開本、ISBN等等。因此，也可以相應地產生題名目錄、責任者目錄、分類目錄和主題目錄等等。放眼世界，西方最早的編目活動，要數古希臘學者卡利馬赫（Kallimachos，約310～240BC）編製的《各科著名學者及其著作一覽表》，該目錄所收文獻就是全部按著者字順或編年順序排列的。在以後的兩千多年裏，西方各國目錄工作都得到了不同程度的發展，編製了大量各種類型的目錄，主要包括字順目錄（含著者目錄、書名目錄、主題目錄）和分類目錄兩類。這兩大類目錄系統各自發展著自己特有的結構性質，它們的歷史也充滿著時而相互吸引，時而相互排斥的景像。但就總體上說來，西方目錄系統是以字順排列爲主的。比如，美國國會圖書館即將主題、題名、責任者三種款目混排，組成一套完整的字順目錄，統稱作「字典式目錄」。

中國古典目錄無疑是分類意義上的。誠如姚名達先生《中國目錄學史·溯源篇》所云，「我國古代目錄學之最大特色爲重分類而輕編目，有解題而無引得」。現代西方目錄學可以游離於分類表系統而獨立存在——這在中國古代是無法想像的——它體現了東西方各不相同的運思方式和價值取向。

分類可視爲是人類神經系統高度發展的必然結果。當人們能夠說出「人」、「男人」、「女人」以及諸如此類的詞的時候，就說明人類已經在運用分類的方法了。《孟子·告子上》云：「舉同類者，舉相似也。」把相同特徵或形式相近的事物歸爲一類，是人們認識事物的基本方法。分類在人類文化生活中的重要作用是顯而易見的：首先，分類並賦予標識的過程，可以將未經組織的思想或印象形成有組織、可識別的模式。其次，可以將事物總體上分爲多個組群，再按一定次序排列，從而爲每一已分組群指定一個明確等級。這能夠使人類的思想、表達和信息得以明晰。再次，分類回答了若干概念和物體如何按照一個系統排列的問題，它可以使若干概念和物體形成一個長遠保持秩序的結構體系。

分類的優勢同樣存在於目錄組織結構之中。中國古典目錄學以分類的方法作爲自身組織的唯一形式，是基於這樣的基本考慮：其一，分類在更爲具體的水平上描寫了文獻的本質。因爲，所有文獻的本質都是內涵意義上的，而不是物理形態意義上的，而著眼於文獻內容的分類目錄和形式主義的字順目錄相比，更適宜於眞切地構成文獻系統的統一性。它可以從內容的角度將若干雜亂無章的文獻組織起來。分類因素比形式因素更爲明晰和持久，分類的方法讓人們突出感到它是永恆的和穩固的，它超越了字順目錄的機械性，所以更易於爲人們所掌握。其二，分類有自己的詞典和語法規則，因而有自己完整的內部結構和相對獨立的構築方式，具有抽象性和普遍性。可以通過分類詞典及其分類語法系統的解構、建構、編碼、重組等思維過程，改變文獻信息的客觀存在，實現文化認知上的能動性。其三，分類編碼（標引）和分類解碼（檢索）的互動過程，能夠充分反映出文獻整理者、文獻整理工作與文獻檢索者、文獻檢索工作彼此之間的相互作用與影響，從而可以將人類的主體動機和行爲方向上升爲書目分類工作的重點。這意味著在文獻的表述、組織和認識過程中，主體人的終極存在。其四，作爲古典目錄學組織形式的古代分類，並不是建立在知識的系統統一性和邏輯完滿性基礎之上的。它和近現代西方圖書分類學不同，文獻歸於何類或不歸於何類的類別選擇，並不取決於文獻在學科屬性或邏輯類項上的自然分組，而是更多地取決於主體人的價值判斷。古代分類採取了迥異於近現代西方分類的形式，即：分類的過程參與著文獻意義的建構。文獻的意義不再全部由文獻本身來提供，而是有相當一部份來自它們的整序類型：分類。（詳第三章第四節）

分類目錄的獨特價值，鼓舞了中國先賢一如既往且無比堅定地選擇分類作爲目錄系統的唯一組織形式。從劉向、劉歆到鄭樵再到章學誠，中國古代圖書分類學形成了一個有核心、分層次的思想體系，並出現了像《七略》、《四庫總目》那樣彪炳千秋的書目分類文本。分類學也因此而成爲漢民族認識文化世界的一種結構化運作。然而，儘管中國古代有著異常豐富、異常成熟的圖書分類學理論與實踐之「實」，但卻無「圖書分類學」之「名」。蓋因一方面，中國古代學術一向是務「實」而不務「虛」，重功力而輕理解，重視解決實際問題而不重視理論上的建構，從而導致我國對中國古代圖書分類學之系統性理論構架的省缺。在我國，「圖書分類學」的名稱最早是由杜定友先生於1926年提出來的。杜先生在《圖書館學的內容和方法》一文（原載《教育雜誌》1926年16卷9～10期）中認爲，在圖書館學校的課程中應把圖書分類學列爲九門學科之一。其具體內容包括分類哲學、外國分類法、中國分類法、專門書籍分類法。其中的「中國分類法」又分爲古代分類法、現代分類法之研究及實習（參見白國應《從圖書分類學到文獻分類學》，《晉圖學刊》1993.2）。

另一方面，中國古代分類和目錄之間的千絲萬縷的聯繫也遏制了「圖書分類學」作爲一門獨立學科的提出。人們一般認爲，中國古代的分類是完全服務於目錄的，是第二性的，是手段，是「用」；目錄纔是第一性的「體」。杜先生對「圖書分類學」名稱的明確提出，亦沒有改變古代分類學相對於目錄學而言的「婢女」地位。1937年蔣元卿先生《中國圖書分類之沿革》這部中國第一部分類學著作，亦未能超越這一認識誤區。該書自序有言：「類別部次之法，實爲目錄學之靈魂也」；「故本書論列，大都偏重於歷代分類之沿革」；「殿之以今後分類法之趨勢」（北京：中華書局1937年版）。蔣氏對於目錄與分類之間關係的認識，於此可見一斑。

然而，我們認爲分類並不僅僅是目錄的助手或影子。事實上的文獻整序，並不完全局限於和決定於一種單純以目錄爲中心的意義模式。鄭樵在《校讎略·編書不明分類論》中說：「凡編書，惟則細分難，非用心精微，則不能也。」章學誠在《校讎通義·自序》中說：「蓋自劉向父子部次條別，將以辨章學術、考鏡源流，非深明於道術精微，群言得失之故者，不足與此。」張之洞《書目答問·略例自敘》也說：「詳分子目，以便類求。一類之中，覆以義例相近者使相比附」，可以「視其性之所近，各就其部求之」。可見分類的思想可以獨立於目錄之外，它在文化的統一和傳承中起到了巨大作用。文化的統一和傳承正是依靠一種共同的分類編碼體系的存在而達致的。這一點，在作爲泱泱大國的古代中國表現得尤爲明顯。分析目錄系統的分類模式，有助於發揮文獻意義的潛能，有助於揭示出特定時空條件下的特定社會結構和意識形態之內涵。爲此，有必要重新評價中國古代的圖書分類（學），重新獨立地思考古典目錄學理論背景下的分類觀。

第二節　建立中國古代圖書分類學

中國古代圖書分類學是有關於中國古代圖書分類理論和實踐的總和。目前，學術界對於「中國古代圖書分類學」並無完全一致的歷史分期。一般公認公元前6年誕生的《七略》是我國古代最早的分類體系或分類法，但對於古代分類學的下限（實亦即近現代分類學的上限）卻人言言殊。或以1896年梁啓超《西學書目表》爲界、或以1904年馮一梅《古越藏書樓書目》爲界、或以1917年沈祖榮、胡慶生《仿杜威書目十類法》爲界等等。我們認爲，確定一門學科的歷史起迄，既要立足於自然歷史時序，又要充分考慮到學科自身發展的若干特點。就分類學而言，一旦某種分類學思想和實踐在某個較短的時間裏發生了較大的變化，就可以以此爲分界，把這之前和之後的分類學分爲兩個時期。這樣，我們把1917年的《仿杜威書目十類法》定爲中國近現代分類學的奠基之作；而把此前的所有分類學理論和實踐統歸於中國古代圖書分類學的範圍。雖然《仿杜威書目十類法》在總類裏增添「經部」；保留有「女訓」、「談命」等類名，但它是我國歷史上出現的第一部脫離書目形式而從宏觀上編製的圖書分類法。它「以學科分類爲準」，第一次用標識符號代表類目，採用純數字小數制的編號方法，與傳統的中國古代分類學有著本質性的區別，實爲我國等級列舉式分類法的開始。

建立中國古代圖書分類學，就是要加強理論研究的深度，使其從經驗科學上升爲一門眞正的科學。而缺乏嚴謹的科學論證的經驗科學，無疑是有很大局限性的。

每個民族都有各自獨特的文化價值認同。中國古代圖書分類學承載著傳統文化價值。傳統文化價值通過分類學系統的形式得以表述、組織和認識。在這種分類編碼中產生的文本——各種分類目錄——提供了一種獨特的文獻編碼方式，具有模式或範型的性質。因此，中國古代圖書分類學可視作是對當時文化反思的產物。例如，姚振宗《隋書·經籍志考證·序例》肯定《隋志》：「自周秦六國、漢魏六朝迄於隋唐之際，上下千餘年，網羅十幾代，古人制作之遺，胥在乎是。」《隋志》遂成爲中國中古時期典籍存亡情況的總結、並進而成爲中古時期學術文化的集中體現。又如，《書目答問》共收清人著作一千多種，具有續《四庫總目》的功用，遂成爲清代學術文化的總結性書目。可見，中國古代分類學構成了漢民族文化結構的「神經中樞」，可以完整地反映出傳統文化的本質價值。

中國古代分類學構成了人們接觸古代文化的一種有效形式，甚至可以說，人們是根據古代分類學系統來理解和認同傳統文化的。所以清代學者王鳴盛在《十七史商榷》一書中寫道：「目錄學者，學中第一緊要事，必從此問途，方可得其門而入」；「凡讀書，最切要者，目錄之學，目錄明，方可讀書；不明，終是亂讀」（卷一）。目錄構成了文化認知的基礎，而中國古代的所謂「目錄」，都是借助於分類的方法而得以呈現的。從這一意義上來說，正是借助於分類，中國古代傳統文化精神纔能夠得以維繫。因此，中國古老的傳統文明能否被眞正充分地觸及、理解和認同；能否得到很好的繼承和發展，在很大程度上直接取決於古代分類學被了解和被感知的程度。建立中國古代圖書分類學勢在必行。

再從世界文化的角度來看。基辛格（Henry A.Kissinger）博士根據二十世紀世界經濟發展狀況，推斷二十一世紀將是亞洲儒家文化圈的時代。西方學者普遍認爲，當今的西方社會是原子巨人和倫理侏儒，提出運用孔子（551-479BC）思想來挽救西方倫理道德方面的危機，出現了一股所謂的中國文化熱。放眼全球，當今世界文化正面臨著來自理性的空前危機。誠如伽達默爾（Gadamer,Hans-Georg）指出：「我們的悲劇在於，我們20世紀的世界觀不知不覺地慢慢從理性思維的立場，滑向精神貧乏而又缺乏感情的思想立場，心靈極度空虛，最終變成了生硬的純理性主義和極端形式化的技治主義思想」（伽達默爾，《科學時代的理性》，北京：國際文化出版公司1988年版，P63）。理性在社會文化生活諸方面的日益獨斷化，遮蔽了人的價值世界，導致「眞實」的過剩和「理想」的缺乏。人們意識到，由理性帶來的技術文化，不管多麼發達，都不能提供給人們一種應然的尺度。西方文化日益暴露出來的危機，使西人開始將目光投嚮東方。普里戈金指出：「中國的思想對於那些想擴大西方科學的範圍和意義的哲學家和科學家來說，始終是個啓迪的源泉」（《從混沌到有序·序》，上海：上海譯文出版社1989年版）。李約瑟（Joseph Needham）指出：「人類將如何對待科學和技術的潘多拉盒子？我再一次要說，按照東方見解行事」（《李約瑟文集》，瀋陽：遼寧科學技術出版社1986年版，P341）。1988年，在巴黎召開的世界諾貝爾獎獲得者大會上，人們達成的共識是：如果人類要想在21世紀生存下去，必須回首2540年，去吸收孔子的智慧。

（1990年夏季，《孔子思想研討會彙要》，《孔子研究》，1990.4）

東西方文化的差異，本質上源自兩種不同的認識論。西人認爲主體外在於世界，局部之間有外在的規律性關聯，知識與外在經驗一致。因此，主體人可以預測、控制和利用世界。這一認識論在技術上取得了較大成績，但也帶來了一些不良後果。人文科學領域也越過人的意嚮，以「社會事實」爲變量，構造數理模型。中國古人則視主體與世界、局部與整體之間爲相互包容的秩序性關聯。西方後現代科學、現象學、詮釋學、符號學、解構主義等皆跟這種認識論有或隱或顯的聯繫。中國傳統文化的核心，正是蘊含在事實裏的價值前設。在認識論上，各家皆重主客互動、整體包容的宇宙秩序，其價值取向對人類未來具有啓發性。然而，我們十分清晰地注意到：正當世界文化沿著不同方向向中國古代傳統文化全面傾斜的時候，作爲傳統文化的表述和組織之認知模式、以及作爲傳統文化的理解和認同之先行條件的古代分類學，卻並沒有引起世人的廣泛關注。因此，建立中國古代圖書分類學不僅將有助於我們中國人能夠在新世紀到來之際，用一種不卑不亢的正常心態來公正、客觀地看待我們的傳統文化；而且還將是探求人類文明之共同出路的需要。

最後，建立中國古代圖書分類學還是圖書分類學自身發展的需要。國際上，1974年德國著名學者達爾伯格（I. Dahlberg）博士創辦的《國際分類》雜誌（International Classification）被認爲是現代圖書分類學建立的標誌。現代圖書分類學以分面組配化、分類法與主題一體化、標準化和計算機化等理性原則爲旨歸，充滿了實用主義期待。而事實上，一門科學要發展，必須根據學科自身的條件。把焦點放在用戶的需要和關心上，恰恰是減弱科學發展的表現。西方近現代分類學的理論和實踐隱含著某種根深柢固的局限性，它們有必要到中國古代圖書分類學中吸取養份，有必要回首2000年前，去吸收劉向的智慧。因此，建立中國古代圖書分類學還將有助於完善現代圖書分類學的一般理論、方法和技術。然而，對實用主義傾注了大量熱情的西方分類學研究者，顯然無暇（或謂無力）顧及超越了實證和經驗的、「幾於道」的中國古代圖書分類學。

就中國而言，由於受到西方近現代圖書分類學在實際運用中所取得的巨大成就的鼓舞，而自覺地把西方分類學視爲最高參照範本。事實上，中國近現代思想文化史上一直有一個認識誤區，那就是缺乏對西方現代文明的反思與批判，誤以爲它是全能的拯救力。而我們認爲，成功的現代化恰恰需要傳統與現代之間的不斷對話與思考。這種認識誤區在分類學上也有充分反映。1917年沈祖榮、胡慶生兩位先生的《仿杜威書目十類法》全面開啓了我國圖書分類學之西方化的先河。於茲而還，中國的圖書分類學從理論體系到範疇術語，從學術規範到研究方法，無不唯洋是好，據外律中。中國古代圖書分類學在近代的命運，昭示了中國文化自身內部的危機和裂變，但它的本質特徵並沒有泯滅。中國古代圖書分類學是中國傳統文化的一種反思類型。祇要我們承認中國傳統文化的獨特價值，就應該同時承認古代分類學的獨特價值。中西方圖書分類學系統同樣都有其獨一無二的地位；這正像它們都附帶有與身俱來的局限性一樣。它們兩者之間的關係不應該是時序上的先後，而應該是分類學體系上的互補、借鑒和彼此滲透。我們今天所慣用的、源自西方的等級分類，以及作爲等級分類之反撥類型的分面分類，都不是絕對理想的、一勞永逸的圖書分類學類型。建立中國古代圖書分類學，對於完善現代圖書分類學的一般理論和實踐問題，無疑是有借鑒意義的。

第三節 中國古代圖書分類學的研究內容

現代圖書分類學是研究圖書資料所載知識單元的揭示、系統組織與檢索利用之間規律的一門科學。嚴格地說，確立文獻的主題並不是現代分類學的研究內容，研究這些主題的描述形式、它們的排序組織纔是現代分類學的領域。但就中國古代圖書分類學而言，分類系統本身已經構成了傳統文化的有機組成部份，在這當中，文獻主題的內容決定著文獻自身的排序，並決定著分類學的基本走向。亦即，在中國古代，文獻主題的描述形式和排序組織直接反映了深層的文化結構和觀念原則。因而，傳統文化的深層結構和觀念原則也將理所當然地成爲古代分類學研究的重要組成部份。所以，中國古代圖書分類學的研究內容包括古代分類學本身及其所有引起變化和被引起變化的一切傳統文化結構和觀念原則。基於這種基本理解，本書將把中國古代圖書分類學的研究內容概括爲：

(一)緒 論

(1)分類與目錄之間的關係

如前所述，分類是中國古典目錄體系的唯一組織形式。古典目錄的這種對題名、責任者、主題等形式因素的無比堅定的排斥，隱含著極其深刻的價值判斷和理性選擇。充分揭示出這種價值判斷和理性選擇，對於眞正認識古代分類學、進而眞正認識傳統文化就顯得非常必要。

⑵建立中國古代圖書分類學（略）

⑶中國古代圖書分類學的研究內容（略）

⑷中國古代圖書分類學的研究概況

對古代分類學的了解，在很大程度上取決於研究方法的改進，這正像科學史上的任何一次重大發現都取決於研究方法的創新一樣。而分析古人及時賢對中國古代圖書分類學研究的現狀，指呈其得失，又是對古代分類學作進一步研究的基礎。本書將在對已然存在的研究現狀之充分反思的基礎上，建立研究的新原則和新方法。

⑸中國古代圖書分類學的研究原則和方法

在對上述研究概況充分反思的基礎上，提出本學科的研究原則：首先，必須以古代分類學的事實而不是按事先確立的某種模式爲研究依據。其次，認爲分類現象是文化現象的組成部份，必須充分結合傳統文化的基本特徵來研究古代分類。看看傳統文化的基本特徵是如何適應並支持古代分類的相關特徵的，從而最終將分類學的研究導嚮文化學研究最深刻的層面。在此基礎上，提出了五種具體的、具有共軛特徵的研究方法：第一，描寫研究和解釋研究相結合；第二，形式研究和意義研究相結合；第三，封閉研究和開放研究相結合；第四，微觀研究和宏觀研究相結合；第五，考據研究和義理研究相結合。

㈡制約中國古代圖書分類學的主、客觀因素

中國古代圖書分類學凝聚著創造和使用該系統的漢民族的思想認識、歷史文化和民族情感。我們認爲，在中國自身的學術傳統和文化環境下，祇能產生相應的文獻（文化）整序樣式。而當中國古代圖書分類學面臨最透徹的分析時，可以發現其基本的理論領域受制於中國古代的邏輯思維特徵和中國古代文獻的特點。它們從主、客兩個層面，決定了古代分類學系統祇能選擇這樣的形式和表達，而不是那樣的形式和表達。古代分類學的一切形式和本質都將可以歸結到這兩點上來加以審視，並由此而使古代分類學系統呈現出一個原初的構形。

⑴中國古代邏輯思維的特點

各民族思維習慣不同，則反映現實要素的順序也就各異，這必然深刻地影響到相關的文化樣態及其相關的分類樣態。人所共知，一切分類學理論和實踐的背後都站著一個能動的、活躍的主體，而決定行爲主體的本質因素又祇能是文化，而文化的本質特徵則直接取決於行爲主體觀察世界的視角及其內在思維機制。有什麼樣的觀察視角和內在思維機制，就會有什麼樣的文化樣式和分類形態。因而，對古代邏輯思維特徵加以揭示，可以對古代分類學的相應性特徵作出具有解釋力的說明。

⑵中國古代文獻的特徵

古代分類學的最終對象是一本本古籍。古籍是古代分類學的基本結構本位，凝聚著分類學系統的基本特徵。古籍作爲人類文獻的獨特類型，它們的基本性質決定了中國古代圖書分類學祇能選擇這樣的形式和表達，而不是那樣的形式和表達。中國古代的古籍特徵和邏輯思維的特點分別從客體和主體兩個方面支持了中國古代圖書分類學的獨有特點。那麼，中國古籍有哪些基本特徵呢？這些特徵又是怎樣對分類學系統施加影響的呢？

㈢中國古代圖書分類的基本特徵

中國古代的邏輯思維及其文獻的獨有特點，導致中國古代圖書分類學具有迥異於西方近現代以來的等級分類學的若干特徵，這可以從分類形式和分類意義內涵兩個角度加以分析。

⑴表層樣態

和現代分類學的分析型特徵不同，古代分類學本質上是一種人文主義的學術範型，它缺乏類似現代分類學那樣嚴格意義上的形態範疇，而是以自己無與倫比的獨特形式去表達「看不見」的分類意義內涵。

1.古代分類學的形式結構

我們認為中國古代圖書分類學的形式不是等級譜系結構，而是以線性次序為基礎的結構模式。該結構模式將文獻信息的分佈同線性次序選擇聯繫在一起，突破了等級譜系式的邏輯框架。不同內涵的文獻在分類系統中的分佈呈現出獨特的規律性：按文獻內涵的意義和功能之線性遞減次序排列。

2.古代分類學的標識符號

不同的分類學體系編織著各不相同的標識符號網絡，以提供一個長遠保持秩序的文獻系列。因而，分類系統的眞正差異在於概念符號及其構成。符號的選用不僅是分類方法學問題，而且還是分類本體論問題。古代分類學直接選用文字性的類名作爲分類焦點，同時兼起類號的作用，它沒有在類名的基礎上再配置一套形式主義的代碼標識（如拉丁字母、阿拉伯數字）。這種分類學標識方案在本質上意味著文獻主題概念的非邏輯代碼化，亦即，文獻主題概念並不嚴謹地對應於某種機械性的形式邏輯格局，不能從形式主義和邏輯完滿性的角度加以界定和說明。

(2)古代圖書分類學的深層類別原則

現代分類學的類別原則是建立在學科知識的系統統一性和邏輯完滿性基礎之上的，它迎合了某種爲學術而學術的功利主義取向。古代分類學並不過多地理會這些被現代分類學視爲核心和生命的類別原則，而是更多地考慮到文獻內涵之間的事理關係，及其在行爲主體的主觀心理現實之上可能形式的分組。換言之，古代分類的類別原則主要包括：第一，意義和功能原則。即文獻內涵在政事日用上的意義和功能大的文獻排在小的文獻之前；意義和功能相同或相近的文獻在線性平面中的位置也趨於靠得比較近。第二，認知原則。文獻排列的次序跟現實人的認知習慣相一致。如時間順序原則：文獻在線性平面中的次序決定於它們所表達的觀念裏的狀態或事件的時間順序；或文獻本身產生的先後順序。又如，現實程序原則：按文獻著者或文獻內涵所涉人物的現實地位排序。這種認知限制充分反映了人們對現實世界的臨摹和投影，突出了人類認知經驗在分類學中的作用。可見，古代分類學的深層分類原則隱含，更深刻地指明了古代分類學系統的本質，更爲核心地顯示了古代分類學系統本身的存在。

(3)中國古代圖書分類學的非知識分類取向及其對文獻意義的建構

中國古代圖書分類學的文獻整序過程，本質上迺即一種體「道」。「道」不是知識論，不可論證和推理；相應的分類學也不取知識分類。古代文獻內涵之「道」並不全然顯露於文獻外表，而需經由識讀主體的主觀賦予。分類正是分類學家作爲識讀主體而賦予文獻之「道」以各種意義和價值的有效形式。文獻的意義和價值並不全部由文獻本身來提供；而是有相當一部份來自它們的整序類型：分類。類分和賦予的過程表現出強烈的重德精神、民本精神、倫理精神和超越精神。這種人文性的分類學態度完全是古代文獻「道器合一」的原則造成的必然結果，也是傳統文化之人文性的一部份。

(四)中國古代圖書分類學的文化學透視

(1)古代分類與傳統文化相通約

圖書分類學在整序文獻的同時，也整序了文獻背後的文化。分類學系統與相關的文化系統之間是相互通約與兼容的。我們認爲，這是圖書分類學最爲根本的文化學本性，它可以把迄今爲止被人們所發現的文獻保證原則、用戶保證原則、與知識發展同步原則、適應性原則等若干衆多的分類學原則歸納到一條總原則之下。事實上，本書即是以該原則爲指導，來全面分析傳統文化和古代分類學之間既被動又能動的互動關係的專著。我們認爲，在描述傳統文化時，如果對該文化賴以整序的古代分類學系統比較熟悉，那麼文化的描述將會更加透徹；反之，若利用文化的其它方面的某些知識對古代分類學系統作出描述，將會對分類學的特點及其最終作用提供更加全面的說明。

(2)從傳統文化看古代分類

文化觀念表現為一種深層的文化結構，它的變異會影響到分類學系統的相應性變異。本節擬從認識主體的認知能力、特定歷史積澱因素、現實的社會結構和意識形態等三個方面討論分類學的相應性類型、結構和形式，從而把分類學研究導向科學研究最深刻的主題：人、歷史和現實。另一方面，文化結構的遺傳也會影響到分類學系統一以貫之的繼承性。文章將著重從傳統文化之「眞」的價值、「美」的價值和「善」的價值等不同側面，分析古代分類學的相應性特點。

(3)從古代分類看傳統文化

通過對古代分類學系統的分析發現，把傳統文化迺至社會生活看作可以用同樣的方式分析為分類標識的純粹整序系統，不僅是可行的而且也是正確的。古代分類學可以提供對傳統文化加以理解的嶄新視角，可以由此洞察出隱伏於分類體系底下的特定的觀念體系。古代分類學研究遂成為對傳統文化作徹底研究的重要部份。文章擬從具體例證及文化觀念兩個不同層次討論古代分類學對傳統文化所施加的影響。最後從理論上加以總結，認為古代分類學是傳統文化價值的特殊承擔者，分類結構在文化認知過程中表現出了整體性特徵、中介功能和誤導作用，這些都無庸置疑地影響到人們認識和記憶傳統文化的方式以及人們進行各種文化思考時的方便程度。

㈤中國古代圖書分類學的現代價值

在傳統文化邁步走向世界，並逐漸成爲世界文化主流的今天，面向傳統文化的中國古代分類學也無疑有著不可估量的現代價值。

⑴類分古籍

中國古籍是人類文獻中的獨特類型，也是傳統文化的主要載體。能否正確地類分古籍，關涉到傳統文化的繼承和發展，意義重大而深遠。以《中圖法》（《中國圖書館圖書分類法》）爲代表的現代分類學系統本質上是1876年第一版DDC（《杜威十進分類法》：Dewey Decimal Classification）以來的等級分類體系規約下的產物，它們以西人所崇尚的科學精神和邏輯修養爲支點，不具有約束中國古籍的職能。而古代分類學立足於傳統文化，和中國古籍的特點以及中國古人的邏輯思維特徵相適應，實爲整序古籍的唯一有效形式。

⑵對現代分類學的啓迪價值

現代分類學立足於理性邏輯，贏得了在分類標引和檢索過程中的準確、客觀、科學等效果。現代分類學也因此而把自身設定在實用的層面上，以分面組配化、分類主題一體化、標準化和計算機化等理性規則爲旨歸，表現出對理性精神的某種堅定不移。理性化是現代分類學的優勢，但同時也構成了它的局限和障礙。因爲，第一：所有的文獻都是文化的載體，它們並非立於我們面前，供我們從學科屬性、邏輯類項或其它形態特徵上加以打量的對象。它們更多地是一種心理意義上的存在，是某種適應個體人的實際經驗的單位。這樣，我們理解文獻的方式，不僅是要讓它們受制於普遍的分類概念和原則，而且還需要一種基本的活動，需要人類心靈中的情感、欲望、希冀等特殊力量。第二：邏輯化的類名所反映的是概念性的東西，具有粒散性的特點。現代分類學將自己的使命限定在通過邏輯範疇和用邏輯範疇的術語來描寫文獻主題、並根據描寫結果來組織文獻，本質上是將分類類別範疇和邏輯範疇等同了起來。而事實上，「邏輯」並非達到眞理的可靠途徑。邏輯化的類名和標識所能提供給我們的，和文化內涵相比永遠是粗疏的，它不能把人類文化事實的全部內容都呈現出來。第三：文獻標引與檢索除了取決於以技術形式出現的若干精確的規則之外，還取決於行爲主體的認知背景、心理結構和思維方式，而這些因素在本質上是不可「精確」化的。分類的過程往往是高度主觀的、個人思想的反映，包含著某種明顯的價值判斷。但是，現代分類學以理性邏輯爲原則，分類表系統通常被設計成一個超越每個個別主體認知特點的傳播體系，忽略了作爲主體人的編碼者和解碼者在文獻標引或檢索中的無意識的心理活動。

而古代分類學恰恰選擇了相反的學術標準與追求，因而對現代分類學具有不可多得的啓迪價值，它能夠啓迪今人正確的分類觀，指出什麼纔是眞正正確的分類學。

(3)哲學收益

中國古代圖書分類學超越了抽象的理性普遍性對人類文化的統治，具有一種眞正哲學眼光的審愼。古代分類學的界限迺即傳統文化的界限。分類系統是古人用以觀察和解釋經驗的特殊手段，本質上構成了一種世界觀：一種文化對整個世界所持的根本態度。理解了古代分類學的價值即可推知世界之意義。古代分類學的實體論、建構論和目的論正是中國傳統文化哲學之實體論、建構論和目的論的重要組成部份。由此我們發現：我們人類生活其中的一切物質、能量和信息（正如一本本文獻一樣）都不是一種實然的物理存在，而是一種意義性和價值性存在。人類並非被動地接受它們，而是以一種動態的意義去理解它們、並設法表現出它們的價值和深度；這種實體論不允許我們用機械的方式加以建構，而必須以能動的方式加以建構，從而實現由物理世界秩序上升到依目的和理想的建構性秩序之反思上來；這種建構方式成爲一種浸潤到我們心靈所有活動和能量中的力量，它爲我們確立了一個統一的情感交流背景，再使我們從這種統一的目光來看待自己、他人和世界，從而喚起了人們普遍的主體心理感受，並自覺地將人性道德視爲人類一切勞作所欲奔赴的共同主題。

第四節　中國古代圖書分類學的研究概況

中國古代從公元前一世紀劉向、劉歆《七略》始，就已經將分類學的一些重要原則隱含在了具體的分類工作實踐之中。宋代的鄭樵和清代的章學誠都自覺地從理論高度探討分類學的若干基本問題，他們的《通志·校讎略》和《校讎通義》構成了古代圖書分類學研究的雙璧。自清代乾嘉考據學風盛行以後，書目分類學也蔚爲大觀，成爲顯學，並取得了在資料收集和整理方面的巨大成績。民國年間則出現了中國古代圖書分類學專著：蔣元卿先生的《中國圖書分類之沿革》（1937年中華書局版）。抗戰勝利後的數十年裏，尤其是50年代以來，分類學研究進入了高峰期，成爲我國圖書館學、情報學領域發展較快、取得較大進展的學科之一。僅就大陸而言，「據統計，40多年來，發表了分類學方面的論文6,000多篇，編寫了著作或教材100多種，編製了文獻分類法130多部，翻譯了國外專著或工具書40多種，形成了一支頗有研究能力的隊伍。他們的研究都集中在一種檢索語言——體系分類法上——因而，不同程度地涉及到了中國古代圖書分類學」（白國應，《中國檢索語言發展的方向》，《圖書館雜誌》，1997理論學術年刊）。隨著社會經濟的大力發展，傳統文化日益受到重視，「古籍怎樣分類」這一現實問題也被提到議事日程上來。古代分類學的研究工作也更深入了一步，並以此爲背景，在《中國古籍善本書目》、《中國叢書綜錄》的基礎上，「又產生了一部新型的、權威的《中國古籍分類法》」（姚伯岳，《試論中國古籍分類的歷史走向》，《圖書館理論與實踐》，1993.4）。

總之，先賢和時人對古代分類學的研究取得了一定的成就，但也存在著十分明顯的問題，未能從理論上總結其特徵、說明其重要地位，這是與古代分類學的悠久歷史極不相稱的。古代分類學至今遠遠不及校勘學、目錄學等姊妹學科所達到的高度。儘管大家付出了巨大的勞動代價，但我們的研究較前人並沒有根本性、實質性的突破與進展。古代分類學研究的一個突出的通病即是分類學尚沒有從它的上位學科目錄學中分化獨立出來。姚名達先生的《中國古代目錄學史》闢《分類篇》，余嘉錫先生的《目錄學發微》第四章爲《目錄類例之沿革》及《古今書目分部異同表》，諸如此類的章節設計都是將分類學從屬於目錄學的明證。衆所周知，如果一門學科還沒有從它的上位學科中游離出來，其發展步伐必將是十分緩慢的。綜上，我們有必要首先對先賢和時人的研究成果加以整理、分析，分清他們的成果和方法哪些是正確的，哪些是錯誤的。我們擬以1917年《仿杜威書目十類法》爲界，從此前和此後的兩個不同時期檢討先賢和時人的研究得失。

㈠1917年之前的研究概況

⑴缺乏相對完整的理論研究體系

由於中國古人的理論研究往往祇講一些大道理，而不是建立在概念和推理以及假設、演繹和論證的基礎之上，所以中國古代的學術文化皆缺乏相對完整的理論體系，中國古代圖書分類學亦未能倖免。余嘉錫先生《目錄學發微》嘗云：「我國自來有目錄之學，有目錄之書」，「而無治目錄學之書」。目錄學如此，分類學亦然。蓋人們大都「熟讀深思，久而心知其意，於是本其經驗之所得以著書。至其所以然之故，大抵默喻而已，未嘗舉以示人」（卷一）。鄭樵那短小的《校讎略》（共21個論題、69篇短文，約計7,900餘字）以及章學誠的那部本或爲歷史學而撰作的《校讎通義》，本質上也少有眞正系統的分類學理論建樹。

人所共知，嚴格意義上的科學是建立在成套的範疇系統基礎之上的。用下定義的方法界定範疇，差不多是所有科學的根本。然而，中國古代圖書分類學的一些基本概念，如校讎、互著、別裁、類、分類等多不著重於概念形體、結構和成份的分析，不對其結構作形式切分而得出結論，而是極力張揚範疇本身在動態過程中的整體功能屬性。例如，明代祁承㸁提出了「因、益、通、互」的分類學原則。他指出：「因者，因四部之定例也。部有類，類有目，若絲之引緒，若網之就綱，井然有條，雜而不紊」；「益者，非益四部之所本無也；而似經似子之間，亦史亦玄之語，類無可入，則不得不設一目以彙收。而書有獨載，又不可不列一端以備考」；「通者，流通於四部之內也」；「互者，互見於四部之中也」（《澹生堂藏書錄·庚申整書略例》）。祁氏對「因、益、通、互」等重要分類學範疇的解釋，在形質方面都模糊籠統，功能、效用上卻盡量發揮。我們看到，這些範疇都沒有絕對明晰的界說和邏輯實證，然而範疇的意義內涵卻十分豐富。它們不是以任何抽象概念或推理形式爲工具，而是以意象和比喻爲手段建立起具有形象性和感受性的範疇體系。又如「校讎」一詞，即是一個充盈著意象性和感悟性的範疇。《文選·魏都賦》注引《別錄》云：「校讎，一人讀書，校其上下，得謬誤爲校。一人持本，一人讀書，若怨家相對，故曰讎也」。再如鄭樵《校讎略》議論「類書」時說「類書猶持軍也，若有條理，雖多而治，若無條理，雖寡而紛」（《編次必謹類例論》）；「士卒之亡者，由部伍之法不明也；書籍之亡者，由類例之法不分也。類例分，則百家九流各有條理，雖亡而不能亡也」（《秦不滅儒學論》）。

可見，中國古代圖書分類學不注重研究對象的實體或元素，建立範疇往往直接在行文中提出，並不作任何必要的論證與展開。與此同時，古代分類學的理論闡發，亦大多附之於具體書目分類著作之中。中國「古代分類的優良傳統之一是有類序。清代以前書目如《漢志》、《隋志》等主要說明學術源流及圖書情況，《四庫總目》類序，內容有所發展。它不僅說明學術源流及圖書情況，而且在分類理論上有所探討」，並且「《四庫總目》在凡例及案語方面闡述的分類理論較之類序更爲豐富」，涉及到「注解書的歸類、按內容歸類、類目的來源、類目的涵義及收書範圍諸方面的問題，提供了分類知識，豐富了分類理論」（北大、武大，《圖書館古籍編目》，北京：中華書局1985年版，P251）。誠如《四庫總目·凡例》第10則所云：「四部之首，各冠以總序，撮述其源流演變，以挈綱領。四十四類之首，亦各冠以小序，詳述其分並改隸，以析條目。如其義有未盡，例有未該，則或於子目之末，或於本條之下，附注案語，以明通變之由」。

缺乏明晰的範疇系統，導致的一個直接結果是缺乏理論體系的完整性、邏輯體系的嚴密性。它更多地是靠具象感悟、整體觀照和模糊把握。這樣的研究範疇跟中國人的價值觀有關。中國人並不以發展、改造外在世界爲獲得自由的途徑，而是嚮內探求，「反身求諸己」、「三省吾身」，以認識自身、完善自身爲獲得自由的途徑。這種內省型的文化價值觀顯示了獨特的人文風範，與理性的科學精神是大異其趣的。

(2)重視材料的收集和整理

重視分類學材料的收集與整理，而不作理論上的假設和闡發，這其實是一個問題的兩個方面。古人的研究一直停留在分類學事實的考核和例證的歸納上，而整體性和系統性的理論闡發甚微。清代乾嘉時期的學者把這種注重列舉和歸納史料的學風發展到了極限。大量分類學資料的比排，呈現出一個模糊的理論輪廓，其本旨是要讓理論滲透到資料的整理之中，是寓虛於實，讓條理化了的資料「發言」。通過對資料的精細整理，可以明察秋毫。但也孕育著明顯的危機，那就是「不見森林」（整體、全面），缺乏在材料基礎上的確切結論，更不要說高屋建瓴的理論建構了。

事實上，中國古代學術文化一向是務「實」不務「虛」，重功力而輕發揮，重實證而輕理論。誠如胡適之先生在北京大學《國學季刊》發刊詞（1923年）中指出的那樣：「研究的範圍太窄」、「太注重功力而忽略了理解」、「缺乏參考比較的材料」。章學誠也曾深刻地指出：「今之博雅君子，疲精勞神於經傳子史，而終身無得以學者，正坐……指功力以爲學，是猶指秫黍以爲酒也」（《文史通義·博約篇》）；「近日學者風氣，徵實太多，發揮太少，有如桑蠶食葉而不能抽絲」（《章氏遺書·卷九》）。

該學風在古代分類學研究上表現爲，雖然歷代分類目錄著作層出不窮、代不乏人，但卻很難列舉出有份量的理論著作。考據學風的一個變相形態是注重對中國古代圖書分類學的「史」的研究。直到今天，這一學風還在嚴重地影響著學術界的價值取向。於是，所有關於古代分類學方面的論著，幾乎都無一例外地以自然歷史爲時序，以從《七略》到《四庫總目》爲主幹，對各個歷史時期的分類學專書和專人加以逐一描寫和證實。對某部分類法文本（如《漢志》）、某部分類學著作（如《校讎通義》）、某個分類學家（如鄭樵）詳加考證，致力於回答諸如四分法的開創者是誰，是鄭默、荀勖還是李充？《漢志》有沒有互著、別裁？《七志》卷數幾何（《南齊書·王儉傳》作40卷；《宋書·後廢帝紀》作30卷；《隋志》、《新唐志》皆作70卷）？《七志》與《元徽元年四部書目》成書的先後等考據問題，而有關古代分類學階段史和方法論方面的研究、它的宏觀理論探討等等則告貧乏。

(3)將古代分類學置諸整個傳統文化背景上加以討論

西方文化將客觀事物與認識主體分離開來，注重認知對象的形體與元素，並作出結構形式上的分析與切割，追求操作層面上的邏輯性、精確性和實證性。和西方文化不同，中國傳統文化追求的是一種和諧大度、人格向上的整體性、功能型的文化價值取向。因此，中國古代的學術研究雖然不盡科學，但卻有絕對的可取之處。這種可取性反映在分類學研究上則表現爲：古代分類學從不故步自封地將研究領域局限在純粹「爲分類學而分類學」的學術範圍之內，而是密切聯繫當時社會政治和人倫生活的一種更爲廣泛而深邃的學術標準與追求。比如，《七略》迺是用「人事演進」的考察、用校勘提要的方法來闡發學術史，旨在以治經來鞏固國家政權；《隋志》則著重說明圖書的興衰與學術的關係，最終目的是要「經天地，緯陰陽，正紀綱，弘道德」、「其教有適，其用無窮」；《校讎略》體現了鄭樵「會通」的史學哲學思想，最終目的是要會通天地人三材之道；《校讎通義》反映了章學誠「道不離器」的史學哲學思想；《四庫總目》的凡例、類序、案語及提要等都較爲集中地提出和研究了分類學方面的一些問題，目的是要「蓋如張子（按：張載）所云：『爲天地立心，爲生民立道，爲往聖繼絕學，爲萬世開太平』」。（清高宗《文淵閣記》）

可見，古代分類學正像傳統哲學一樣，是入世的，旨在治世的。事實上，中國古代圖書分類學的中心思想，即在找出文獻分類行爲與天地人三道之秩序性之間的某種理性關係。亦即，文獻規整性之「小序」如何反映世界和人之規整性的「大序」。古代書目分類學以充分反映當時政治思想面貌爲要務，重視對社會、人倫的實際功用。例如，宋代陳振孫《直齋書錄解題·語孟類序》云：「今國家設科取士，語、孟並列爲經，而程氏諸儒訓解二書，常相表裏，故今合爲一類」。陳氏根據程顥、程頤等人以來的理學傳統，以及當時爲士子適應科考的實際需要，而將原來的「論語」、「孟子」兩類合併爲一類，即「語孟」類。由此可見陳氏分類中的社會實用性原則。清人孫星衍《孫氏祠堂書目·序》則云：「漢魏人說經，出於七十子，謂之師傳，亦曰家法。六朝唐人疏義，守之不失。以及近代，仿王氏應麟輯古注，皆遺經遺說之僅存者。學有淵源，可資誦法。至宋明近代說經之書，各參臆見，詞有枝葉，不合訓詁」。故後世書目多有刪去「四書類」者。刪去「四書類」實因清代乾嘉學風重考據，而宋明式的四書研究，參以已見，不合實際，學術地位下降使然。

可見，古代分類學系統反映了分類編碼者的主觀動機和行爲趨嚮、以及對分類解碼者的誘導作用和影響。它總是欲透過枯燥的、刻板的分類學構架，看到活生生的人，他的思想、情感和內容等等。古代分類學並不過多地強調認識過程與認知結果的客觀性，而是重視人的主觀情感與好惡。強調主體對客體的體驗與感悟，追求一種體用不二、既理性又感性的審美境界，以及分類學的社會功能、文化價值及其對現實人的實際作用。每一個類別的釐定都「寓褒貶，多甄別」，每一個分類學體系都是「爲治之具」。因此，中國古代圖書分類學不具有純粹的客觀意識和抽象觀念，不通過邏輯推理與數理方式來求「眞」，而是離開文獻表面現成範疇，深入到所類分的文獻之核心層面上去求善、求美。和傳統文化一樣，古代分類學也主張主客不分，重視對客體文獻的感受、體驗和領悟，本質上是要力求使人們對客觀對象的認識充分感知化。

中國古代圖書分類學的一般特色，導致古人對它的研究也不注重於討論分類結構和分類形式問題，而是把關注焦點放在分類行爲及社會效用上，從而最終在分類編碼體系中領會到超文本的道德價值和倫理力量。例如，《四庫總目》別集末按語云：「考奏議皆關國政，宜與詔令并爲一類，不宜列於集……今移奏議入史部」，將奏議詔令合爲一類並提升到史部。這種將文獻之收集、整理和傳遞的整個信息交往過程與現實的人倫理想和政治教化功用完美地結合起來的分類學取向，並不是要從原子分析主義的觀點出發來追求某種可驗證的信息編碼與解碼效果，它沒有形式或性質上的「眞」。相反，古代分類學中有「善」——編碼者對解碼者以及對人生處世的誠意，上升爲倫理規範，是一種文化精神極其充沛、人生境界極其高尚的學術標準與追求。此外，古代分類學中還有「美」，即通過「至善」的分類學體系的展現，提供給人們一種賞心悅目、淨化心靈的功能效果，從而最終提出主體人在分類學理論與實踐中的終極目的以及分類學對人生的意義和功用問題。由此，古代分類學不再是一門純粹的學術，而是跟人們的日常生活息息相關，從而恢復了人的感知能力在分類學研究活動中的地位。誠然，古代分類學的一些基本範疇，不是光靠形式、技術、理性等原則而得以建立，而是力求讓人們能夠在常識的水平上加以感受和理解。因此，這種「不科學」本身又隱含著無與倫比的內在價值。

總之，古代分類學是入世的傳統文化的一部份。它注重政教人倫上的實用性，不僅是一種文獻整序行爲，更是社會倫理概念。它將分類學活動和整個社會的倫理道德融爲一體，反映了漢民族意識中的實用理性精神。相應地，古人對古代分類學的研究也多重視實際社會效用，強調多角度、發散性地論述其價值，從而豐富了古代分類學的研究內容，成爲中國古代圖書分類學研究中的一個難能可貴的重要特徵。

㈡1917年以來的研究得失

分析現有學術規範可知，下列兩種學風影響了1919年以來的現當代人對古代圖書分類學的研究取向。其一，即爲乾嘉學派以來的考據學風的影響。該學風導致分類學研究一味重視材料的收集和整理。例如，來新夏先生《古典目錄學淺說》一書（中華書局1982年版）將書目分類的史料來源從目錄學專著、史傳、目錄序跋擴大到了類書、政書、文集、題跋、筆記等，全面拓展了史料的來源範圍。該學風還導致今人一味從時代演進的角度（「歷史」的角度）來知解古代分類學。迄今爲止的所有書目分錄著作皆以縱向的歷史順序爲章節構架即是明證，茲不贅述。另一個影響今人的學術規範，是由於受到1876年第一版DDC以來的西方近現代分類學的影響，而自覺地把西方形式主義分類學視爲最高參照範本，於是以今論古、據外律中。本章擬就此談點認識。

1917年沈、胡兩位先生的《仿杜威書目十類法》首先從分類學文本的角度全面模仿了DDC。該書雖保留有一定的「中國特色」，但它的整個體系、範疇術語都是借鑒DDC而來的。此後，仿杜、補杜、改杜的分類學文本大量湧現，蓋不下三十種。這些分類學文本，連同大陸上具有國標地位的《中圖法》、台灣大學圖書館學系主任賴永祥教授以劉國鈞先生所編《中國圖書分類法》爲藍本進行大幅度修改和擴充，於1964年問世的新訂初版《中國圖書分類法》（New Classification Scheme for Chinese Library Tables）等一些中國近現代圖書分類學的權威文本，它們的編製原則、標記制度、編製技術等等無一不是在學習、模仿西方等級分類體系的基礎上發展起來的。這種學習和模仿的過程差不多與五四新文化運動相同步。新文化運動的文化學反省，爲傳統文化，同時也爲古代分類學的發展提供了契機，但也造成了對歷史悠久的民族文化的深刻的割捨。就分類學而言，國人在分類學文本充分西化的基礎上，又開始了從理論上汲汲於圓說西方分類學理論體系，於是出現了這樣的研究狀況：對中國古代圖書分類學的研究注入了不可多得的理論因素；但最大的局限和障礙則是以今論古、據外律中。

1917年以來，國人對中國古代圖書分類學的研究基本上是採取了近似於對近現代圖書分類學研究的相同路數而稍作移植後形成的。於茲而還，沒有人再對古代分類學系統作有意識的現代清理，並據此建立中國古代分類學系統的現代化支撐點。嚴格說來，自《校讎略》和《校讎通義》之後直到今天，一直沒有產生過純粹關於中國古代圖書分類學研究的專著。也許蔣元卿先生的《中國圖書分類之沿革》勉強稱得上是一個例外。然而事實上，該書亦多停留在列舉和歸納史料的層面上，缺乏系統性和整體性的研究。誠如蔣氏自序所云：「……至若攻討融變，使吾國之圖書分類，因折衷諸說而漸臻完備，則所望於海內之學者。是則著者刊佈是書之微旨也」。我們今人對中國古代分類學的研究似乎更習慣於將其納入到關於現代圖書分類學研究的宏觀範圍之內，往往是在關於現代分類學研究的專著中闢一章節來專門討論「中國古代圖書分類學」。例如，王省吾先生《圖書分類法導論》（台灣：中國文化大學出版部1980年首次出版，1982年出版新二版）全書共分八章，其中第四到第六章介紹中外古今各種圖書分類法，並予以評價。白國應先生《圖書分類學》又名《圖書分類理論與實踐》（北京：書目文獻出版社1981年出版），全書共分十七章，其中的第六章爲中國圖書分類法簡史。張樹三先生撰《中文圖書分類之原理及實務》（台灣：

中華書局1982年第三版）全書共八章，其中第五章爲清代以前中國圖書分類方法簡介。周繼良先生主編《圖書分類學》（武漢：武漢大學出版社1989年第一版）全書共十四章，其中第七章爲我國圖書分類法簡介，內容包括我國古代圖書分類法、我國近代圖書分類法、解放後編製的圖書分類法等三部份。……如此安排實有「虛應故事，漫充篇幅」之嫌。

將中國古代圖書分類學納入到近現代的圖書分類學研究之中，視爲其整個內容的一小部份，這本身已經暗含著用今天的分類學的一般理論、方法和技術來機械地定性和析解古代圖書分類學。這一做法，似可從下述兩個層面考量其得失。

首先，由於現代分類學自身理論的相對成熟，導致對古代分類學的研究也注入了不可多得的理論活力。一般地，近現代圖書分類學研究者認爲，分類是一套語言符號系統，分類的知識就是關於這套符號系統的知識。它否認了主體人自身在文獻主題分析和排序過程中的能動作用，整個認識主體完全被排斥在了分類學研究範圍之外。該研究方法在哲學上的認識論前提是主客二元論。以二元論爲基礎的研究對象必然是分類學事實本身，要回答的是作爲符號系統的分類語言是什麼樣子的、有哪些具體事實，而不去過多地追問事實背後的成因。它滿足於從純粹分類學符號的角度進行學科自釋，由材料得出有限的結論。所有的見解都是從學科內部已有的理論公式或實踐材料出發而獲得，形式化的理論建設似乎是一切研究的最終歸宿。

應該說，這種「科學」的研究方法用於解釋「科學主義」的近現代圖書分類學是相對自足的。但是，傳統的中國古代圖書分類學完全是一個僅供能動地分析、解釋和處理的人文主義系統，它屬於完全不同的另一種認識論體系。用當今分類學的理論、方法和原則來析解古代圖書分類學，本質上是以今律古、據外論中，因而也必然會導致出現一些陳陳相因的錯誤結論，諸如：認爲古代圖書分類是等級譜系結構；鄭樵提出的「書以學類」就是按學科屬性分類；用今天的索引理論來知解古代的「通檢」、「韻編」、「鍼線」等等。

其次，一味注重操作層面上的技術和方法，鼓勵解決一些具體的實際問題。如重視對「古籍怎樣分類」之類問題的研究。《仿杜威書目十類法》旨在「創立新法，包羅中外之書」，「並求檢閱便利」。1922年杜定友先生《世界圖書分類法》「係爲解決中外圖書統一分類而作」。1928年王雲五先生《中外圖書統一分類法》的大綱照抄DDC，蓋王雲五以爲「杜威法適用於中國圖書館，應設法擴充，以便容納關於中國的圖書」。1929年初版劉國鈞先生之《中國圖書分類法》「以新舊統一之原則」，解決我國新舊圖書統一分類問題……此外，台灣的賴永祥分類法、大陸的《中圖法》等權威分類文本也都將古籍納入自己的類分範圍之內。與此同時，還出現了一批專門用於類分古籍的新型分類法文本，如大陸的《中國古籍善本書目》、《中國叢書綜錄》、《中國古籍分類法》等等。

綜上，先賢和時人對中國古代圖書分類學的研究雖然取得了一些成績，但古代分類學至今仍然是一個落後的學術門類。爲此，我們有必要徹底擺脫目前的急功近利的研究心態，立足於中國古代分類學自身的特點，揭示其作爲漢民族文化反思產物的文化特徵，從而最終建立一個具有漢民族文化通約性的、具有中國特色的古代分類學理論體系。比較起來，理論研究的難度較大，它要求我們既要有洞察隱伏在分類學現象背後之規律的能力，又要求能夠對分類學研究中各個領域的現有研究狀況有比較全面、深入的了解，還要能夠運用科學思維的新成果、新方法。

在上述全面檢討了先賢和時人的理論研究得失的基礎上，更要向前發展。所謂發展，既包括在運用前人已經運用過的科學方法的基礎上有所創造，得出新結論，還應當包括在研究中積極引進一些新理論和新方法。

第五節　中國古代圖書分類學的研究原則和方法

中國古代圖書分類學有著獨特的文化價值，能否將它們原原本本地揭示出來，很大程度上取決於研究方法的改進。這正像科學史上的任何一次重大發現都取決於研究方法的創新一樣。而研究方法的選擇本質上又取決於不同的分類觀。近現代西方實用主義的分類觀，嚮往建立一套科學主義的方法來研究分類，於是分類學研究也走上了一條以經驗、邏輯和可驗證爲旨歸的道路。這一方法論對應於17世紀以來伽里略（Galileo）爲西方近現代科學奠定的方法論傳統：數學、實證、可觀察。「例如，運用數學方法研究分類。隨著研究工作的深入，圖書分類學的研究已從定性研究進入定量的研究。在現實的研究過程中，數學中的集合論、數理統計、模糊數學等方法已經在圖書分類學研究中得以應用。數學方法的應用，解決了一些圖書分類學中無法從定性角度解釋的問題，豐富了圖書分類學的研究內容。伴隨著計算機等現代先進技術的應用，數學方法已成爲研究圖書分類學的極其重要的方法」（周繼良主編，《圖書分類學》（修訂本），武漢：武漢大學出版社1989年版，P13）。諸如此類的研究使得分類學也因此而獲得了一般自然科學研究的最基本特徵：縝密性。

但是，中國古代圖書分類學本質上反映了中國傳統文化對整個世界所持的根本態度。它不是一套形式主義的符號系統，而是一套價值系統和意義系統，具有一種哲學眼光的審慎。古代分類學的這種超越旨向，不允許我們將分類系統僅僅局限於體系內部來研究。它不能像現代分類學那樣，用自然科學的「責任感」給分類研究工作加上一些令人窒息的限制；而應該全面探求分類與現實以及分類與思維之間的聯繫，以免將分類學沉迷於枯燥的和純技術的看法，或是沉迷於以機械主義的科學觀來研究古代分類學。

㈠中國古代圖書分類學的研究原則

我們主張用一種人文主義的更爲廣闊的學術視野，來探究古代分類學對傳統文化精神的普遍而深遠的影響，把分類學系統內化爲觀念內涵，探求它的超分類體系的本質意蘊，從而最終把古代分類學研究從描寫主義的樊籬中解放出來，重新置諸傳統文化的生態環境之中，以便確立一種對待分類的人文主義的科學態度和操作方法，形成一套人文主義的學術範型。這種對分類現象的人文主義的關切與思考，不僅體現在分類學對人文科學的外部參與上，更體現了對分類學結構本體的文化內涵與思維建構的深刻洞察。我們認爲，分類學研究的方法學其實也是分類學研究的本體論。方法學和本體論之間隱含著極其深刻的一致性。這正像中國古人對圖書分類學的本質理解有別於1876年第一版DDC以來的近現代分類學研究者一樣，中國古人的研究方法也與近現代研究方法大相逕庭。古代和近現代、東方中國和西方歐美的分類學理論與實踐，本質上屬於兩個完全不同的思想文化系統。這樣，我們在對先賢和時人研究概況之充分反思的基礎上，擬提出兩條關於中國古代圖書分類學研究的方法論原則。

第一，必須以古代分類學事實而不是按照事先確立的某種學術範式作爲研究依據。

根據我們的研究，中國古代圖書分類學沒有形態外顯的分類規則，能夠容忍現代分類學看似不合理的文獻編碼結果。但是，由於受到西方現代分類學的影響，我們每每習慣於把古籍也視爲具有嚴格邏輯意義上的形式類項，並由此形成一套控制能力極強的分類規則。這個辦法，連帶它的術語和整個分類學理論基礎都是從西方照搬而來的。我們對分類學的研究已經跟在西方後面亦步亦趨了近百年。事實上，整個中國近現代化進程存在著一個重要誤區：即把西方文明視爲自明的、無需批判和清算的公理前提，認爲中西方文明的差距本質上是先進文明和落後文明之間的差距。於是，國人都精於求同，疏於別異，唯恐「自異於萬國」。這本質上是在自1840年政治、軍事上敗給西方的堅船利炮之後，在文化上的不良反映。誠如1896年梁啓超《西學書目表·序》所云：「國家欲自強，以多讀西書爲本，學者欲自立，以多讀西書爲功」。這種西學化傾嚮，影響了學術研究的價值取向。這一取向在分類學上表現爲：首先，圖書分類學的所謂理論研究，就是介紹和引進西方的學說；其次，用近現代西方圖書分類學理論來削足適履地「套」古代分類學。

針對上述研究誤區，我們主張回到中國古代圖書分類學系統本身來探索其理論研究的新途徑。應該獨立地、不受既定研究模式影響地探求古代圖書分類學的形式和內涵，致力於查找埋藏在東西方各自分類學體系底下的不同的觀念系統。這樣，我們的研究工作無論是在哲學假設還是在研究焦點上，都是從中西方之「異」著手的，最終希望得出分類學背後的文化差異、經驗差異，迺至世界觀的差異。

第二、將古代分類學置諸傳統文化背景上加以研討。

理論是一種假設（hypothesis），分類理論是用來有效地分析分類現象的理論框架。要完整地獲得這個框架，必須將分類與社會、共時與歷時、結構與變異、空間與時間等過程和方面聯繫起來，進行動態地分析和研究。古代分類學要充分發揮其文化整序功能，就必須把傳統文化的各個方面反映爲一定的類別格局和內在原則。因而，古代分類學與傳統文化之間必然表現出深刻的通約關係：分類學的表層樣態和深層結構其實也是傳統文化的表層樣態和深層結構。這樣，可以把古代分類學定義爲是一種整序傳統典籍、進而體現傳統文化之本性的順序體系。古代分類學的結構、方法和原則等等，其實也是傳統文化相關參量的反映。從傳統文化背景的角度，可以揭示出所有與分類學有關的問題，諸如文化、思維、邏輯、哲學、政治、心理、民族、美學、社會生活等等，它們與分類學的諸種關係。因此，研究方法上既要運用分類學自身的一些特殊方法，更要對分類學進行多側面、多角度、多功能的研究，以期眞正散發出古代分類學所蘊含著的獨特價值。

分類不是一個孤立的封閉體系，分類學研究者有必要多知道一些分類與人類文化其它方面的聯繫。但是，絕大多數分類學家不能意識到分類系統在人類哲學、文化和精神方面的含義，卻一味熱衷於建立一個封閉、獨立和自足的分類學理論體系。而結合傳統文化來研究古代分類學，必將突破狹義的學科界限，對於提高分類學在整個科學文化體系中的地位、對於人類文化的繼承和發展，都有著極其重要的價值。這樣，對古代分類學的研究遂成爲對漢民族文化作徹底研究的重要部份。

總之，古代分類學系統積澱了一定的社會歷史條件下人們的文化觀念。分類體系構成了人們世界觀的一種精神格局，它既是了解文化觀念的一個視角；反過來，文化觀念內涵又幫助人們對分類學作出更爲深刻的理解。這樣，對古代分類學的研究，必須立足於具體的人、歷史和現實對分類學系統的獨特界定和獨特要求。這給古代分類學研究者以更爲廣闊的視野，同時也使得研究者的目標集中到了人文、歷史和現實的層面之上。通過對分類形式和內容的研究，可以探知特定的人、歷史和現實在認識世界、組織經驗問題上的基本方式，折射出不同分類學系統背後的人、歷史和現實的理性異同和價值異同。古代分類學的研究，從根本上說就是要討論分類系統在人類生活中的實際地位，解釋分類系統如何通過主體人的心理認知、歷史取向以及現實的社會結構和意識形態而對人的生存方式施加影響的，從而最終將分類學的研究導向科學研究最深刻的主題：人文、歷史和現實。

綜上，我們提出的兩種研究原則既不是徇洋論，也不是復古論，而是切合古代分類學本質的研究原則。由這兩條原則指引，我們擬提出五種具體的古代分類學研究方法。

㈡中國古代圖書分類學的研究方法

⑴描寫研究和解釋研究相結合

描寫研究是西方原子主義分析型文化觀的方法和原則。它重視在大量收集材料的基礎上，借助於所謂科學精神和邏輯修養來對材料進行分析、歸納和綜合，然後得出超越材料之上的一般特徵和規律。它不解釋事實的成因，分類學研究的中心全都落實在了分類現象和事實本身之上。描寫研究告訴人們，圖書分類學是什麼（what）。但是，知道是什麼僅僅是研究的手段而不是最終目的。並且，這種把分類現象和事實收集起來，從中歸納、整理出一些概括性規律的作法，沒有考慮到事實和現象是無限多的，我們無法把事實和現象全部收集起來加以研究，而祇能研究無限多的事實和現象中的一部份。從無限中的一部份得出來的結論免不了會和從無限中的另一部份得出來的結論相矛盾。因而，那種旨在爲建立一個可保證研究無限多事實和現象的分類學理論，似乎不能依賴窮舉事實和現象的「窮舉法」，也不能依賴「歸納法」。

解釋研究則欲在描寫研究所揭示的規律基礎之上，探討這些規律賴以形成的若干內外因素以及制約與反制約的若干內外條件。從而從整體性功能型的角度，揭示分類學發生發展的歷史過程與走向，告訴人們圖書分類學爲什麼（why）的道理。這纔是分類學研究的眞正目的。解釋研究要解釋若干分類學事實的成因，探求分類學系統爲什麼祇能是這個樣子而不會是那個樣子的諸多因素。解釋研究是對分類學作內涵考察的必然結果，它啓發我們去尋找分類學形式和特定意義內涵之間的某種特殊聯繫。尋找這種聯繫本身就已經蘊含了解釋關係在內。解釋研究需要把原先令人困惑的現象納入到某種業已論證的規律之下。因爲，至少就古代分類學而言，它已經不是一種能夠就事實而研究事實的學問，因而也不能停留在事實的描寫之上。

描寫研究往往是知其然而不知其所以然，它所揭示出來的規律多爲經驗歸納型的，並未上升爲理性的普遍原則。因此，有必要在此基礎上運用解釋的方法進行創造性的聯想、推測、假設和演繹，獲得分類學內部的普遍規律。描寫研究和解釋研究兩者之間表現爲一種基礎與發展的關係，偏頗任何一方都是不可取的。但就目前的研究現狀來看，學術界似乎更注重描寫研究，導致分類學研究無法深入。因而我們有必要更多地注入解釋研究的成份。

(2)形式研究和意義研究相結合

一般地，現代分類學具有明顯的外部形態標誌（諸如標識符號、結構關係、句法和詞法等語法原則），因此，從形式入手容易發現規律。而中國古代圖書分類學「略於形式」，缺乏明顯的外部形態標誌，但它的表義手段卻異常靈活、豐富。它的那些有限形式沒有脫離內涵而獨立存在的任何價值和理由，如果最後不能給這些有限形式以一個意義內涵解釋，那它們將祇是一套毫無價值的符號遊戲。因此，對於中國古代圖書分類學，不能作一種科學主義和形式化的知解，而應該立足於其分類意義內涵，從意義內涵出發，立足於分類形式和內容相統一所產生的表達效果，揭示出形式構架和意義內涵之間的對應關係。當然，無論從形式入手還是從意義內涵入手，其最終結論都應當找到對應方面的驗證，都必須獲得形式和意義的雙重認同。

(3)封閉研究和開放研究相結合

圖書分類的具體對象是記錄各種不同文化的各種不同類型的文獻。圖書分類學系統在本質上是知識文化的組織和整序方式，它必須對人類所有反映在各種文獻中的文化事實提出某種根本看法和處理意見。因此，分類學與其它各門學科、專業之間都有緊密聯繫。任何一部相對成熟的分類學文本，都應該能夠體現出人類當時所有文化的全像及其未來走向。因而，圖書分類學必然是一門與人類所有文化事實之間有著物質、能量和信息交流的耗散體系；而不可能是一個相對自足、獨立的封閉體系。文化的基本發展狀況、內在結構、彼此關係等等，在分類學中都有一定程度的反映。因此，不結合分類系統所承載的社會文化職能，就不可能正確認識分類學的本質。同時，圖書分類學的相對發達和完善，對於各門具體學科也應該具有現實的指導意義，它可以揭示出其它學科在整體文化背景中的位置、彼此關係等等。

所以，我們不能局限在分類結構的範圍之內考察古代分類學，而應該揭示其對於傳統文化所實現的具體功能，從而將整個分類學的研究導入廣闊的社會人文大背景之中。而那種限於分類學系統內部的研究衹能被視爲是最終研究的一個階段。這就要求我們在靜態的、僅僅局限於系統內部的層面上充分拓展眼界，努力做到：分類學研究不僅要取得一些靜態的表象規律，而且還要進一步尋找規律生成的各種原因。開放的研究，首先要求我們從發生學的角度考察分類學的若干表層類別格局和深層類別理據的生成基礎和觀念原則。其次，要用流轉變化的發展眼光考察分類學樣態和分類學原則的歷史變化和歷史選擇。顯然，局限於分類學系統內部的封閉式研究，是立足於整體文化背景之開放式研究的前提和基礎，而後者則是前者的昇華和發展。我們衹有將兩者有機結合起來，並有意識地傾嚮於開放研究，纔能對古代分類學做出具有解釋力的說明。

⑷微觀研究和宏觀研究相結合

和人類認識外部世界的邏輯思維進程相一致，圖書分類學研究首先也是從個別現象和微觀細節出發，逐步總結、歸納出一般性的普遍規律的。因而，如果沒有微觀研究做基礎，宏觀研究也就無從談起。而如果沒有宏觀研究的概括、歸納和抽象，微觀研究也將永遠停留在低級的層次上。這裏所謂微觀研究和宏觀研究相結合，就是要將分類學的個別現象和具體規律，放諸宏觀的歷史或共時的文化大背景中來加以全面考察，以期獲得具有普遍意義的一般性結論。顯然，微觀研究是宏觀研究的前提和基礎，要想在微觀研究的基礎上進行宏觀研究，需要有較高的綜合抽象能力、門類較齊全的基礎知識以及深邃的哲學底蘊。

⑸考據研究和義理研究相結合

考據研究功在大量分類學材料的堆砌和整理。清代的乾嘉學派把這一學風發展到了極致。直到今天，這種重材料的學風還在嚴重地影響著學術界的價值取向，導致學術文章往往祇見材料不見思想，缺乏足夠必要的理論深度。宏觀上的理論、階段史和方法論等問題的研究幾乎無人問津。中國古代圖書分類學有著約2,000年的歷史，但至今亦未形成過嚴格意義上的理論爭鳴，唯有材料的堆砌和局部問題的「商榷」。義理研究是「六經註我」，強調超越材料之上的觀念和旨趣。誠然，資料考據是義理研究的基礎，沒有充足資料做支撐的義理研究是難以想像的。

作爲考據研究的對立面，圖書分類學研究也出現過一味熱衷於純粹分類學理論探討的極端。這種現象多見於國外。例如，在ISKO（International Society of Knowledge Organization,國際知識組織學會）、CRG（The Classification Research Group,英國倫敦分類法研究小組）的一些研究報告中，往往將分類學研究視爲象牙塔內之事，用結構主義、符號主義、解構主義甚至生成學派的有關理論觀點和思維模式來套用於圖書分類學，強調哲學、心理學和詞源學對知識組織的作用。唯洋是好的一些中國學人再把這種方法拿來套用於中國古代圖書分類學，結果常常是理論上轟轟烈烈，一遇到具體問題就捉襟見肘，難以自圓其說。

針對上述情況，我們認爲中國古代圖書分類學研究的正確態度應該是將兩者有機結合起來，做到在考據的基礎上有一定的理論深度；而理論研究又必須以考據爲依據，以免限於空發議論的泥潭。

綜上，我們所提出的五種研究方法都是從邏輯辯證的二端，揭示了分類學研究的若干具有互補意義的方法論模式。這五種模式具有共軛特徵，因此必須「相結合」，而不可偏頗其一。並且，由於今人對古代分類學的研究多側重於描寫研究、形式研究、封閉研究、微觀研究和考據研究，因此我們在具體研究過程中更應該注重其對立面：解釋研究、意義研究、開放研究、宏觀研究和義理研究。中國的古代圖書分類學要遠比我們想像的複雜得多，它不僅是傳統文化的產物，也是傳統文化賴以傳播、交流、延續所必需的條件和前提。它是中華民族的價值系統和心氣系統的外部表現，本身潛藏著成爲「顯學」的可能性。祇要我們解放思想，更新觀念，改革研究的思路和方法，就一定能夠挖掘出其背後所蘊含的巨大文化能量。

總體上說，我們所確立的有關中國古代圖書分類學的研究原則和方法都是人文主義的。相對於科學主義而言，人文主義的研究是一種全方位的研究範型。它將越來越多地開展因果性方面的探討，有意思的將不再是原始事實的發現，而是是什麼原因引起了變化。人文主義的研究可以促進分類學研究本身的發展，提高分類學在整個科學體系和社會生活中的地位。總之，對分類學的研究需要超越客觀觀察和細緻的分析描寫之上的理論思考，這就要求我們積極鼓勵新的研究方法。理論的思考和規律的探求往往不容易一次就完成，但祇要這種思考和探求不是脫離實際的空談，而是從對古代分類學事實的實際考察分析出發的，那麼，即使得出的結論暫時得不到公論，作爲學術討論中的一種意見，也是應當受到歡迎的。

第二章　制約中國古代圖書分類學的因素

作爲傳統文化的一個典型範例，中國古代圖書分類學具有獨特的樣態和內在價值。古代分類學凝聚著創造和使用該系統的漢民族的思想認識、歷史文化和民族情感。我們認爲，在中國自身的學術傳統和文化環境下，祇能產生出相應的文獻（文化）整序樣式。

當中國古代圖書分類學面臨最透徹的分析時，可以發現其基本的理論領域受制於中國古代的邏輯思維特徵和中國古代文獻的基本特點。中國古代邏輯思維特徵和文獻的特點從主觀和客觀兩個層面，決定了古代分類學系統祇能選擇這樣的形式和表達，而不是那樣的形式和表達。古代分類學的一切形式和本質都可以歸結到這兩點上來加以審視，並由此而使分類學系統本身呈現出一個原初的構型。

第一節　中國古代的邏輯思維特徵及其相關的古代分類學

各民族思維習慣不同，則反映現實要素的順序也就各異，這必然深刻地影響到相關的文化樣態和分類學樣態。人所共知，一切分類學理論和實踐的背後都站著一個能動的、活躍的主體，而決定行爲主體之本質的因素又祇能是文化。分類學的不同形式構架和原則隱含，一方面取決於相關文化的特定概念和法則，另一方面又反過來反映了這種概念和法則。文化是一個十分寬泛的範疇，文化的本質特徵直接取決於行爲主體觀察世界的視角及其內在的思維機制。有什麼樣的觀察視角和內在思維機制，就會有什麼樣的文化樣式，進而就會有什麼樣的分類模式。這樣，借助於對傳統文化思維特徵的充分性揭示，可以對古代分類學的相關性特徵做出具有解釋力的說明。

㈠象性思維

象性思維是最具中華民族特色的傳統思維模式，它可以把迄今爲止所發現的傳統思維模式都統一到它的名目之下。「象」是一個哲學概念，《易大傳·繫辭》最早對「象」做出解釋。它包括兩層意思：第一，泛指自然界和人類社會中各種事物的表象和徵象。《繫辭上》云：「象也者，像也。」張載《正蒙·乾稱》云：「凡可狀，皆有也，凡有，皆象也。」第二，通過對客體事物固有表象和徵象的認知，獲得對事物意義的領悟。《繫辭上》云：「聖人有以見天下之賾，而擬諸其形容，象其物宜，是故謂之象。」即通過對事物外表「形容」的「擬諸」而獲得深層之「物宜」的確認。宜，義也。例如，由水鳥和鳴這一自然現象，可以讓人聯想到男女求偶；由「天行健」導出「君子自強不息」；由「地勢坤」導出「君子以厚德載物」等等。

每一種「象」都同某一類實體相聯繫，既表徵實體本身的特徵，又表徵實體之間的某種關係，並通過關係來確定實體的本質（「宜」或「義」）。解釋象與象之間的關係大多不用判斷性的定義和推導，而是用比喻。一種「象」（如水鳥和鳴）通過與另一種差別很大的「象」（如男女求偶）之間的比較，找出共性，把握實體，即在不說出象的本質特徵是什麼的情況下去把握象的本質。一切客體事物的屬性（象）無不打上主觀觀念和情感（宜）的烙印。中華文明發軔期的巫史文化即通過具體兆象來徵喻天地人三道，主張「善言天者，必有驗於人」，認爲任何客體事物都表現爲一定的主觀觀念、情緒。被譽爲中國古代文化源頭的《周易》，忠實地繼承了這一思維模式。《周易》借助於具體的卦爻象和卦爻辭來討論人事，並最終進化爲中國人看待世界和處理天人關係的一部重要寶典。《詩經》以降的比興系統，也借草木鳥獸等客體外物以言志，將外物視爲表達主觀思想的手段和依據。

而西方思維的基本形式是概念、判斷和推理，採用下定義的方法把一個個概念說清楚。對比於西方的三段論式的思維類型，中國象性思維中的「象」大體上相當於概念，而漢族人「援物比類」的類比推理則相當於推理。我們發現，這裏沒有與判斷相當的思維單位。據研究，漢語中表判斷的係動詞「是」起先是充任代詞的，相當於「這裏、那裏」或者「這時、那時」等等。直到魏晉之際，「是」纔演變爲判斷性的係動詞，表示在具體時間和地點等條件下，甲和乙之間的聯繫。（傅榮賢，《古漢語文、字、詞的邏輯機制》，《鹽城師專學報（社）》，1993.4）

象性思維特徵表明，事物意義的獲得取決於事物表象關係之間的某種可類比，而不是通過定義性的概念以及在此基礎上的理性判斷來實現某種推理過程。由象性思維引導，事物的形式或性質是跟事物的功能和意義緊密聯繫的。前者僅僅是認識後者的手段，後者纔是目的和根本。該思維模式與中國古代的「天人合一」、「體用不二」等哲學命題是同質同構的。金岳霖先生在《中國哲學》中嘗云：「最高最廣的天人合一，就是主體融入客體或者客體融入主體，堅持根本同一，泯滅一切顯著差別，從而達到個人與宇宙不二的狀態」(《哲學研究》，1988.9）。象性思維所表達的主客關係密不可分，主體之「象」可以很容易地掌握世界，世界變成一套形象或觀念。對客觀世界的把握，是靠靈犀一點通「頓悟」出來的。把握形象，然後把握關係、把握整體。而當把握了整體時，個別現象就顯得模糊。所有的個別現象都必須在整體背景之網中決定，個別現象的背後存在一個更大的實體。於是，「顯中有隱」的觀念產生了。背後更大的實體纔能說明個體表象之意義，但個體並不是假象，所以要追求言外之意和象外之意。

顯然，中國古代的一些基本思維形式均可由象性思維導出。該思維模式迥異於西方。西人立足於主客二分，主體欲認識客體。於是通過下定義、給範疇等形式來固定認識對象，然後用自然理性（實驗、觀察、邏輯推理等）的態度去尋找客體規律並執著於認識世界。人的目標就是思考不變的實體、謹慎細緻地認識和分辨整個物質世界和心靈世界。由於客體對象不能形象化，故必須形成一套抽象概念，通過觀念思維以達到理論的形成。因此，意義的界定及從定義到推理就顯得極為重要。而這一點也事實上構成了西方所有近現代科學和理論思維賴以產生的根本前提。總之，西人思維可概括為是抽象的、原子分析型的；中方思維則以形象性、整體性見長。原子論傾嚮於將事物分類，單個地對待；整體論則盡可能地關注事物的全面和它的多層關係。這兩種思維模式在分類學體系上的差異性，集中反映在對「類」概念的不同理解之上。

㈡中國古代的「類」概念

類，又叫類集，是一組具有相似特徵的項目或是具有相同屬性的事物的集合。它是人類認識、區別和組織事物的一種邏輯方法。而分類則是指根據事物某一方面的屬性，對一類事物或一組項目進行分組和排序。中國古代很早就產生了「類」的概念。但是，中國古代的類不是一種邏輯範疇，而是認識事物和比類推理的依據。孔子「告諸往而知來者」（《論語·學而》），「舉一隅不以三隅反，則不復也」（《論語·述而》），明確將類推作爲求知的重要思維方式。墨子提出「類名」的概念。認爲類名外延反映了某類事物，因而是一個普遍概念。類名所反映的那些對象之間的「類同」是「有以同」，即部份屬性相同（《墨經·經說上》）。《墨經·小取》篇又曰：「以類取，以類予」，即將「類分」賦予歸納推理和演繹推理的含義，用於分析事物。並將類與「故」（理由）聯繫起來，作爲立辭和辯說的基本原則。荀子進一步認爲「類」的本質在於同理，而不在於形式或性質上的一致。《荀子·正名》篇云：「類不悖，雖久同理。」並且，把類作爲立辭和推理的邏輯依據，「以類度類」、「推類而不悖」（《荀子·王制》）。荀子把「同則同之，異則異之」（《正名》）、「以類行雜，以一行萬」（《王制》）和「聽斷以類」（《王制》）作爲一種基本認識方法。顯然，中國古代的「類」是一種形成概念、作出判斷、進行推理的根本規定，是事物之間普遍聯繫的一種形式，實與中國古代的象性思維特徵一脈相承。「類」並不是形式邏輯意義上的那種具有相同屬性的許多事物或項目的集合。不妨再以王充和朱熹的觀點爲例來分析。王充說：「推類以見方來」（《論衡·知實》）；朱熹說：「以類而推……是從已理會處推將去」（《朱子語類》卷18），「事有日生者，須推類以通之，則告者不費而聞者有深益耳」（《晦庵先生朱文公文集·答呂伯恭》）……對比於亞里斯多德（Aristotle）以來的西方形式邏輯意義上的「類」，可知中國古代的「類」具有以下兩點特徵：

第一，重視由此及彼的類推。象性思維表明，事物感性形象之「象」與理性意義之「宜」是內在統一的，「象」沒有脫離「宜」而獨立存在的任何理由。相應地，中國古代的類不是單純通過個體事物形式或性質的分析而確立其類屬，而是通過兩個或以上事物之間意義的可類比，進行由此即彼的可類推，得出一定的關係結論。「象」或「意」均非嚴格的、不可移易的絕對範疇。因此，它們的集合（類）也不是十分明晰的。所以，形式邏輯中的關於類的排中律、重言律、同一律、矛盾律等等，這些來源於個體元素分析而得的邏輯學定律，在中國古代傳統邏輯學（謂之「名學」）中概付闕如。

第二，同類的「有以同」（部份相同）和「不相類」的「不有同」是就事物所反映的意義（宜）而言的，而不是就其形式或性質（象）來說的。即在類比推理中所依據推出結論的兩類或以上事物的相同屬性是意義和價值上的，而不是形式或性質上的。因爲意義是一個不可數的抽象名詞，具有濃厚的主體性特徵，所以，中國古代的類一般不可以用一一列舉類所包含的分子的方法來表示，而祇能用刻劃類的屬性的方法來表示。亦即，祇能用內涵法而不能用外延法。

中國古代的象性思維及其相關的類概念，對中國古代圖書分類學產生了極其深遠的影響。衆所周知，近現代圖書分類學是以知識分類爲主的，而知識分類包括事物分類和學科分類，實爲亞氏形式邏輯思想規約下的產物。事物分類根據事物之間的同和異，把事物集合成類，並構成事物分類體系，以便於人們系統地認識事物。學科分類是指考察各門學科之間的區別和聯繫，確定各門科學的內部聯繫，建立相應的分類體系，以便於反映科學水平並指導科學發展。中國古代圖書分類學不以任何理論上的知識分類爲基礎，而是取決於文獻本身在事理邏輯或分類行爲主體的主觀心理現實之上可能形成的分組。

雖然圖書分類並不完全等同於邏輯分類，但中西方圖書分類學的本質差異依然可以歸結爲雙方邏輯思維特徵的不同。故此，有必要對中國古代圖書分類學作一番邏輯學審度。

㈢中國古代圖書分類學的邏輯學視角

中國古代圖書分類學是整體性、功能型見長的學術體系，它以充分調動人的主體認知能力爲特點而組織和處理各類圖書。古代分類學依靠直覺上的聯想和類比，在思維方式上不是從個別到一般，而是從個別到個別，這一點，根本上不同於理性抽象思維。它不是注重對文獻的理性分析，而是「久病成良醫」、「讀書百遍，其義自見」、「博學而篤志，切問而近思」，更多地依據不同分類者各自的主觀心理現實。這導致古代分類學少有系統性和嚴密性。然而中國古代圖書分類學家在設計類目或類分具體圖書時，無疑有一個總體性的類別設計原則和處理方案。這其中所暗含的思維形式及其規律，就是古代分類學的邏輯內涵。「邏輯」可以從古代分類學系統的構成以及伴隨而來的系統內容中推測出來；分類學體系來自於對若干文獻的極端適應的目標概念或者闡述一個符號結構的主體觀念。祇是，這種邏輯不同於亞氏以來的西方形式邏輯而已。那麼，中國古代圖書分類學歷二千年而不衰，其邏輯機理是什麼？它究竟用的是什麼邏輯方法？它的邏輯思想是如何從簡單到複雜，從低級到高級的？其分類的主要邏輯模式、基本特徵是什麼？有哪些優勢與不足？從世界圖書分類學的發展趨勢來看，古代分類學在邏輯方法上有哪些值得借鑒之處？……這些問題是古代分類學要繼續和發展並走向世界所不可迴避的問題。而要對它們作出回答，就有必要從邏輯學的角度，對中國古代圖書分類學做出審度。亦即，必須對古代分類學賴以進行的思維本身進行反思。

目前的反思工作至少可以從以下三個方面來著手。第一，對古代分類學從編碼到解碼的整個過程進行詳盡的邏輯分析；第二，清理出歷代不同的分類學家在邏輯思維上的發展脈絡；第三，對典型性書籍的分類情況及其分類歷史過程作出周密的剖析。今以「小學」書爲例，對第三點略作說明。「小學」二字，解釋各有不同。漢儒指文字之學爲小學。《漢書·藝文志》（簡稱《漢志》）云：「古者八歲入小學，故《周官》保氏掌養國子，教之六書」，所以《漢志》小學類祇收《史籀》等十家專講文字的書。並且，《漢志》以爲小學書可以「宣揚於王者朝廷，其用最大也」。故將小學列入經部，視其地位與儒經同等。宋以後往往以灑掃應對進退爲小學，自朱熹作小學以配大學（案：朱熹所作《小學》六篇，所錄皆宋儒所謂「養正之功」）之後，趙希弁《讀書附志》遂以《弟子職》之類並入小學，又以《蒙求》之類相參並列。而清人孫星衍《孫氏祠堂書目·序》認爲：「六義不明，則說經不能通貫，或且望文生義」，故將小學獨立，列爲其十二個大部類中的第二位（僅次於「經學」）。陸深《江東藏書目》共分十三大類，其中的第十二位類爲小學、醫藥類。作者陸深指出：「不幼教者不懋成，不早醫者不速起，其道一也」。而《四庫總目》又依據《漢志》小學類的範圍收書，將講幼儀的書入儒家類，講筆法的書入雜藝類，講蒙求的書列入故事類，講便於查閱記誦的書入類書類，「篆刻」則入子部藝術類。藝術類類序云：「摹印本六體之一，自漢白元朱，務矜鐫刻，與小學遠矣」，並說：「雕蟲篆刻，壯夫不爲」，所以本類祇收諸家品題之書，不收印譜之作，認爲印譜一經傳寫，必失其眞。

由此可見，一種分類學系統的類型，完全體現在它所表達的不同的「類」概念的方式上。「類」是分類學體系中最爲根本的概念，而分類則是系統分析和描寫的開始。文獻單元的類別構成了圖書分類學標引編碼和檢索解碼的結構基礎。西方分類學受惠於亞氏邏輯，可以根據一定的形式特徵來類別文獻。「形式類」彷彿文獻的物理刻劃一樣，是絕對的、自足的、不可移易的。抓住了形式的類別特徵，也就抓住了文獻內容實體的類別。而中國古代沒有亞氏邏輯，其獨特的「類」概念導致了古代圖書分類學的獨特類型：

(1)肯定文獻具有類型化的趨勢

承認可以相互比較的文獻類別是客觀存在的，這一點正是古代分類得以進行的根本原因。但這並不是否認文獻的個性，而祇是肯定在文化現象的大背景上，有很強的趨勢把一些文獻推向穩定的格局或類型。中國古代圖書分類學系統中的四分、五分、六分、七分、八分、九分、十分、十二分等等以及大類底下的二級、三級分類等等，本質上都是對文獻類型化趨勢的肯定。

(2)肯定文獻不能嚴格分類

首先，我們不能事先樹立起有限的幾個類(名)，就把「汗牛充棟」、「浩如煙海」的所有文獻的特點都照顧到了。文獻的本質是其背後的文化內涵，而文化內涵又是花樣萬千、變化多端的，難以妥當地貼上標籤。哪怕類型的尺度分得再細緻，也還幾乎一定會有許多文獻必須經過一番修剪纔能各得其所。如顏師古《刊謬正俗》一書內容爲雜記經史，故鄭樵《藝文略》將它列入《經解類》；而《崇文總目》因其第一篇爲說《論語》者，故誤入「論語類」。

古代分類學中，文字性的類名是分類焦點，同時兼起類號的作用。把不同的文獻組織到同一個類名之下，一定會過分強調它們形式和內容的這個或那個特點，或者暫時忽略其中某些矛盾的地方。又如《顏氏家訓》一書，《唐志》、《宋志》具列儒家，《四庫總目·提要》則認爲此書「《歸心》等篇，深明因果，不專爲一家之言，今特退之雜家」。可見，類分文獻祇是一種權宜之計，所劃分出的「類」也僅僅具有相對意義，不存在絕對的類。誠如章學誠《章氏遺書·報孫謝如書》云：「愚之所見，以爲盈天地間，凡涉著作之林，皆是史學，六經特聖人取此六種之史以垂訓者耳。子集諸家，其源皆出於史，末流忘所自出，自生分別，故於天地之間，別爲一種不可收拾、不可部次之物，不得不分四種門戶矣。此種議論，知駭俗下耳目，故不敢多言」；梁啓超《佛家經錄在中國目錄學之位置》云：「……

此皆因部帙繁簡，姑爲劃分，以便省覽，在學理上非有絕對正確根據。」

中國古代圖書分類學的類名沒有用阿拉伯數字或拉丁字母等形式代碼加以控制和限定，可以任意地增刪補綴。如有些書目收宗教書，則必設相關類目，像《七錄》即附有道、佛二錄。而有些書目不收宗教書，就不設宗教類，如《漢志》。再如，荀勖《晉中新簿》將當時的圖書新品種、類書《皇覽》列入史部；將佛錄和道錄直接附於四部之後，而不作專門的分類——這樣的例子在古代分類中眞是不勝枚舉——如此簡單的處理，卻不妨礙整個分類體系的完整與融通，表現出了明顯的類別相對性。再從古代分類學系統中的類目數量來看。《七略》爲38類，《隋志》爲40類。其後雖有《古今書錄》率先使用第三級類目，鄭樵《藝文略》的三級類目多達400種以上，焦竑、祁承㸁仿《藝文略》例，大量使用三級類目，然而，反映中國古代圖書分類學最高成就的《四庫總目》卻僅有44類。類目數量的緊縮，使得分類類別的模糊性幾乎達到極致，文獻容納也出奇地多。這在本質上，也是古代分類學類別相對性的明證。

(3)文獻的類別是內涵類而不是形式類

古代分類學的類別不是膚淺的形式類，而是訴諸本質的內涵類。從內涵出發，所有的文獻都表達著最根本的概念或關係觀念。例如《子部·農家》作爲一個類目，本身具有一定的內涵界限。《漢志》、《隋志》衹收綜合性農業著作，不包括專門性質的著作；新舊《唐志》、《宋志》以至尤袤《遂初堂書目》除了全面包括所有農業著作，還包括一些非農業著作，如《錢譜》、《泉貨圖》、《香譜》、《綿譜》、《錦帶書》、《歲時雜咏》以至一些醫書、占卜書。這可以很好地說明古代分類學的類別是內涵類而不是形式類。如《歲時雜咏》一書所反映的天氣物候、歲時節日習俗和風情等等，無疑是跟季風氣候條件下的中國農耕文明息息相關的，正所謂「本天道之宜，以立人事之節」也。可見，所有被列入「子部·農家」的文獻，其實都可以從內涵上找到與「農家」之類名的某種聯繫。

一般地，分類學系統的類別爲了某種人工的目的是可以形式化的——就像我們在現代分類學系統中看到的那樣——然而，這種形式化的分類學一刻也不能忘記它僅僅是一種把文獻塞進形式主義的、由代碼符號結構起來的「小方格子」的技術，因而注定不能進入到文獻類別的本體層面之上。

⑷文獻是多向成類的

中國古代圖書分類學認爲，文獻內涵具有多方面的特徵，可以根據主體的不同需要表現出不同的價值。比如，同樣是一本《周易》，卻是「易道四用」，「以言者尙其辭，以動者尙其變，以卜筮者尙其占，以制器者尙其象」（《易傳·繫辭》）。總之，文獻的特徵應該是多元的而不是一元的。這就從根本上提供了一種觀察文獻的多維思路，導致表達某類文獻的方式，不必與表達另一類文獻的方式相同；還導致不同行爲主體對同一文獻會有不同的認知結果和分類結果。誠然，文獻作爲文化內涵的載體，作爲一種心理現實和審美單元，總是具有許多方面的特徵。每一種文獻都不能放進由分類標識所結構起來的形式框架之中；而是暗含著一種可以伸縮的辦法，讓我們能夠從數種獨立的觀點來把一種文獻放到能和另一種或數種其他文獻相互對比的位置上去。這種分類方案的一個突出優點是可以根據某種需要而增多或減少分類的角度，將文獻分得詳細一些或簡單一些。

現實生活中常常會出現這種情況：當文獻出現幾種可能的狀態時，儘管分類主體對這些狀態進行了仔細地考慮，但實際上仍然不能確定是把這些狀態排除某個類別還是歸屬這個類別。因爲，這些狀態以及這些類別往往是模糊的。它不是分類者的無知而不能確定類屬，而是文獻歸屬本身就是含混的和不明了的（Vagueness）。而現代分類學一般都要硬性地給每個文獻安排確切和明白無誤的類，當你給一個首先的分類類號，你就排除了給予其它字母的可能——雖然可以通過互見、參照、交替等形式做一些補救，但並不能從根本上解決問題。因爲文獻本質上是多向成類的，而分類法卻是層層劃分、層層隸屬的，分類表中祇能爲一事物設置一個類目，它祇能從屬於一個上位類，故與多向成類原則不符。現代模糊定義理論認爲，世界上沒有眞正嚴格的範疇，簡單地配置類號還不如模糊定義理論中提出的，採用通過認識一定類目中的相鄰關係，來識別其模糊性的辦法；也可用一種標記元素（如文字性而非代碼性的類名）去表示它，這種標記元素能在任何情況下展示其模糊性。

總之，中國古代有著獨特的「類」概念及其同樣獨特的圖書分類學。後者具有這樣一些基本類別特徵：承認文獻具有類型化的趨勢；但文獻又沒有孤立、絕對的類；文獻的類別應著眼於內涵；文獻內涵的類特徵又是多元的而不是一元的。這就是中國古代圖書分類學的文獻分類觀。這樣分出來的文獻類別雖然僅僅具有相對意義，缺乏人工形式化的機械美，但它確保了原生的內涵不爲次生的形式所卡住，因而又是最貼近文獻事實和主觀心理的，是眞正科學的。其科學性在於得到了人類精神的高度肯定，具有現代分類學所無法比擬的內在價值。

第二節　中國古代文獻的特徵及其相關的古代分類學

文獻記載著人類的知識、經驗、思想和科學實驗的成果，是人類認識客觀世界的工具。文獻通過文字再現了客觀世界的歷史，並成爲傳輸後人、傳之永久的主要信息通道。因此，文獻可視爲是對現實加以編碼的結果。而分類學則是文獻的編碼體系，一種分類學系統怎樣將文獻編成「碼」，直接與文獻對現實的編碼思維與編碼方式有關。文獻構成了分類學系統的結構基礎，它們的性質凝聚著分類結構的基本特徵，各個層面的分類特徵都交匯於此。西人思維中的理性判斷、以及由此而來的明確的類概念，支配著西方文獻對現實的編碼視角和編碼機制。相關的文獻也必定是類別詳明的、現成的結構單位，具有特定的形態標誌，可以機械地適應某種形式主義的類別格局。

中國古代文獻主要是指1911年以前歷朝的刻本、寫本、稿本、拓本等等。它們是人類文獻類型中極其特殊的一類，具有迥異於西方文獻以及近現代以來，尤其是1919年五四新文化運動以來的中國近現代文獻的基本特徵。討論中國古代文獻的本質特點，肯定將是析解中國古代圖書分類學之相應性特點的一個重要視角。我們認爲，儒家六經構成了中國古代所有文獻的終極參照，導致所有文獻皆呈現出注疏主體或立言主體的超文本的人倫取向。文獻不再是供我們從學科屬性和邏輯類項上加以打量的客體對象，整序這種文獻的古代分類學也因此而獨具匠心。

(一)「文獻」詞義的嬗變

「文獻」一詞最早見於《論語》。《八佾》篇假孔子之口曰：「夏禮吾能言之，杞不足徵也；殷禮吾能言之，宋不足徵也。文獻不足故也。足，則吾能徵之矣」。吳小如先生認爲：「文」泛指各種文字記載；「獻」則爲鬲屬，鬲則爲鼎屬，皆古器物名，多用以盛祭品。獻者，盛犬於器物中，以獻祭祖先神祇，是會意兼形聲字。因疑「獻」迺前代器物（禮器、祭器）的泛指，文獻之初義正與考古學界之「文物」一詞相近（《文獻、文獻學及其它》，《文獻》，1992.1）。吳先生此論甚是。蓋器物作爲「禮」的現象之呈現，體現了特定的禮意名數，是先哲觀天察地、愼終追遠思想在物質上的反映。器物和文字記載一樣，都積澱著特定的禮制和信仰觀念。所以孔子纔會說，衹要有足夠的「文」和「獻」，他就有把握徵取遠古的夏禮和殷禮。

但何晏《論語集解》引鄭玄注則認爲：「獻猶賢也。此二國之君，文章賢才不足故也」。朱熹《四書集注》也說：「文，典籍也；獻，賢也。」自此，「獻」由鬲屬器物改訓爲「賢」，後儒更引申之，以爲「賢」有賢才和耆舊兩層意思，古今學者對此大抵無異說。獻字的改訓透露出兩個信息：首先，文字記載成爲徵取古代禮數法度的唯一文本形態。器物覆歸於具體的、百姓日用意義上的使用價值，它們不再是具有形上特徵的「象」，不再包含有超越表象的特殊內涵。這一轉變隱含著人們對以等級制爲特徵的社會規範和倫理規範（禮）之理解的轉變。推想孔子站在特定的歷史角度上，對「季氏八佾舞於庭」、「三家者以《雍》徹」、「季氏旅於泰山」、「禘自既灌而往者」（事迹均見《論語》）等各種違「禮」行爲表現得異常敏感，多次責問「是可忍孰不可忍」！而鄭玄、何晏或朱熹又有他們各自不同於孔子的歷史觀察角度，因而也不會糾纏於孔子時代的禮物名數。其次，文獻由文和物的並列連稱，轉爲文和賢的並列連稱，表明文字記載和聖賢志業具有同等重要的價值。所以，《論語·堯曰》說：「不知言，無以知人也」。更進一步，表明文字記載的根本內容即爲歷代聖賢之志業。所以，《莊子·天下》說：「六經」是「先王之陳迹也」；《左傳·昭公二年》說晉國的韓簡能夠從《易象》和《魯春秋》中推知「周公之德，與周之所以王也」的道理……顯然，文獻不再表現爲它們的文本形態，不再是機械的「科學」事實，而是注入了形式的生命活力，它意味著切入人的精神世界。

聖賢志業經由文字記載的中介而存在並呈現於這個世界，使主體在精神和思想上超越自我，獲得了永恆。誠然，周公已逝，但周公的思想卻能夠藉《易象》與《魯春秋》等文獻而不朽。所以，「立言」被設定爲主體存在的第一要義，它是主體呈現自己的德行、情性和人之爲人的基本手段。所以《論語·憲問》說：「有德者必有言」、《易傳·繫辭》說：「聖人之情見乎辭」、《春秋穀梁傳·僖公二十二年》說：「人之所以爲人者，言也。人而不能言，何以爲人」。並且，「立言」還是一種生命延續的方式，它以一種抽象的價值取向在形而上的精神空間兌現。《左傳·襄公二十四年》說：「太上有立德，其次有立功，其次有立言，雖久廢，此之謂不朽」。立德、立功的功利價值最終必須落實到「立言」上，纔能使其德其功在歷史的代際傳遞中延續，並成爲超越時空的精神不朽者。

文獻可以超越主體自我，歸嚮不朽的永恒。曹丕在《典論·論文》中說：「蓋文章，經國之大業，不朽之盛事。年壽有時而盡，榮樂止乎其身，二者必至之常期，未若文章之無窮。是故古之作者，寄身於翰墨，見意於篇籍，不假良史之辭，不托飛馳之勢而聲名自傳於後」。貴爲天子的曹丕，亦把文章視爲安頓自我的家園，顯露出主體人在文獻中追尋生存永恒的渴望。

文獻作爲先王的陳迹，作爲有德者或聖人之德行、情性和志業的中介，凝聚著深刻的歷史文化和人類生命的哲學冥思，本質上是對當時社會現實、文化境界和人的生命存在形式的體驗與洞察，是對天人本體的哲學設定和建構。因而，反映在文獻中的一切歷史所塑造和現實所規範的既定生命形式都不是現實人能有的形式，而必定是現實形式的超越。文獻作爲主體人言說的一種人生把握，本質上是一種體道。道是生命形式的至高設定和冥思。這樣，文獻就不僅是一種獨特的生命把握和言說文本，而且還是一種形而上境界。

㈡「經」和儒家「六經」

文獻的超越旨嚮，體現在「獻」字的轉訓上。獻者，賢也。後世之聖賢、賢人、賢達、賢能、先賢、時賢迺至鄉賢、賢醫、賢伉儷等等都是以某種公認的道德價值承擔者的姿態出現的。它促使立言主體在「形而上者謂之道」的意味上言說、體驗和設定人的生命存在。這引出了對文獻的「經」的稱名。先秦絕大多數重要典籍都被稱爲「經」。《墨子》稱《墨經》，《莊子・天下》說後期的墨家三派「俱誦墨經」。《老子》稱爲《道德經》。《莊子》被後人稱爲《南華經》。《論語》、《孟子》、《左傳》、《公羊傳》、《穀梁傳》、《孝經》、《爾雅》均入「十三經」。那麼，什麼是「經」呢？《說文》：「經，織，從絲也」。段注云：「織之縱絲謂之經」。後來，作爲縱向的絲（具體名詞）的「經」被引申爲抽象名詞，具有哲學本體意味。如《說文》段注曰：「三綱五常六藝謂天地之常經」。經遂成爲一個恒定的、放之四海而皆準的終極眞理。文獻被稱爲經，正表明了文獻文本在立言體系之建構上的終極關懷及其哲學本體論旨趣。所以，劉熙《釋名·釋典藝》云：「經，徑也，常典也，如路徑無所不通，可常用也」。劉勰《文心雕龍·宗經》云：「經也者，恆久之至道，不刊之鴻教也」。

儒家的「六經」（或捨《樂》而爲「五經」，或後世增益而成的「十三經」）是中國古代「經」籍的眞正代表，也是古代文獻的獨特類型。《漢書·藝文志》云：「儒家者流，蓋出於司徒之官，助人君順陰陽明教化者也。游文於六經之中，留意於仁義之際，祖述堯、舜，憲章文、武，宗師仲尼，以重其言，於道最爲高」。由此可以分析出「儒家者流」的三大基本特徵。

第一，宗師仲尼。相傳孔子收集了魯、周、宋、杞等故國文獻，整理出了《詩》、《書》、《禮》、《樂》、《易》、《春秋》。據《史記·孔子世家》記載，孔子如此勞作，目的在於「追修經術，以達王道，匡亂世，反之於正，見其文辭，爲天下制儀法，垂六藝之統紀於後世」（《太史公自序》）。第二，以六經爲「法典」。司馬談《論六家要旨》也說：「夫儒者以六藝爲法」，六藝即《漢志》所謂「游文其中」的六經。相傳堯舜久遠，無文字遺存；文武之思想亦多無文獻稽考，其所留片斷言語多存留於孔子所整理的六經之中。六經是堯舜文武之志業的文本形態，孔子整理六經，正是要向世人呈現出這種聖賢志業。第三，弘揚以政教人倫爲旨歸的入世觀。儒家「留意於仁義」，最終希望實現「助人君，順陰陽，明教化」的歷史使命。孔子雖明言「述而不作」，但還是把他自己所要宣揚的思想觀點隱含在了對當時固有典籍的增刪審訂之中。如孔子刪《詩》審訂三百五篇的標準是「去其重，取施於仁義」；訂《書》的標準是「斷遠取近，定可以爲世法者百二十篇」。這樣，六經不僅是先王之道，而且還是當今天下之道。

及至西漢武帝時，政治上中央集權統治的條件已經成熟，董仲舒爲了適應當時統一思想的要求，根據《春秋》大一統思想向武帝建議「罷黜百家，獨尊儒術」，以鞏固封建主義的中央集權，得到了武帝的採納。於是非儒家的諸子百家一概被罷斥，從而奠定了在中國長期封建社會中儒術獨尊的局面。而由於孔子以來的「儒家者流」強調經世致用，其學說的各個方面，從世界觀到宗教觀，從仁、禮理論到人格理想，都是以現實爲依歸，爲現實的社會與人生服務的。因此，六經所「體」之「道」，是以政治教化和人倫彝常爲基本取向的。儒術的獨尊，意味著儒家所強調的政教人倫價值的獨尊。反映在文獻上，則表現爲六經所體之道——政治教化和人倫彝常——成爲天下所有文獻的基本價值取向。請細析之。

⑴緣「六經」而闡釋的經部文獻

由於六經的本體地位，導致後儒都力爭在六經上立言，以期獲得立言的本體論價值。這形成了中國古代以訓解和闡發儒家經書爲內容的專門學問：經學。經學構成了中國古代傳統文化的主幹迺至主體，經學本質上是對儒家經典文本（六經）進行語言闡釋從而建構自我理論體系的古典闡釋學。闡釋主體希望借助於闡釋行爲而超越個體生存之外，直逼本體論價值內涵，從而在人格上直逼堯舜文武等聖賢。經學在物質形態上表現爲闡釋主體對六經進行闡釋所形成的若干儒經闡釋文本。相傳「易林三千」.，而根據多種目錄的統計，「歷代易學著作多達6000～7000種，其中現存於世界的亦近3000種」（周玉山，《易學文獻原論(一)》，《周易研究》，1993.4）。《論語》本爲「傳」，後來提升爲「經」，在儒家經典中還不是第一流的著作，但發揮、注釋它的著作也在三千之多。與此同時，各種闡釋文本的著作體例也繁複多樣。據《隋書·經籍志》所載，傳、故、箋、注、說、章句、微、通、條例、音、集注、集解、集釋、集義、解、解說、解誼、通解、疏、講疏、義疏、訓、釋、撰等都出現過。此外，傳又分內傳、外傳、大傳、小傳、集傳、補傳等多種體例等等。如此巨大花費的深遠用意是顯而易見的：闡釋主體認爲，必須在六經這一本體範疇上建構立言的文本形式，纔能獲得立德、立功的本體論價值。闡釋主體作爲思想者，其生命存在的全部意義和價值正是在六經的經典文本中顯現出來的。

緣六經而形成的闡釋文本，構成了中國古代文獻的一個重要組成部份。它們和六經一起歸屬於古代四分法中的「經部」，另有少許被分到「子部·儒家類」等等。六經作爲先王陳迹，是堯舜文武迺至周公孔子思想的直接體現，闡釋六經意味著對這些聖賢的推崇、敬仰和自覺模仿。但是，正如《漢志》開篇所云：「昔仲尼沒而微言絕，七十子喪而大義乖。故《春秋》分爲五，《詩》分爲四，《易》有數家之傳……」孔子及其七十弟子以下，面對相同的經典文本，卻因闡釋主體自身所固有的素質、興趣或能力，以及社會時代等環境影響而表現出不盡相同的特點。不妨以《詩》爲例略作說明。《史記·儒林傳》說申公：「獨以詩經爲訓以教，無傳（疑），疑者則闕不傳」。申公的重點顯然是放在文字闡釋上的。齊韓毛三家均有此證，但三家自己已經更多地運用隱喻、象徵的方式來評論《詩》了。從孔子論詩到《左傳》所載季札觀樂、及春秋時大夫賦詩和群籍引詩，下及四家詩學，這種隱喻、象徵的風格一脈相承。例如《毛詩序》云：「治世之音安以樂，其政和。亂世之音怨以怒，其政乖。亡國之音哀以思，其民困。」把闡釋的關鍵放在《詩》文本背後的意義上而加以比附。於是，祇知有微言大義而不知有《詩》。這種超越文本觀自身得失、觀社會習俗教化、觀天道常覆的闡釋取向，最終形成了一種闡釋成規。這一成規說明了一種已然存在的、以經世致用爲特徵的世界觀。

再從大的方面來看。漢武帝以來形成的獨特的經典制度和注疏文化，其目的都是爲了利用經典（假聖賢名義）爲自己利益服務，並根據不同的主體需求隨時調整著對經典的不同理解，以服務於不同的政治主張。歷代封建文人對經書的研究，不少反映了當時的政治思想和社會狀況。對經書的訓解遠遠超出了文字字面的範圍。比如，西漢多治今文，解說者尙微言大義。所謂微言大義，就是根據經文發揮經義，而經義的發揮完全根據政治的需要和解說者對經文的理解。東漢以後，注釋經書就逐漸轉向通訓詁、究名物的方向，主要是解釋字義和考證名物制度。魏何晏、王弼等人，基於政治原因，開清談之風，一時名士，棄經典而尙老莊，蔑禮法而崇放達。南北朝時，因受清談及佛教影響，盛行登壇講經，於是就有講疏、講義和義疏一類的著作。義疏之學，上接漢代儒生解經之風，下開唐人注疏之先聲。唐代初年，統治者爲了加強思想統治，對經書的注釋進行了統一工作。唐太宗認爲儒學多門，章句複雜，詔孔穎達等儒家學者，撰定五經義疏，定名爲《五經正義》。後代學者，對《五經正義》有不少看法，主要是說「正義」之學，專守一家，舉一家而廢百家，前人義疏方面的成就沒有很好地吸取。北宋仁宗以後，經學起了很大變化。當時學者拋棄漢、唐舊說，自創新注，逐漸形成了新儒學，即「宋學」。宋學注解偏重於闡發義理，亦即注釋者對所注書的意思的體會。明代理學極盛，永樂間胡廣等奉敕編撰《五經大全》、《四書大全》、《性理大全》，這些書很爲統治者所推崇。清朝，理學猶盛，到乾隆、嘉慶時，考據學風達於極盛，究其原因，主要是當時政治的影響，文人不敢多發議論，祇好埋頭考據……。

總之，闡釋行爲最終成爲一種對生命的體驗和對現世人倫的認同，本質上是對作爲聖賢志業之呈現的經典文本的世俗化演繹。六經成爲精神體驗的對象，演繹的基本特徵即表現爲重視對六經內涵的內在精神之揭示。孔子曰：「知之者不如好之者，好之者不如樂之者。」（《論語·雍也》）認知不是目的，使人「好之、樂之」，達到審美求善的境界纔是目的。同樣，闡釋主體的闡釋過程也不是關於經典文本之事實的認識論，而是關於個體存在的體驗論。「詩無達詁」、「易無達言」，闡釋主體僅僅關切自身，具有一種永遠無法擺脫的、近乎命定的功利性：立德、立功、立言。闡釋的運思方式均是隱喻的、象徵的，它不是爲了解決某個認識論問題，而是爲了「體道」，是爲了用闡釋文本的形式言說、體驗和設定世界和人的政教人倫存在。這決定了中國古代緣六經而產生的一切闡釋文本——經部文獻——都是以超文本的人倫價值爲基本取向的。

(2)以「六經」爲宗的史部、子部和集部文獻儒家闡釋主體緣六經而闡釋，建立六經闡釋文本，以討論人的生命存在及其人倫取向。與此同時，六經還被尊崇爲一切立言主體所必須遵循且不可超越的最高立言範本。揚雄《法言·問神》說：「或問：『聖人之經不可使易知歟？』曰：『不可』。天俄而可廢，則其覆物也淺；地俄而可測，則其載物也薄矣。大哉！天地之爲萬物廓，『五經』之爲衆說郛」。揚雄指出，正像天地爲萬物存在的空間一樣，「五經」是各種立言（「衆說」）形式的空間。後世闡釋主體以各種體例對六經的不斷闡釋，祇是立言的一種類型。另一方面，人們普遍認爲：文以經爲宗。這兒的「文」包括古代分類學「四分法」中除經部之外的一切史部、子部和集部文獻，它們超越了六經的文本形式，從更爲廣泛而深刻的本體論高度演繹了六經的形而上意味。

陳騤在《文章精義》第一條中說：「《易》、《詩》、《書》、《儀禮》、《春秋》、《論語》、《大學》、《中庸》、《孟子》，皆聖賢明道經世之書。雖非爲作文設，而千萬世文章從是出焉。」顏之推則在更爲具體的水平上揭示了六經與後世文章的淵源關係。《顏氏家訓·文章篇》云：「夫文章者，原出五經：詔命策檄，生於《書》者也；序述議論，生於《易》者也；歌咏賦頌，生於《詩》者也；祭祀哀誄，生於《禮》者也；書奏箴銘，生於《春秋》者也」。而葉燮則從理論高度，深刻地揭示了六經對於後世文章的本源地位。其《與友人論文書》云：「夫文之本乎經，襲其道非襲其辭。如以其辭，則周秦以來三千餘年間，其辭遞變，日異而月不同。然能遞變其辭，而必不能遞變其道。蓋天下古今，止有此一道，知差萬別，總不可越」。認爲六經之道迺即後世文章之道，後世文章作爲體道之「器」，具體演繹了六經的形而上之本體。

再從文學的角度來看。《文心雕龍·序志》認爲：「蓋文心之作也，本乎道，師乎聖，體乎經」。作者劉勰還專門寫了《原道》、《徵聖》、《宗經》三篇，說明《文心》的寫作是以儒家經典爲指導的。班彪則認爲《史記》之所以「善述序事理，辯而不華，質而不野，文質相稱」，是因爲「遷依五經之法言，同聖人之是非」（《後漢書·班彪傳》）。王逸《楚辭章句·序》說《離騷》之所以成爲古典詩歌的典範，是因爲「夫《離騷》之文，依經以立義焉」。譚元春《黃葉軒詩文序》在討論文學創作的審美價值時認爲六經就是最高的審美參照範本，「私謂六經無不美之文，無不樸之美」。錢謙益《袁祈年字田租說》云：「六經，文之祖也」……可見古人立言的整個體系、全部範疇、最高批評原則以及在價值論上設定的最高立言範本均肇源於儒家的經典文本。古代分類學系統中的史、子、集文獻和經部文獻一樣，都直接導源於儒家六經。所不同的是，經部文獻緣六經以爲說，把語言的家園直接建立在經典文本之上，而史、子、集三部文獻則突破了六經文本的形式限制，根據六經「形而上者謂之道」的意旨來詮釋儒家的政教人倫思想。

綜上，史部、子部和集部文獻與經部文獻一樣，均以六經爲旨歸，它們都承繼和負載了儒家思想所設定的最高倫理道德準則，表現出重政教、重人倫、重言志的政事日用傾嚮。例如，南宋秦九韶《數書九章·自序》說：「數實成之學，士大夫所從來尙矣。其用本太虛生一而周流無窮，大則可以通神明，順性命，小則可以經世務，類萬物……人事之變無不賅，鬼神之情莫能隱矣」，並堅持認爲「數與道非二本也」。顯然，《數書九章》不再是單純事關數理的科學著作，而是要設法進之於政教人倫，設法歸結爲對抽象大道的知解。該書雖然在「大衍求一術」(一次同餘組求解)和「正負開方術」(高次方程求正根法)等問題上取得了具有世界意義的數學成就，但我們顯然不能局限在純粹數學的範圍內來理解它。它的內容不再是固定在單一的、為學術而學術的樣態上，而是道器合一、體用不二的人倫呈現。

㈢文以載道及其相關的古代分類學

「文，典籍也；獻，賢也」。中國古代文獻不僅是文本之「文」，而且還是超文本之「賢」。文獻並不是作為物理世界的一部份而現實的存在，它們的眞正任務不是要描述事物的現象和性質，因而也不具有可供知性分析的確切含義。古代文獻是一個更為本體的意義性和價值性存在，旨在激發人們的情感，服務於現實的政教人倫。因而，古代文獻不再是自足、獨立和絕對的客觀存在，不再是立於我們面前，供我們從學科屬性、邏輯類項或其它形態特徵上加以打量的對象。

子曰：「士志於道」。作為知識分子的「士」，其所「志」之「道」，充分體現在他們的立言文本——文獻之中。所有文獻都是有「道」在其中的「器」。章學誠甚至認為「六經皆史」、「六經皆先王之政典也」、「六經皆掌故」、「六經皆器」。為什麼呢？因為一則古代本「無經史之別，六藝皆掌之史官，不特《尚書》與《春秋》也」(《章氏遺書·卷十三·論修史籍考要略》)；再則「三代學術，知有史而不知有經，切人事也」(同上，《浙東學術》)；三則「古人未嘗離事而言理，六經皆先王之政典」(《文史通義·內篇一·易教上》)、「古之所謂經，迺三代盛時典章法度見於政教行事之實，而非聖人有意作為文字以傳後世」(《文史通義·內篇一·經解上》)。章學誠又說：「戰國之文其源皆出於六藝，何謂也？日：道體無所不該，六藝足以盡之」（《文史通義・詩教上》）。

「道寓於器」，既不可「溺於器而不知道」，亦不可「捨器而言道」（《文史通義・原道下》）。道器關係命題表明，世界的本源就在世界的現象之中，這在文獻上被概括爲「文以載道」。《朱子語類》卷139云：「道者，文之根本。文者，道之枝葉，維其根本乎道，所以發之於文，皆道也。三代聖賢文章，皆從此心寫出，文便是道。」周敦頤《通書・文辭》云：「文，謂文字也；道，謂道理也。而載取車之義。文所以載道，猶車所以載物。文之與車，皆世之不可無者，且無車則物無以載，而無文則道何以載乎？」因此，古代文獻的內涵不具有（或不僅僅具有）現代科學意義上的自然物理特徵，不能單純從物理學或技術外型的角度作出類分，每一文獻所論述的具體的表象主題（器）最終都必須歸結爲對抽象大道的知解。數學、光學、文學等等都不再是純粹的數學、光學和文學，最終都必須服務於最高哲學本體設定。

古代文獻之主題不可能通過概念之間的概括與劃分或者分析與綜合，找出絕對明晰的、非此即彼的邏輯類項。因爲，它們都同時包含有道和器兩個方面的內涵。主題概念之形式和性質（器）最終都要表現爲對功能和意義（道）的知解。而定於一尊的儒家又把這種「道」設定在政教人倫層面上，導致古代文獻皆呈現出人倫意義上的價值論特徵。所以，韓愈《省試學生代齋郎議》云：「學生或以通經舉，或以能文稱。其微者，至於習法律、知字書，皆有贊於教化。」王安石《上人書》云：「所謂文者，務爲有補於世而已矣。」文和獻（賢）體現了道器合一的辯證關係，使得文獻的內涵超越而又內在，兼具文本內涵上的現象性和超文本內涵上的本體性。而在現象和本體的兩端之間，又無條件地嚮本體傾斜，顯示出中華民族傳統文化的超越旨趣。

因此，六經以降，緣六經而闡釋的經部文獻、以及以六經之道爲宗旨而立言的史部、子部和集部文獻，本質上都是一種「體道」。儒家以人倫教化爲「道」的基本內涵，注定了「道」不是一個邏輯概念，不可論證和推理。道不可用既定的規範、概念來言說，它不是知識論，對道的把握是一種生命的體驗形式。它不是取西方式的邏輯思維，不是爲解決知識問題而設置，體道的哲學觀和生命意識根本上不解決知識論問題，而是要以詩意的方式，審美地言說生命的存在和人生的價值。

古代文獻的上述特徵要求整序它們的古代分類學也以相應的特徵表現出來。總體上說，形式邏輯並不構成中國古代文獻的類別格局，相應地，「甲乙簿錄」也不構成中國古代圖書分類學系統的結構特點。古代分類學蓋欲「刪去浮冗，取其指要」，致力於對文獻背後大道的梳理。爲此，章學誠於《文史通義》首篇作《原道》，復於《校讎通義》作《原道》三篇，指出凡治分類學者須「先明大道」。他認爲「經世致用」是分類學的核心，而「明道」和「懲勸」則是分類學的最終目的。他褒贊《七略》類敘說：「由劉氏之旨，以博求古今之載籍，則著錄部次，辨章流別，將以折衷六藝，宣明大道，不徒爲甲乙紀數之需，亦已明矣」（《校讎通義·內篇一·原道》）。章學誠還說：「群書既萃，學者能自得師，尚矣。擴四部而通之，更爲部次條別，申明家學，使求其書者可即類以明學，由流而溯源，庶幾通於道之要」（《章氏遺書》卷八）；「蓋條別源流，治百家之紛紛，欲通之於大道，此本旨也」（《文史通義·和州志藝文書序例》）。圖書分類學要通過淵源流別而進之於「道」的層面上。這一根本取向，對分類學家也提出了嚴格要求。章氏提出：「學者不先有窺乎天地之純，識古人之大體，而遽欲部次群言，辨章學術，將有希幾於一言之是而不可得者」（同上）；「綱紀天人，推明大道，所以通古今之變而成一家之言者，必有詳人之所略，異人之所同，重人之所輕，而忽人之所謹」（《文史通義·內篇四·答客問上》）。

顯然，古代分類學不是一套形式主義和符號主義的工具系統，而是力求「幾於道」，成爲一套價值系統和意義系統。所以，章學誠最後總結說，「劉向父子部次條別，將以辨章學術，考鏡源流，非深明於道術精微，群言得失之故者，不足與此！」（《校讎通義·自敘》）。古代分類學系統正是在這種超越旨嚮上表述、組織和認識文獻的。反映在古代分類學上的文獻之「序」，其實也是天地人倫之序。分類學以人倫價値爲思考本位，時刻追問整套分類學系統得以形成的精神基礎，因而更能通達人性之最深層面。而這一點，正是和以「賢」爲取向的中國古代文獻相通約的。古代文獻的意義論特徵適應並支持了中國古代圖書分類學的相應性的意義論特徵。

第三章　中國古代圖書分類的基本特徵

中國古代獨特的邏輯思維特徵、以及中國古代文獻的獨有特點，從主、客兩個方面限制了中國古代圖書分類的基本特徵。那麼，中國古代圖書分類有哪些基本特徵呢？衆所周知，作爲知識表述和組織的認知模式，圖書分類系統是意義內涵和形式結構的有機統一。分類體系可以劃分出形式和意義兩個部份。本章即擬從形式和意義這兩個層面來討論中國古代圖書分類體系的諸多特點。其中的形式層面主要包括分類標識符號和類表結構兩部份；意義層面則主要是指分類的理別理據及其相應的本體論內涵。

第一節　中國古代圖書分類的標識符號

標識符號是圖書分類學系統的類目代號，它起著固定類目在分類表中的位置，表示類目次序的作用。有時還可以從標識上識別類目之間的關係。標識符號的構成和配置，往往決定一部分類法的性能，直接影響分類法的使用和管理。本節擬對中國古代圖書分類學系統所選用的標識符號的類型進行分析，指出制約該符號類型的一些分類學內外因素，並在與現代分類學所慣用的代碼標識之比較中，討論其優勢與不足。最終目的是要揭示出標識符號的類型在多大程度上展現了古代分類學的相應性本質。

(一)古代分類學標識符號之類型

中國古代圖書分類學是中國古人認識、區別和組織文獻的一種基本方式。爲了實現這一認知過程，古代分類學系統編織著屬於自己的符號網絡。就其符號類型來看，主要包括：感性視覺標識、字符順序標識和文字字符標識三種，其中又以文字字符標識爲其主體形態。

(1)感性標識

感性標識是指用形象、可感的符號來反映分類類目。具體講，即通過書籍的書寫文體、存放地點、簡冊牘方版的形制、裝幀形式、封面色彩以及所用甲骨、鐘鼎、竹簡木牘、縑帛、紙本等材料質地的不同，來區別和標識不同類別的圖書。

我國最原始的典籍可以上溯到殷墟出土的甲骨文。根據殷墟的發掘報告，出土的每一個火窖裏的甲骨都有一定的年代，經常是以一個帝王在位的時期爲斷限；另外，卜者常在甲骨的尾部或背部刻有「入」、「示」和一些數碼，並將不同內容的卜辭依次成編，集中保藏，「歲終則計其占之中否」（《周禮·春官·宗伯》），即年終統計其占卜的靈驗程度。龜甲上所標數碼和存放地點的不同無疑起到了客觀的分類作用。

不同類別的典籍分藏於不同地點。殷商時期的《盤庚》和周初的

《金縢》都是重要政治文件，故被存放在金匱石室之中、而又「緘之以金」。存放地點的特別正顯示了其學術價值的特別。春秋時魯國的御書和禮書也是分藏的。《左傳·哀公三年》曰：「命周人出御書俟於宮……命宰人出禮書以待命」。簡牘發明以後，占卜文字和圖書文獻也是分藏的。

三代之際，國家重要文獻都是由史官負責重點保藏的。不同的史官保管不同類型的圖書。因此，保管人員的不同也是分類的感性標識。《周禮·春官·宗伯》所載大宗伯的屬官有大史、小史、內史、外史和御史等。所謂的「學術在官」即指文化典籍專爲史官和政府其他部門的官吏所掌管。這些文化官員分管著不同的書籍。章學誠《校讎通義·原道》稱這種分類方式爲「以官秩爲部秩」。

西周和春秋戰國時期，我國青銅業已達到很高水平，統治者常常將需要長期保存的重要文件銘刻在青銅器上。而能夠銘刻於青銅器上，這本身就顯示了文獻內容特殊的政治性。西周《宜侯夨簋》、《大堯鼎》以及大、小《盂鼎》等等銘器都是有關政治軍事內容的文篇。有些銘文的結尾，還常有「子子孫孫永寶用」的字樣，以示垂教後世。公元前536年鄭國鑄刑書（《左傳·昭公六年》）、稍晚的前513年晉國鑄刑鼎（《左傳·昭公二十九年》），這兩部旨在限制貴族特權的法律，都全文鑄刻在青銅器上。另外，像《侯馬盟書》、《鄂君啓書》這樣記載當時典章制度的文獻也都銘刻在青銅器上，而像《大戴記·保傅》和《素問》這樣的重要醫學著作則都是「書之玉版」。可見，不同內容的書籍有著不同的「版本」；反過來，書寫「版本」的不同，則起到了不同內容書籍的標識作用。

相傳秦襄公時，我國即已有石刻文字——石鼓文出現。在石頭上刻字與在青銅器上鑄字一樣都十分不易。因之，能夠刻之於石的文字也都是十分重要的文獻。中國歷史上曾出現過七次大規模的石刻活動。所刻內容幾乎都是漢武帝以後定於一尊的儒家經書。另外，因爲《七略》將「小學」（文字學）列入《六藝略》，視其地位與儒經同等，故「小學」歷來頗受重視。《急就篇》、《干祿字書》、《五經文字》和《九經文字》等「小學書」也都有石刻本。醫學事關人命、且受「醫儒同道」思想的影響，像《千方經》、《銅人腧穴鍼灸圖經》這樣的醫書也刻之於石。再有，地圖指示疆界，反映皇權實力範圍，故《華夷圖》、《禹迹圖》也刻之於石。綜上，我們雖不能定量地具體分析出什麼內容的書籍可刻於石，但卻可以定性地得出結論：刻於石的文獻都是十分重要的典籍，反映了特定時代的價值取向和理性判斷。刻於石與否本身就是對不同學術內容書籍的分類。

甲骨、青銅、石鼓之後，紙張發明之前的基本書寫材料有竹簡、木牘、縑帛。不同內容的篇章選用不同的書寫材料。杜預《春秋左傳序》云：「大事書之於策，小事簡牘而已。」《儀禮·聘禮》云：「百名以上書之於策，不及百名書之於方。」這裏，簡策方牘的不同雖沒有直接起到對文獻內容進行區別標指，但卻對文獻的字數及「大事」、「小事」作了區分。

今天，我們用訂書針將紙張編綴起來，連編成書，古代則通常用繩子編綴簡冊。這樣，繩子色彩、形制的不同，就成了不同內容書籍的感性分類標識。例如，《孫子》「以殺青簡，編以縹（淺青色）絲繩」；而荀勖《穆天子傳序》「皆竹簡，素絲編」。除了簡策繩編的色彩和形制之外，簡策長度的不同也是區別不同內容書籍的物質承擔者。桓寬《鹽鐵論·詔聖篇》：「二尺四寸之律，古今一也」。《杜記·杜周傳》：「不循三尺法」。而「《春秋》二尺四寸書之。《孝經》一尺二寸書之」（孔穎達《春秋正義》引鄭玄《論語序》）。《後漢書·曹褒傳》：「撰次天子至於庶人冠、昏、吉、凶、終、始制度，以爲古五十篇，寫以二尺四寸簡。」荀勖《穆天子傳序》：「其簡長二尺四寸」……可見，二尺四寸簡一般用於書寫儒家經典著作，國家法律和政府文告有時書寫於更長一些的簡策上。而一般的書信，則書寫在一尺長的簡上。故書信又可稱爲「尺牘」。

《晏子春秋·外篇》嘗言：「著之於帛，申之以策。」可見，我國在春秋時期就已經「竹帛並行」，縑帛對笨重的竹簡木牘是極有益的補充。1973年長沙馬王堆三號漢墓出土的帛書，是我國國內現存最有價值的帛書。從這些帛書的書名來看，書於縑帛的都是有關天文曆法、哲學等古典文獻，反映了當時的官方學術傾嚮和意識形態。

造紙術的發明及其改進，改變了「縑貴而簡重」（《後漢書·蔡倫傳》）的僵局。到東晉時，紙本書已基本取代了竹帛。紙本書必須用卷軸成卷。這樣，不同卷軸的質地和顏色又成了文獻類別的自然標識。唐朝張懷瓘《二王法書錄》說，不同內容的法書共用了珊瑚軸、金軸、玳瑁軸、旃檀軸、金線雜寶裝軸等多種卷軸。而據《隋書·經籍志序》所載，當時國家所藏三萬餘卷書所分的三大類，則分類用了紅琉璃軸、紺（青紅色）琉璃軸和漆軸三種質地、色彩有別的卷軸來標識。《晉書》卷四十四《鄭袤傳》附虞翻評論鄭默整理圖書的成績時說「而今以後，朱紫別矣」，也用區分兩種相近的顏色來比喻分類工作的細緻。四部分類法產生以後，人們多習慣於用四種不同顏色來形象地區別四個部類的圖書。《舊唐書·經籍志》云：「經庫書細白牙軸，黃縹（滄青色）帶，紅牙籤。史庫書細青牙軸，縹帶，綠牙簽。子庫書雕紫檀軸，紫帶，碧牙簽。集庫書綠牙軸、朱帶、白牙簽」。顯然，經史子集這四類不同性質和內容的書籍是分別用四種不同顏色的軸、帶和簽來區分的。清代的《四庫全書》則用四種不同顏色的包背綾衣來區別，經庫為綠綾、史庫為紅綾、子庫為藍綾、集庫為灰綾。所謂「包背」，是紙本書的基本裝幀形式。而中國古代圖書裝幀形式的不同也常常成為不同性質、不同內容圖書的類別標誌。如梵夾裝的書一般都是佛經著作。經摺裝的書多為道教典籍。而「今世間所傳《唐韻》，皆旋風葉」（張邦基《墨莊漫錄》卷三）。唐代是詩的時代，出於做詩協韻的需要，韻書成了當時士子的通習用書。這些韻書都是「旋風裝」的。再從歷史發展的過程來看，各個歷史時期的書籍又有各自的特徵裝幀形式。蝴蝶裝是宋版書的特徵裝幀形式。孫毓修《中國雕版源流考》說：「宋本多做蝴蝶裝」。明代書籍多為包背裝。如明人寫的《遼史》、《金史》、《元史》、《永樂大典》等都是包背裝的。線裝書雖始於明代，但到清代纔真正普及。因此，線裝便成了清代書籍的特徵裝幀形式……。

綜上，感性標識在中國古代圖書分類學中是極普遍的現象。儘管感性標識符號與其被標識物之間並沒有內在的必然性，但是，它直觀、可感，符合人類的感性思維習慣。所以，即使到了今天，人們也還是盡可能地將文獻之間的差異性直接寫在書籍的「臉上」。例如，《中國圖書館圖書分類法文獻分類顏色標識表》（簡稱《中圖法文獻分類顏色標識表》）即用顏色書標輔助管理圖書的開架借閱。事實表明，它對於減輕圖書歸架工作量，減少圖書錯位亂架現象行之有效。為使文獻分類顏色標識規範化，全國情報文獻工作標準化技術委員會第五分會還專門制定了《文獻分類顏色標識規則》的國家標準。

⑵字符順序標識

該類標識符號主要包括干支符號和千字文符號。

魏晉之際，隨著四部分類法的確立，人們開始用甲乙丙丁四個天干符號來「總括群書」，從而形成了中國特有的干支標識符號系統。《隋志》序云：「魏秘書郎鄭默始製《中經》。荀勖又因《中經》更著《新簿》。分爲四部，總括群書。一曰甲部……；二曰乙部……；三曰景（丙）部……；四曰丁部……」，基本上分別標指了經、子、史、集四大類圖書。清錢大昕《元史藝文志》序云：「晉荀勖撰《中經簿》，始分甲乙丙丁四部，而子猶先於史。至李充爲著作郎，重分四部：五經爲甲部，史記爲乙部，諸子爲丙部，詩賦爲丁部。而經史子集之次始定」。李充所撰書目即《晉元帝四部書目》。《七錄序》嘗云：「因荀勖舊簿四部之法，而換其乙丙之書，沒略衆篇之名，總以甲乙爲次」。《隋志序》亦說李充「總沒衆篇之名，但以甲乙爲次」。也就是說，李充的書目祇有甲乙丙丁四個類號，而沒有經史子集之類名。

西晉荀勖的《中經新簿》和東晉李充的《晉元帝四部書目》差不多是中國歷史上屈指可數的、使用干支類號的兩部分類學文本。另外，北魏孝文帝時盧昶編有《甲乙新錄》。《魏書·儒林傳》孫惠蔚傳有「臣請依前臣盧昶所撰《甲乙新錄》……」之語。這裏，甲乙當即荀勖之甲乙，如是，甲乙則爲經子目錄；或疑「甲乙」爲未完稿；或疑甲乙爲甲乙丙丁之省稱等等，文獻不足徵而不知其實。再有，明代陶宗儀《輟耕錄》說元代上海莊蓼塘藏書數萬卷，且多抄本，「凡經史子集，山經地志、醫卜方技、稗官小說，靡所不具」。莊氏且以甲乙編次分其藏書爲十門。因資料缺載，未聞其詳。余嘉錫《目錄學發微·目錄類例之沿革》云：「自宋以後，始無覆有以甲乙分部者矣」。蓋自李充而還，劉宋王儉《七志》和梁阮孝緒《七錄》以及《隋志》等都恢復使用了經史子集類名，而不再使用干支類號。並且，這種單純文字字符式的標識方法被一直保持了下來，以致於到了典籍事業十分發達的清季，人們對標識四部圖書的「甲乙丙丁」諸符號已很不了解。周壽昌《漢書注校補》、俞樾《古書疑義·寓名例》都要強調指出：甲乙丙丁不是事物之名，而是借用的符號。

另一類字符順序符號是「千字文」。宋釋惟白《大藏經綱目指要錄》收有智升《開元釋教錄略出》四卷，每書著錄其名稱、卷數、譯撰人名及帙數以及用紙張數，在帙數下用「千字文」編次字號，一帙一號。「這是我國現存最早的藏書目錄排架號，旨在使圖書的提取和還架兩得其便」（呂紹虞，《中國目錄學史稿》，合肥：安徽教育出版社1984年版，P124）。另外，明楊士奇等編制的《文淵閣書目》也以千字文排序，自「天」字到「往」字，凡二十號，共五框，計貯書七千二百九十七種，其卷數也按此分類號訂爲二十卷。另外，清徐乾學撰《傳是樓書目》以千字文編號，一字爲一櫥，凡五十六櫥……這些都是用「千字文」輔助分類標識的典型例證。

干支符號和千字文都是中國古代固有的字符順序代號，有一定的特色，但也存在明顯的局限。即如王鳴盛《十七史商榷》評價干支符號時指出的那樣：「甲乙丙丁亦不如直名經史子集，《隋志》依荀而又改移之。自後，唐宋以下爲目者皆不能違」（卷六十七）。字符順序代號因其自身存在著深刻的局限性（詳本節下），故而沒有成爲中國古代圖書分類學標識類型的主流。

(3)文字字符標識

文字字符標識直接選用具有代表性的具體文獻單元（如《易》、《春秋》）或概括性的文字（如「起居注」、「譜系」）作爲類別標識和分類焦點，同時兼起類號的作用。由於中國古代圖書分類學沒有在類名的基礎上另外配置一套代碼符號來固定類目——即便甲乙丙丁等天干符號具有一定的代碼性，它們也未與文字性類名經史子集同時使用——因而，文字字符可視爲廣義意義上的分類標識。它們也事實上構成了中國古代圖書分類學的主要標識形式。

1.文字字符標識的特點及其所反映的古代分類學本質

衆所周知，一個時代、一個民族的文化生活方式中的許多重要細節大都是用屬於不同領域的一些關鍵詞來表示的。借助詞彙，人類學語言學家力圖獲得某個民族對世界的認識和看法。如在工業化高度發達的社會，詞彙中就包含了大批反映複雜技術和專業化的詞語，而在科學技術欠發達的社會裏，情況剛好相反。又如，一種語言中顏色詞數量的多寡，與經濟和技術的發展程度密切相關。顏色詞不僅反映出人類無一例外地接觸環境中的顏色，還反映出人類對顏色的接受，以及社會在談論顏色時的不同需要。同樣，在分類學系統中，類名確定範疇，正是根據這些範疇，某些被視爲相同或相似的文獻纔有可能與另一些被視爲不同的文獻區別開來。

類名爲分類學系統建構起一個全新的焦點，所有文獻整序均以類名爲重要知識載體和基本操作單元。類名帶來的穩固化，維繫著分類思維的統一。通過給予文獻以類名，進而去描述和指稱它們的內涵，藉此，我們纔超越了感性，學會去區別我們對於文獻的各種感受；對文獻世界的認識和把握也纔是有可能達到的。顯然，類名不僅反映了分類學技術，更反映了分類學的本體問題。類名的品種和數量、構成和配置總可以非常明顯地反映出文獻的基本狀態和走向。因此，不要把類名看作一種機械的符號，而應把它看成是人類分類學思維的一種工具，我們由此而建構起一個客觀性的文獻世界。類名是我們對文獻作概念把握的條件，它和整個分類學系統一樣，有著廣泛的職能和文化聯繫。它不能被定義在一個狹窄的範圍之內。相反，我們必須做到：第一，把類名標識看作是全部分類學體系賴以建構的基本元素和模型；第二，把文獻組織看成是可以分析爲類名標識的純粹系統。顯然，這是一種把類名置諸文化中來加以定位的辦法。

既然古代分類學是借助類名而獲得對文獻的認識並使之條理化的，那麼，我們擬關注古代分類學系統中的類名特徵，並全力進行功能分析。認爲：第一，古代分類學系統中，一個類名表示某種分類意義內涵的形式類。亦即，一個形式類目表示一個義類。這樣，可以根據文獻所處的具體類位來判斷其意義，做到「觀其（按：《七略·兵書略》）類例，亦可知兵，況見其書乎？」古代分類學中，任何被列入某類的文獻都被賦予該類的意義；反之，不具有相關類位之意義的文獻則不得入該類。例如，《四庫總目》「書類」末尾論及蔡沈《洪範皇極數》時說：「雖以《洪範》爲名，實以洛書九數推演成文，於《洪範》絕無所涉，舊以爲書類，於義殊乖。今悉退列子部術數類中，庶不使旁門小技淆亂聖經之大義焉」。第二，類名確定範疇，範疇的邊界就是當時文化的邊界。古代分類目錄多爲回溯性質的，因而，從文獻文化的角度來看，很難在分類類名結構之外再有未被包容的文化類型。由此，我們可以得出結論：古代分類學系統確實可視爲是對整個傳統文化加以反思的產物。第三，類名不單純是標識文獻的工具，而且還是知識組織和文化認知、進而是觀察世界和解釋經驗的特殊手段。借助類名可以分析出特定時空條件下的特定社會結構和意識形態。如《隋志》設有「譜系」類，迺因六朝世族門閥重選舉、婚姻、品第人品，故撰作譜牒的風氣盛行。而「自唐以後，譜學殆絕」則與門閥制度式微、科舉取士有關。所以後世分類目錄——如《四庫總目》——多刪去譜系類。類名意義之大，於此可見。

2.文字字符和代碼符號之比較

近現代分類體系一般都要在類名的基礎上，另外配制一套四平八穩的代碼符號（主要包括拉丁字母和阿拉伯數字）來固定類目。比較文字字符和代碼符號，可以發現兩者的若干重要區別：

第一，代碼符號的客體元素具有明確的邊界。無論是阿拉伯數碼字還是拉丁字母，其元素個體在形式和意義上都是十分確定的，A是A而不是非A。任何個體元素的形式和意義都具有「非此即彼」的明晰性，都符合邏輯同一律。而文字字符中詞類活用、一詞多義、一義多詞的現象卻相當普遍。古代分類學中標指同一類名的字符也往往變化不定。比如，標識儒家經書的類名就有「六藝略」、「經典志」、「經錄」、「經部」等不同名號。又如，《七略》等以「小學」代表語言文字學，而趙希弁《讀書附志》則以「小學」同時包含講灑掃應對的「幼儀書」在內。再如《漢志》等所謂「雜家」是指與儒家、道家等學派並列的一家之言。《四庫總目》則是指或本來是一家，而書少不能成一類的；或著書百卷，意旨卻不限於一家的；或著作內容不合封建統治者要求的，統曰雜家，所謂「雜之義廣，無所不包」。

第二，代碼符號個體之間具有明確的從左到右的線性順序和連續性。如英語26個字母從A到Z就是一個連續的（Continuous）體系。並且，A一貫地排在B之前，B一貫地排在C之前等等。而文字字符之間祇能排列出間斷性的（Continual）音序或形序（數筆劃），不能反映出個體字符內涵之間的順序先後。

第三，代碼符號的元素個體之間可以通過不同的排列組合來反映一定的組織結構和層次。代碼符號是一種具有可組織性的符號體系，符號素（不可分的最小符號單元）必須組合成符號串，再成系統，纔能表達完整的文獻信息。組合的規則即語法。語法可視爲符號素的結構模式。分類符號是一個統一整體，它的整體結構是有層次的，層次是系統性的一種表現形式，它保證了編碼的唯一性和結構關係。例如，在等級層纍制分類體系中，不同類號之間的組合、套疊可以表示類目之間的從屬、並列等各種關係。分面分類中，標記可使主題的各個不同組面得以分隔。並且，類目內涵度正比於標記長度，比較若干類號，可以判斷這些類目之間的關係。文字字符標識則顯然不能反映出類表的幾何結構和層次關係。

綜上，用代碼符號固定類目，本質上意味著類名、進而意味著文獻主題的邏輯代碼性，而文字性類名的邏輯意識則十分疏濶。一般地，分類標識符號的自發產生和自覺選擇總是受到一定的制約並有一定的理由。有什麼樣的思維，就會出現什麼樣的標識系統。而思維的基本規律就是保持思維的材料、過程、結果與物質存在必須趨同的組合同構律。亦即，符號與意義之間應當力求同構。這樣，符號的產生和選用除了受制於人類的認知條件之外，還要注意到相關的一些歷史條件：作爲被認識客體的古代分類學的有限顯性特徵；具體的、可供選用的符號系統及其表達能力。

㈡制約標識符號類型的若干分類學內外因素

⑴認識主體的認識能力

符號與其所代表的事物之間的聯繫，是經由主體中介的決定作用而實現的。沒有創造或選擇某種物質形式作爲符號、並賦於它一定含義的主體，符號和意義之間的關係就不可能存在。所以，任何符號總是從屬於一定的主體並爲其自身服務的，因而必須從主體的認知能力的角度去理解符號的本質。我們認爲，古代分類學選擇文字字符作爲主要標識類型，主要跟古人「言不盡意」的認識論有關。該理論認爲人的主體思維是不能較正確地反映客觀事物的。先秦時期的《周易》、《莊子》、《老子》等文篇最早提出了語言（符號）與意義（內涵）之間的關係問題。這個起先屬於語言學領域的問題，迅速波及到了哲學界，引起了「言盡意」和「言不盡意」兩種悖論觀點的激烈爭論。「言不盡意」的思想發展到魏晉時期的王弼，達到了頂峰狀態，並且在理論和實踐領域也實際上戰勝了「言盡意」的觀點，成爲影響中國古人思維的主要模式。

王弼發揮了《老子》「知者弗言，言者弗知」、《莊子》「筌者所以在魚，得魚而忘筌。蹄者所以在兔，得兔而忘蹄。言者所以在意，得意而忘言」的思想，提出了「言不盡意」和「得意忘言」的認識論命題。王弼說：「名必有所分，稱必有所由；有分則有不兼，有由則有不盡；不兼則大殊其眞，不盡則不可以言」（《老子》21章

注）；「言之者失其常，名之者離其意」（《老子》25章注）。我們知道，類號和命名是主體用於界定、認識客觀事物的手段。然而客觀事物本身並無類別、框架、界限和名稱。如果將客體事物按照人類的某種需要而進行人爲的區別並賦予其本來沒有的名稱和標識，就等於爲本無類別、框架、界限和名稱的東西規定了相關的因子，並強令其進入主觀意識世界。這樣，必然會導致對客體外物本眞內容的破壞。亦即，類分和標識在反映義指對象時是存在明顯局限的，任何標識都不可能把現象世界的全貌呈現於人們的面前。

何晏《論語集解》云：「知者，言未必盡也」；嵇康《嵇康集注·聲無哀樂論》云：「言非自然一定之物」；郭象注《莊子》云：「至理無言」；唐無名氏《無能子·紀見第八》云：「且萬物之名，亦豈有自然著者？皆妄作者強名之也。人久習之不見其強名之初，故沿之而不敢移焉」。可見，符號與意義的聯繫並不是由符號的本性和意義的本性決定的，而是由一定的社會需要和社會集體的約定俗成而決定的。問題是，爲什麼會有這樣的社會需要和約定俗成而不是那樣的需要和俗成。回到本文論題上來，爲什麼古代分類學會有文字字符類名（並兼起類號的作用），而沒有代碼符號標識？它取決於怎樣的一種「歷史的具體的認識主體的認識能力」？

從「言不盡意」的認識論命題來看。王弼說：「象生於意而存象焉，則所存者迺非其象也。言生於象而存言焉，則所存者迺非其言也。然則忘象者迺得意者也，忘言者迺得象者也。得意在忘象，得象在忘言。故立象以盡意，而象可忘也」（《周易略例·明象》）。這裏，王弼從哲學的角度討論了事物的形象、現象（象）與名言概念（言）以及事物的本質、規律及其對本質之認識（意）三者之間的邏輯辯證關係：意義通過象來表現，象通過語言來表現，象和言都是得到意義的符號，但又都不是意義本身。這一認識顯然否認了語言符號是意義存在的感性形式和表達意義的工具。

套用於圖書分類，則分類標識符號有似於王弼所說的「象」；類名概念可比於「言」；而分類學所積澱的本質內涵就是「意」了。古代分類學重視分類意義的表達，有限並謹慎地使用類名。這是因爲，任何文獻都是具體的。因而類名越是表現出具體性，就越能夠從中洞察出具體文獻內涵之「直觀」。古代分類學堅持排斥抽象代碼符號的態度，顯然是與傳統哲學中「言不盡意」的認識論命題息息相關的。哲學作爲對文化的整體反思和理解，可視作是一個民族精神結構的神經中樞，它支配著該民族文化藝術傳統的各個方面。受惠於「言不盡意」的哲學理論模式，傳統文化藝術中的每一個門類幾乎都強調表達上的「空白」和「不可形式化」。音樂、美術、詩歌等等無不以此爲最高境界。比如阮籍《清思賦》云：「余以爲形之可見，非色之美。音之可聞，非聲之善」，「是以微妙無形，寂寞無聽，然後可以睹窈窕而淑清」。這種非形態主義的、超越名言、感而遂通的文化藝術風格，強調「作者得於心，覽者會以意」（歐陽修，《六一詩話》），而不是通過對事物外部形態和性質的描寫和驗證來實現文化藝術的價值。

古代分類學是傳統文化的重要組成部份，它無疑也受到了傳統哲學的濡染。古人認爲，事物的名稱對於事物的性質完全是外在的。「名」是主觀的相對標識，古代分類學用文字性的類名作爲標識，主要目的正是要最大程度地展示這種相對性，以免於用受到極大限制的東西（如抽象性的代碼符號）去表達難以限制甚至無法限制的文獻。抽象性的代碼符號固然幫助人們認識、區別和組織了文獻，但同時也使文獻屈從於形式標識和框架，限制了人們認識的深度和廣度。人們的分類思維和分類經驗往往被概括性、抽象性的分類符號所限制，被業已建立起來的分類法則所左右。

分類本質上是人從主體認識能力的角度對文獻作出的辨別和判斷，是人類認識文獻意義、狀態和時空關係的過程。文獻則是人類認知經驗的結果，而經驗是紛繁蕪雜的，它不具有可被區分的明確類項，往往是這個也是那個，或者不是這個也不是那個。主體人對文獻的認識和區分總是界限不明，抽象性的區分和概括性的標識必然會省略、捨棄文獻的許多細節、關係及過程，削足適履之處不免繁多。

顯然，用類名和標識來反映文獻，是人類意識對文獻作主體加工的結果，而不是文獻本身眞的具有類名和標識。標識、類名、一定意義的文獻這三者之間符合王弼的象、言、意的關係命題。我們看到，符號的標識功能一方面是不完善的；另一方面，這種不完善又是分類學自身發展的取向和指歸。因爲既然要對若干文獻進行整序，人類主觀意識就必然要進入客體文獻之間，就必然會運用分類來認識外界文獻。正是這種兩難之間的分類學選擇，造就了古代分類學以文字性的類名爲標識，而又對代碼標識極力加以排斥。現代分類學是在非代碼標識的古代分類學的基礎上發展起來的。一方面，現代分類學致力於營構一套關係裸露、形態外現的代碼符號來固定類目；另一方面，又意識到了一味代碼化的不足，於是又爲自己制定了代碼符號自然語言化（即人工語言與自然語言的接口問題）的「嶄新」課題。

⑵古代分類學的有限顯性特徵

古代分類學有著屬於自己所獨有的分類學特徵，這些顯性特徵是與古代分類學所選用的文字字符標識類型相一致的。

第一，不可類別的文獻特徵。圖書分類學的最終對象是各種不同類型的文獻。選用什麼類型的類名，取決於文獻被理解成什麼樣子的。如前所述，中國古代文獻的主要特徵是「道器合一」。雖然每一具體文獻在內容上都有各自的論述傾向，如史書記載歷史，數書闡明數理等等，但是在表象歷史（事件、人物言行等）和具體數字（數理等）之「器」的背後，還有超文本的、更爲深刻的「大道」存在。因而，每一文獻都不可能被絕對地安置在類表關係結構中的某一特定位置上，也不可能對具體文獻作出古板的邏輯推理和客觀的形式主義分類。文獻單元在內容上沒有「非此即彼」的明晰性，而是表現出「亦此亦彼」的模糊性。因此，祇能對它們作出主觀的靈活流動的整體把握。相應地，古代分類學在整個類表的組織結構上也表現出變動不居、富於彈性的建構性特徵。當然，古代文獻在類別歸屬上的混沌及其古代分類學的模糊性建構，並不是簡單的無序態，而更像是不具備周期性或其它明顯對稱關係的有序態，它比一般的有序態更爲高級。而人腦恰恰具有處理這種混沌態的能力。據研究，正常人的大腦皮層在某種條件下會出現混沌態，而精神病人的大腦反而呈現出一種簡單的有序態。總之，模糊性的文獻類別歸屬，導致了模糊性的古代分類學系統之組織建構，而後者又導致了相應的標識不可能選用具有明晰性、連續性、順序性，以及具有一定組織結構和層次的、形態外顯、關係裸露的代碼符號系統。

第二，人文主義的分類理據。古代分類學以文獻在政治教化和人倫彝常上的功能大小作爲分類的首選依據，使得分類學本身充盈著強烈的人文主義色彩，一切從人的主體特徵和社會需要出發。分類學不再僅僅屬於認知的領域，而且還屬於價值的領域。分類的過程除了要了解可形式化的文獻之實物、性質、事件等，還要了解不可形式化的文獻價值和意義。分類標引或檢索祇能通過識別文獻背後的價值和意義來實現，其具體操作的關鍵在於日常生活和社會人倫中的經驗、常識和知識之類的非形式主義因素。後者纔是古代分類學更爲本質和核心的成份（詳見本章第三節）。因此，自然主義的客觀分析方法對古代分類學的揭示顯然並不是自足的。同樣，具有明確邊界等特徵的代碼標識也必然會受到古代分類學的抵制和排斥。

(3)中國古代可供選用的代碼符號體系和類型

我們擬遍舉中國歷史上可能出現的各種代碼符號類型，並進一步探討它們沒有能夠當選爲古代分類學標識的原因。

從語言學的角度來看，漢字是具象的表形符號體系，英語等字母語言則是抽象的表音符號體系。漢字字符不能從形、音、意（義）三方面排列出非間斷性（Continuous）的順序體系；特別是，漢字個體字符之間不能通過不同的排列組合和層層套疊來反映並標識事物之間的結構和層次。當然，中國先賢還是創造和發明了屬於自己的順序性符號體系。祇是，它們更多地具有具象的文字字符意義，而很少具有抽象的符號代碼意義。它們包括以下四種類型：

第一，小寫數碼字，即「一、二、三、四、五、六、七、八、九、十、廿、卅、百、千、萬、億、兆」。其中的幾個數碼字在西安半坡新石器時代遺址的陶器中就已經出現，而其絕大多數在商代甲骨文中已全面使用，迄今已有約五千年以上的歷史（參見唐建，《說「0」》，《漢語學習》，1994.2）。第二，作爲這套小寫數碼字的「大寫」，漢語中還有第二套數碼字「壹、貳、叁、肆、伍、陸、柒、捌、玖、拾、廿、卅、佰、仟、萬、億、兆」。這套大寫數碼字系統中的大多數在我國春秋時代就已經出現，然而全面使用則在公元七世紀末（同上）。但是，作爲抽象符號的數字符，上述兩套數碼字常常被當作具體文字字符來使用。正像中國古代數學一直緊密聯繫天時、地道、田域、賦役、錢穀、營建、軍糧、市易等具體問題一樣，中國古代數碼字的使用也是非常具體的。它們一般都僅僅具有基數意義，而沒有序數作用。中國人表示事物的基本順序多不習慣於用第一、第二來表示，而是直接選用形象性的文字名稱。

例如，全國性科舉考試的前三名分別叫作狀元、榜眼、探花，而不是第一、二、三。《左傳·襄公二十四年》說人生價值實現的基本層次是「太上有立德、其次有立功、其次有立言」。司馬遷《報任安書》說人生恥辱的十大類型，其順序是「太上不辱先，其次不辱身，其次……最下腐刑極矣」。一共用了一個「太上」、八個「其次」、一個「最下」，而拒不用第一、第二等等。魏晉時期的九品中正制是「上上、上中、……下中、下下」而不是第一～第九。清人《點石齋畫報》共五函44冊。44＝6＋8＋8＋10＋12。其中，六冊一函的次序用「禮樂射御書數」六藝；八冊一函的次序分別用「金石絲竹匏土革木」八音和「元亨利貞忠信文行」《周易》卦爻辭；十冊一函的次序用十天干；十二冊一函的用十二地支。清《佩文齋咏物詩選》的情況也很相像。其中八冊一函的順序甚至用唐人司空圖《二十四詩品·典雅》的最後兩句八個字「落花無言，人澹如菊」來標指……兩套數碼字的非序數性特徵以及中國古人標識順序的特殊習慣導致古代分類學不可能選用它們作爲自己的代碼標識符號。

第三，干支順序符號系統。干支是中國古人的又一傑作。所謂「干支」包括十天干（甲乙丙丁戊己庚辛壬癸）和十二地支（子丑寅卯辰巳午未申酉戌亥）兩部份。干支符號的一個重要特徵是符號個體最多祇能二度組合。用得最成功的例子就是十天干和十二地支排列組合形成從「甲子」到「癸亥」的六十個二級符號體系。用於紀年的所謂「六十花甲」就是代表性的例子。干支符號系統不能像阿拉伯數字和拉丁字母那樣多度組合，沒有誰見過「甲乙亥」之類多度組合的用法。並且，10＋12＝22。二十二個符號個體作爲一度組合，不能跟六十個二度組合的符號共同使用。像「甲」和「甲亥」就不能出現在同一系列的順序性表達之中。再有，在二度組合中，十個天干符號一貫地排在十二個地支符號之前，即允許有「甲子」，但不允許有「子甲」。

第四，《周易》六十四卦三百八十四爻系統。卦爻符號可以上溯到夏商時代。據說夏朝就有了自己的《易》，叫作《連山》。並且，《連山》和商朝的《易》（叫作《歸藏》）以及周朝的《周易》一樣，「其經卦皆八，其別皆六十有四」（《周禮·春官·太卜》），且其基本組成元素都是陽爻（—）和陰爻（- -）兩種。經卦有八種（2^3），別卦有六十四種（2^6）。六十四卦的總爻數是三百八十四（64×6）。從《易大傳》的《序卦》始，確定並探討了《周易》六十四卦從乾、坤到既濟、未濟的基本次序及其宇宙生成論內涵。不過，這個次序和《連山》、《歸藏》的六十四卦順序並不一致。

大約從漢初的經學家孟喜開始，即已經用《周易》的卦爻順序來標識時令、氣候、方位、音律、農事等「物」和「事」的基本順序。但是，卦爻符號系統除了具有類似干支系統在標識事物和自身組合上的一些缺點之外，它還有明顯的周期性特徵以及「陰陽互動」的意義論特徵。例如，孟喜用「坎、震、離、兌」等「四正卦」來標識一年四季、用「復、臨、泰、大壯……」等「十二消息卦」來標識一年十二個月，並用其爻位標識一年二十四節氣、七十二物候。顯然，季度、月份、節氣、物候都是以「年」爲周期的無限循環體系（傅榮賢，《孟喜易學略論》，《周易研究》，1994.3）。再如，西漢另一位經學家京房，用卦爻標識音律，立足於循環論和周期論，首先實現了中國音律史上「旋相爲宮」的理想。（傅榮賢，《京房律學略論》，《中國音樂》，1992.2）

卦爻符號「陰陽互動」的意義論，則是基於一切卦爻皆由陰陽爻（- - / 一）兩種基本符號組合而成。例如，孟喜之所以選用「復臨泰大壯」等「十二消息卦」作爲一年十二月的象徵，是因爲從復到臨到泰到大壯……分別爲一陽生，二陽生……六爻皆陽，一陰生，二陰生……六爻皆陰。這種陰陽互動的過程和中原地區一年中由十一月到來年十月的天氣運動變化情況相一致。據說德國數學家、哲學家萊布尼茨（G. W. Leibniz）在創立二進制的時候受到了《周易》陰陽爻符號的啓發。萊氏的成功之處，或許就在於他抄襲了《周易》陰陽爻的外形而創立了0/1符號，但卻揚棄了陰陽爻「陰陽互動」的意義內涵。設想如果0/1固守著「陰」和「陽」之辯證矛盾的兩端，計算機可能就造不出來。因爲0既然是「陰」，1既然是「陽」，那麼0/1就不能通過任意長度的排列組合來任意標記事物。它必須考慮到被標記事物在現實世界裏的陰陽屬性是否如0/1符號所結構起來的那樣。顯然，作爲分類對象的文獻並沒有周期性或陰陽互動的意義論特徵。因此，《周易》卦爻亦不能用於標識古代分類學的分類類目。

除了上述四種本土的符號系統之外，作爲國際交流的產物，中國歷史上還出現了另外兩套「洋爲中用」的順序性代碼符號類型。第一，國際通用、純粹符號意義上的阿拉伯數字（0、1、2、3、4、5、6、7、8、9）。所謂阿拉伯數字，其實是印度人的傑作。這套數碼字曾於唐開元年間（AD713～740）通過曆書、元朝（AD1279～1368）通過伊斯蘭教徒從西亞兩度傳入中國。但是，卻一再遭到中國古代堅持「華夷之辨」的封建士大夫們的抵制，以致中國官私文書中概不使用這套數碼字系統。直到明末崇禎年間（AD1628～1644），方以智作《通雅》這本工具書時，阿拉伯數字纔正式用於漢語（參見唐建，《說「0」》，《漢語學習》，1994.2）。第二，漢語中西來的另一套數碼字是羅馬數字（Ⅰ、Ⅱ、Ⅲ、Ⅳ、Ⅴ、Ⅵ、Ⅶ、Ⅷ、Ⅸ、Ⅹ、L、C、D、M）。這套數碼字由近代傳入，直到清乾隆年間（AD1736～1795）纔在我國正式使用（同上）。這兩套外來的順序符號系統不能用於古代分類學標識的原因是多方面的。首先，它們傳入我國的時間很遲，並受到了中國人的強烈抵制。其次，也是關鍵的一點，是中國人自己對於標識事物基本順序的態度。

中國人不喜歡用數字來標序，而是習慣於從符號和意義相統一所產生的表達效果出發，用形象性的文字字符來表示。正像狀元、榜眼、探花一樣，每一種順序性字符都包含著一定的意義、故事或典故。文字性的分類標識亦然。如清光緒二十三年楊棨《擬仿朱氏經義考例纂史籍考》一文建議將史籍分爲十四類。其中有「毖緯」類，是取毖愼緯書的意思。有「書壁」類，是取孔壁尚書的意思。另外，「著錄有《後漢書》司馬彪注，就是說彪注是後來經梁劉昭注，又經宋孫奭手始合於章懷太子注范曄《後漢書》中，情況類似從孔壁發現《尚書》那樣」（來新夏，《古典目錄學淺說》，北京：中華書局1981年版）。可見，文字字符的大量暢行，不僅意味著某種分類策略，更意味著主體人的存在。

綜上，可供選用的符號系統是圖書分類代碼標識的物質基礎。通過上述對中國歷史上可能出現的各種符號系統和類型的窮盡性列舉，及其對它們各自「短處」的充分性揭示，可以排除它們充任古代分類學代碼標識的任何可能。

㈢對古代分類學標識態度的基本評價

⑴優　勢

古代分類學的標識策略歷兩千年而不衰，直到1917年沈祖榮、胡慶生兩位先生主編《仿杜威書目十類法》之前，中國古代分類學一直堅持著對代碼標識的排斥。堅持不用代碼標識，本質上就是堅持了劉向、劉歆以來的某種分類學基本方案和分類思維。不用代碼符號作標識的一個直接優點就是確立了「兼起類號作用的」類名之由來的某種可證性：即類名和文獻之間有自然的和內在的聯繫。一般地，分類表系統中的類名都是分類學家自己創造的。從理論上講，都應該是可論證的；或者是在這一類名與那一類名之間能夠尋找到可切分或聯想關係中的可類比。總之，可以揭示出隱藏在語詞類名中的理據性。同時，各分類學文本又主動調整著相關的類名，以便使得類名的理據性更加外顯。亦即，可以從類名名稱上直接反映出類名所統攝的文獻類型。例如，《隋志》對於《七錄》類名之改進：將經典錄易名爲經部；尙書改爲書；紀傳錄易名爲史部；把國史分爲正史、古史；改注歷爲起居注；儀典改爲儀注；法制改爲刑法；僞史改爲霸史；土地改爲地理；譜狀改爲譜系；另增「雜史」等等。這樣，類名的內涵更加清楚。此外，一些非關鍵性的部份也作了相應的調整。例如《七錄》更《七志》之文翰志爲文集錄。阮孝緒《七錄序》云：「以頃世文詞，總謂之『集』，變『翰』爲『集』，於名尤顯」。可見，類名的設定及其調整是以能夠反映文獻內涵之本質爲旨歸的。

近現代分類學一般都在類名的基礎上再配上一套代碼標識，分類標引和檢索都是通過代碼標識而不是通過類名而展開的。爲了實現標引和檢索的有效性，近現代分類學也往往努力把代碼標識符號處理成「可證的」。即代碼與其所標指的文獻之間有自然的或者內在的聯繫。但是，在實踐操作中，這種可證性卻僅僅是人們的一種理想。例如，《中圖法》「軍事」大類的代碼是E、「中國」覆分是2；《資料法》「高山族的風俗習慣」編號是K8923『84』；《美國國會圖書館分類法》「檳榔果」的代碼是「SB295.B5」；《概略分類法》「青少年犯罪」的代碼是「535,74,32,0,35,51」……爲什麼？顯然，上述每一個代碼和意指之間的聯繫都經不起追問「爲什麼」。因爲，代碼符號在本質上是任意的，而不是可證的。我們並不能在代碼與文獻之間尋求任何自然的或是內在的聯繫。總之，現代分類學標識符號是任意的。其任意性的要害是否認了主體在認識中的主動性。從世界分類法史的角度來看，直到1876年第一版DDC誕生之前的西方分類學文本——如1548年德裔瑞士人蓋士納（Conrad Gessner）編製的《世界書目》（Bibliotheca Universalis）——都是祇有「兼起類號作用」的類名，而沒有代碼符號。一般地，類目名稱的選用總是可證的，而代碼則是任意的。可證性的轉移或喪失，表現爲任意性。

代碼標識之任意性顯然與「配號盡可能有一定的規律性和助記

性」的要求相矛盾。近現代分類學意識到了代碼任意性帶來的麻煩，並作出了一系列改進的努力。例如，爲了實現類列無限容納性和代碼可證性而採用的字母標記法（又稱文字標記法），即直接用代表類目的字母或文字來標指類目。一般採用名稱縮寫的前一、二位字母，有時甚至可以直接採用人名、地名、產品的牌號名稱。像《聯合國教科文組織敘詞表》的分類表部：Z50.05.20等級分類法；Z50.05.20D杜威十進分類法（DDC）；Z50.05.20L美國國會圖書館分類法（LCC）；Z50.05.30/40分析——綜合分類法；Z50.05.30U國際十進分類法（UDC）；Z50.05.40B布立斯書目分類法（BBC）；Z50.05.40C冒號分類法（CC）。可見，Z50.05.20/40是任意的；而其後的D、L、U、B、C等卻是某種「可證性」的反映。另如《中圖法》、UDC等分類學文本所設立的時代區分號等等，都極力表現出可證性。當然，大量充斥於近現代分類學體系中的代碼標識是任意的，它們不可證。因此，爲了識別這些額外的、非文獻本身所固有的標識，還必須進行符號識別的再識別，從而增加了分類標引和檢索在技術上的麻煩。這些代碼符號游離於文獻意義內涵和人的主觀心理現實之上，其精緻的外表和繁茂的規則可以使崇尚觀察、驗證的描寫主義和形式主義的學人爲之陶醉，但卻經不起深層意義內涵的追究。從圖書分類學歷史的角度來看，由可證性過渡到任意性，及其相反可逆的過程，是標識符號的發展過程。總體上，向絕對任意性的推移構成了標識符號運動的態勢。

可證性的古代分類學標識符號啓發我們：首先，分類標識符號系統、內部形式或理據性探討以及整套標識符號的創造和使用應該有某種理論基礎。其次，分類標識與標識所指之間的關聯不是神秘主義的，而應該具有認識的能動性以及符號本身的內在系統性。符號的設定和選擇本身就是認識。因此，必須以科學的態度去從事對分類學符號特徵、形成條件等方面的探索。再次，識別分類標識必須以認識分類學體系所特有的思維方式、心理機制、認知過程及命名範式爲前提。

(2)不　足

現代分類學中的任意性標識符號是在古代分類學中的可證性標識符號的基礎上發展起來的。發展的直接前提是基於可證性符號的「不足」。現代分類學在自然語言詞彙構成的類名基礎上，外加一套人工代碼語言詞彙構成類號。代碼符號的明晰性對模糊的自然語詞類名是一個有效的控制和規範，具有邏輯意義上的「眞」。另外，代碼符號還能夠表示類表結構，表明類目在分類體系中的相對位置，甚至可以從類號上判斷類目之間存在的從屬、並列等關係，從而使類目次序得以明確固定、並一目了然地得以顯示，方便了分類排架和分類檢索。顯然，古代分類學標識的長處正好是現代分類學標識的短處，而現代分類學標識的上述優點則正好是古代分類學標識的不足。這啓發我們去探討分類標識之可證性和任意性的結合問題，看看分類類表的層級結構應該在多大程度上使用可證性的標識，在多大程度上使用任意性的標識。

第二節　中國古代圖書分類的形式結構

近現代等級分類體系立足於文獻主題概念的邏輯概括與劃分，形成了一套等級譜系式的形式結構；分面分類體系著眼於文獻主題概念的邏輯綜合與分析，形成了一套分面組配結構。可見，分類學系統的形式結構和意義內涵是相得益彰的。充分揭示分類學體系的形式結構，是全面了解分類學本質的一個有效視角。我們認爲中國古代圖書分類學系統的形式不是等級譜系結構，而是以線性次序爲基礎的結構模式。而制約線性次序的條件則主要包括意義限制和認知限制。選擇線性次序作爲結構模式，可以充分地表達古代分類學系統的獨特意義內涵。

㈠線性結構之事實

中國古代文獻不能用西方科學精神和邏輯信念意義上的原子主義觀點來分析和對待，文獻所反映的主題不能作出明確的概括、劃分或者綜合、分析。古代文獻著眼於超文本的意義和價值，不具有可以明確劃分的形式邏輯類項，不能反映爲主題概念之間的結構與層次。所以，文獻之間也不具有等級、從屬、並列等多項邏輯法則；而是表現出主題事物之間在事理邏輯（不是形式邏輯）或主體人的主觀心理現實之上的某種聯繫。合類或同部的文獻並不必然地具有形式或性質上的直接關係。與此相適應，中國古代分類學系統也不是等級譜系式的，它不是立體幾何式的構架，不以反映文獻主題概念之間的結構與層次爲旨歸。

古代分類學根據自己的分類結構本位——古代文獻——的若干原則性特徵，選擇了二維線性平面的排序作爲基本結構原則。它注重文獻在線性平面上的先後位置，形成了一套獨特的分類學系統模式。首先，從類名上來看。古代分類學系統的類名雖然有等級之分——如經部和《易》、《書》之間——但是，古代分類學最多限於三位類。並且，第一級類目的「經、史、子、集」等類名祇是一種概略性的模糊範疇，既不能代表事物或主題，也不是學科或專業的指稱。特別是，作爲上位類名的「經史子集」等等，祇要它還能劃分出下位類，那麼它就肯定不具有安置文獻的職能。古代分類學中沒有一本文獻是直接安置在任何一個可以劃分出下位類的類名之上的。古代分類學中由任一指定類目的直接領域、第二階段領域、第三階段領域等所組成的任何一個完整的類系，例如《四庫總目》中包含三級類目的一個類系：子部一〔天文算法（推步、算書）〕，祇有最下位類（推步、算書）具有安置文獻的職能。如《四庫總目》中，《周髀算經》入「推步」類、《九章算術》入「算書」類等等。這樣，一級類目的「子部」、二級類目的「天文算法」和三級類目的「推步」、「算書」之間雖然具有明確的邏輯等級關係，但這種邏輯關係並不映射到被類分的文獻之上。

可見，古代分類學中的文獻並不像類名那樣按照等級或從屬等多項邏輯關係來處理。亦即，文獻主題並不作形式邏輯類項上的劃分。所以，宋代王堯臣等所撰《崇文總目》凡分45類，並按四部經史子集順序排序，但卻乾脆不標出作爲一級類目的「經、史、子、集」四部名稱。宋尤袤《遂初堂書目》、陳振孫《直齋書錄解題》、清陸深《江東藏書目》、晁傈《寶文堂書目》、錢謙益《絳雲樓書目》、茅元儀《白華樓書目》、錢曾《述古堂書目》、《讀書敏求記》、王聞遠《孝慈堂書目》、周厚堉《來雨樓書目》、孫樓《博雅堂藏書目錄》、沈節甫《玩易樓藏書目錄》、孫能傳《內閣藏書目錄》、孫星衍《孫氏祠堂書目》等等都是按四部次序分類但卻沒有標出「經、史、子、集」四部之名。不標四部之名現象的大量存在，本質上表明標不標類名在實際效果上是一致的。而這種標名與不標名在實際效果上的一致性，正是源於這樣的基本事實：古代分類學中的任何一個類名，祇要它還能劃分出下位類名，那麼它就不具備安置文獻的職能；而作爲一級類名的經史子集肯定能劃分出下位類名。

我們認爲，中國古代圖書分類學系統的形式結構是以線性次序爲基礎的結構模式，而不是等級幾何式的立體構架。等級幾何結構本質上來源於形式邏輯中主題概念的概括與劃分。現代等級分類體系是典型的形式邏輯規約下的產物，表現出明顯的邏輯類別特徵。例如，《中圖法》第三版中G大類的一個類系：

G　　　　文化 科學 教育 體育
G2　　　　信息與知識傳播
G25　　　圖書館學 圖書館事業
G252　　　讀者工作
G252.1　　圖書宣傳
G252.12　圖書展覽

從G到G252.12這個完整的類系中，可以十分明顯地反映出類目的等級性、結構性和層次性關係。並且，G/G252.12的任何一級類目都具有安置文獻的職能。若干相關文獻將會被根據各自主題概念的形式邏輯類項劃分，而被安置到G/G252.12中的任何一級更爲貼切和適當的類目之中。這樣，類目之間的各種邏輯關係可以完整地映射到相關文獻之中。這在本質上表明，文獻主題概念在邏輯類項上表現出各種關係，而各種邏輯關係又是若干文獻得以聯繫和組織的有效形式。事實上，現代等級分類的體系性正是建立在主題概念的邏輯類項之概括和劃分之上的。即：利用概念內涵由反映事物本質屬性的概念因素構成、概念因素的增加或減小可以形成新的概念、概念內涵與外延成反變關係等性質，對概念進行劃分（縮小）或概括（擴大），形成更爲專指或更爲泛指的新概念，用以區別若干文獻；並利用劃分或概括過程中所產生的概念隸屬關係和並列關係，建立分類體系。這種邏輯修養和科學精神從亞里斯多德以來就一直支撐著西方學術傳統。而中國古代沒有亞氏邏輯，中國古代的「類」是關於定名、立辭和推理的基本概念。「類」不是形式或性質的集合，而是功能和意義的集合。功能和意義是主體範疇，祇有大小之分，沒有等級層次之別。相應地，中國古代分類學也不是等級譜系結構，而是以線性次序爲基礎的結構模式。所有被類分的文獻都在線性平面中呈「一」字型排列，文獻與文獻之間祇有線性的次序先後，而沒有立體幾何式的等級或層次，它們不表現爲並列、從屬等多項邏輯關係。

中國古代圖書分類學以線性次序作爲基本結構模式，從而確保了文獻之間的功能和意義之大小得以比較。我們知道，中國古代文獻都是「器」，其背後有「道」。簡言之，「文」是載「道」的。道反映了文獻的本質。誠然，中國傳統文化不是在靜態中求「眞」，而是要超越事物的形式和性質，力爭求「善」和求「美」，並努力探討事物一切形式和性質對人倫日用的功能和意義。類分文獻就是要類分各種文獻背後不同的「道」。因此，在中國古代，文獻和文獻之間的相互聯繫的最基本、最有力的方式就是次序。次序反映了文獻的功能和意義之大小或者「道」的重要與次要。這樣，次序表面上看是一種機械的形式，實質上則是一種事理邏輯（而不是形式邏輯）。請看下面的例子。

關於《易經》在儒家經書中的排序問題。《易》之稱爲「經」，是從《莊子·天下》開始的。《莊子·天下》篇說：「孔子謂老聃曰：丘治《詩》、《書》、《禮》、《樂》、《易》、《春秋》六經」。《莊子·天運》篇所提及的六經順序也如此。可見《易》在《莊子》中的實際地位並不高，僅僅排在了六經中的第五位。《史記·秦始皇本紀》云：「天下敢有藏《詩》、《書》百家語者，悉至守尉雜燒之，所不去者：醫藥、筮卜、種樹之書」。《易》以筮卜之書而得列於「不去者」之列。《漢志》亦云：「及秦燔書，而《易》爲筮卜之事，傳者不絕」。可見，《易》本不過是筮卜迷信用書，似應歸入《數術略》之中。儒家傳人荀子甚至乾脆把《易》排除在了「經」之外。《荀子·勸學》篇云：「故《書》…，《詩》…，《禮》…而止矣！」又云：「《禮》之敬文也，《樂》之中和也，《詩》、《書》之博也，《春秋》之微也，在天地之間者畢矣！」荀子列諸經而不及《易》，即云「止」、云「畢」，可見《易》地位之卑。荀子以後《易》與其餘五經併入六經。但是直到《史記·太史公自序》之前，六經次序一直以《詩》、《書》、《禮》、《樂》爲主體，《易》和《春秋》排在最後。到了《史記·自序》和《淮南子·泰族訓》，《易》纔躍居首位。其中，《自序》的順序爲：《易》、《禮》、《書》、《詩》、《樂》、《春秋》；《泰族訓》爲：《易》、《書》、《樂》、《詩》、《禮》、《春秋》。但是，此時《易》的經首地位並沒有得到完全的鞏固。理由是，同樣是《自序》，還出現了《禮》、《樂》、《書》、《詩》、《易》、《春秋》的排法；同樣是《泰族訓》，還出現了《詩》、《書》、《易》、《禮》、《樂》、《春秋》的排法。並且，同時期的《小戴記·經解篇》和《春秋繁露·玉杯篇》也都沒有把《易》排在六經位首。（傅榮賢，

《《別錄》《七略》的經學意識及其成因》，《鹽城師專學報》，1992.1）

上述六經排序的先後，基本上反映了六經在每個行爲主體主觀心理中實際地位的先後。比如，史遷的排列偏重於《禮》——例如，《史記·滑稽列傳》又云：「六藝於治一也，《禮》以節人，《樂》以發和，《書》以道事，《詩》以達意，《易》以神化，《春秋》以道義」——可以看出這是傳自荀子之學。《淮南子》的作者接近道家，所以《禮》的地位很低。而劉向、劉歆視《易》爲「諸經之源」和「道之源」（《漢志》），故其所撰《七略》將《易》排在經部首位。《七略》以降直到《四庫總目》的中國古代分類目錄無不以《易》爲群經之首。唯一的例外是劉宋時期王儉的《七志》。王儉以爲「孝迺百行之首，實人倫所先」（《七志·序》）。所以《七志》將《孝經》列爲經部目錄的首位，《易經》居爲第二。與儉同時的陸澄說：「《孝經》、小學之類，不宜列在帝典」；唐陸德明雖不贊成王儉以《孝經》列爲經部之首的做法，但卻指出這是「時有澆淳，隨病投藥」（參見王重民，《《七志》與《七錄》》，《圖書館》，1962.1）……由此可見，中國古代圖書分類學的類目設置和類別次序是以適應特定的表達功能爲旨歸、以事理邏輯的鋪排爲主要組織手段的。

又如，關於《四庫總目·子部》的排序。總纂官紀昀曰：「儒家尙矣。有文事者有武備，故次之以兵家。兵，刑類也。唐、虞無皋陶，則寇賊奸宄無所禁，必不能風動時雍，故次以法家。民，國之本也。穀，民之天也，故次以農家。本草經方，技術之事也，而生死繫焉。神農、皇帝以聖人爲天子，尙親治之，故次以醫家。重民事者先授時，授時本測候，測候本積數，故次以天文算法。以上六家，皆治世者所有事也。百家方技，或有益，或無益。而其說久行，理難竟廢，故次以術數。游藝亦學問之餘事，一技入神，器或寓道，故次以藝術。以上二家，皆小道之可觀者也。詩取多識，易稱製器。博聞有取，利用攸資，故次以譜錄。群言歧出，不名一類，總爲薈粹(萃)，皆可採摭菁英，故此以雜家。隸事分類，亦雜言也，歸附於子部，今從其例，故次以類書。稗官所述，其事末矣。用廣見聞，愈於博奕，故次以小說家。以上四家，皆旁資參考者也。二氏，外學也，故次以釋家、道家終焉。」（《四庫總目》子部總序）

顯然，「次序」構成了中國古代圖書分類學系統中文獻組織的一種「能」，藉此，所有文獻在線性次序中得以定位。我們知道，西方學術重分析，把認知對象看作是由無數個細小部份組成的複合體。其概念與範疇通常可以看成是其他次級概念與範疇的分析母體，或者是其他更爲基本的概念與範疇的分析結果。原子主義與還原主義是西方思維的主要模式；分析性與邏輯性是西方學術的基本特徵。對應於該文化價值觀，西方圖書分類體系可以通過概念之間的邏輯概括與劃分或者分析與綜合，形成等級式或分面組配式的形式主義分類體系。中國學術重視整體綜合，不強調實體元素（如原子、分子、基本粒子、生物細胞迺至單一的文獻單元等等）的邏輯明晰性，而是以「關係」爲基礎的文化選擇。中國古人把認識對象看成是一個整體，強調認識對象的整體功能與動態規律，而不太注重它的成份與元素，所以，常常不定義概念、範疇或主題。因而，古代文獻主題常常模糊而不定、內涵廣泛而深邃、意域連綿而不可離散。相應地，古代分類學系統也必定不是建立在明確的個體化範疇之上，而是通過「關係」來把握分類學系統的結構實體。

這種關係是暗含在先後次序之中的。古代分類學中，文獻的表述、組織和認識都離不開「次序」這個最根本的理據。鄭樵《校讎略·編次有敘論》說：「《隋志》每於一書而有數種學者，雖不標別，然亦有次第。如春秋三傳，雖不分爲三家，而有先後之列，先左氏，次公羊，次穀梁，次國語，可以次求類」；「《隋志》於禮類有喪服一種，雖不別出，而於儀禮之後，自成一類。以喪服者，儀禮之一篇也。後之儀禮者，因而講究，遂成一家之書，尤多於三禮，故爲之別異。可以見先後之次，可以見因革之宜，而無所紊濫」。顯然，「次序」是表述和理解文獻的重要手段。次序不同，文獻的意義定位和功能理解也就有別。所以，次序發揮著區別文獻意義和功能的作用。恰當的順序排列，是組織文獻的保證。文獻的功能關聯、意義聯繫等等，都必須通過次序這一形式手段纔能體現出來。

另一方面，由於古代分類學是充分結合具體文獻的類別體系，這樣，類名在線性序列中起到了分段標識的作用。如果沒有類名，文獻在線性模式中的列隊就會拉得過長，使得個別文獻被泯滅在「汗牛充棟」、「浩如煙海」的文獻海洋之中；使得檢索者有似「弱羽憑天」、「倚仗逐日」，影響了檢索效率。因此，作爲古代分類學之類別標識和分類焦點的一個個類名，將同時兼起著類號作用和分段標識的作用。類名的存在使得整個分類體系的線性模式顯得簡潔而有效。

類名的線性排序和文獻的線性排序是全息性的，它們都離不開恰當的順序作爲自身組織的結構模式。其中，類名作爲一批文獻的代表者和指稱物，它們在排列成某種次序後，會不同程度地相互吸引或相互排斥。那些引力強的類名會凝固成一個複合的新類名，並構成新的分類焦點。例如，《隋志》將《七錄》的雜傳、鬼神二類合並爲「雜傳」；尤袤《遂初堂書目》將孝經、孟子二類附於「論語」類下；史部中的「夷狄類」附於僞史類；子部法、名、墨、縱橫諸家附於「雜家類」；還將天文、曆儀、五行、陰陽、卜筮、形勢六類合併爲「數術」一類；《新唐志》將《舊唐志》中的霸史、僞史合並徑稱「僞史」；以筆記雜著有補於史，而列入「雜史類」；黃虞稷《千頃堂書目》亦將子部法、名、墨、縱橫諸家附於「雜家類」；且合禮、樂爲「禮樂」類……另一方面，那些排斥力強的類名，則會分化、獨立或彼此進一步疏遠。例如，《七略》將「史」附於《春秋》類，晉人荀勖《中經新簿》則開我國古代四分法之先河，將「史」部獨立出來，蔚爲一大類；阮孝緒《七錄・術數錄》仿《七略・術數略》，但又分裂出「讖緯類」，迺《七略》以後新興起來的一門學問；「史評史抄」，《文獻通考》爲一類，《四庫總目》分列史評類和史抄類……

類名的吸引或排斥，在線性平面上保持著足夠必要的張力，以成就一個動態的分類系統模式。類名與類名之間處於一種相對鬆散的、而不是必然的關係，從而呈現出線性平面組織上的流轉變化的動態特徵。這種張力的存在，使得每一個類名都與它的左鄰右舍之間保持著心理上的距離，並時刻準備接受新的文獻之表述和組織的需要。由於類名和文獻在線性平面中排序的全息性，導致不同文獻和它的鄰居們之間也保持著心理上的距離，或疏遠或近密。從而最終把文獻及其關係提升到了主體心理層次之上。這種主體能動性的張揚，正是中國古代圖書分類學形式結構之線性次序選擇的深層文化學底蘊。衆所周知，中國古代的音樂也是以流線型的旋律見長，而不是注重立體和聲；中國古代的繪畫重視點和線的平面勾勒，而不是強調幾何透視。

㈡線性次序的制約因素

中國古代圖書分類學中，制約線性次序——衆多類名（及文獻）誰排第一，誰排第二——的因素是什麼呢？由於中國古代文獻不是客觀、自足、獨立的存在，而是一種主觀的價值和意義存在，它重視和強調文獻內涵在政治教化和人倫彝常上的功能和意義。因此，制約分類體系線性次序的主要因素就不可能是學科屬性或邏輯條件，而祇能是一種主觀心理條件。對此，我們將在本章第三節「古代分類學的分類標準」中集中討論。茲僅略論及之如下：

第一，意義和功能限制。意義和功能大的類名（或文獻）排在意義和功能小的類名（或文獻）之前。意義和功能相同或相近的類名（或文獻）在線性平面中的位置也趨於靠得比較近。顯然，古代分類學的線性次序是一種「位首」主義策略。衆所周知，言語和句子一般是「尾重心」，即把要表達的關鍵意思放在一句話的尾部。因爲言語和句子是動態的流線過程，尾重心主義有助於受話人抓住發話人的信息焦點。而古代圖書分類學體系則是一個結合具體文獻的靜態的既成序列或格局，將關鍵文獻放在前面的位首主義，無疑是與人們的接受習慣相一致的。可見，古代分類學將文獻信息的分佈同線性次序選擇聯繫在一起，不同內涵的文獻在分類學系統中的分佈呈現出獨特的規律性：即文獻按照其內涵的意義和功能遞減序列排序。

第二，認知限制。文獻排列的次序跟現實人的認知能力相一致。例如，時間順序原則。現實生活中，人們習慣於將先發生的事件排在後發生的事件之前。古代分類學線性順序結構中，也大量地運用了對時間的這種感知能力和感知方式——文獻在線性平面中的次序決定於它們所表示的觀念裏的狀態或事件的時間順序；或者文獻產生的先後順序。又如，現實程序原則。如將文獻按著者或者按文獻內容所涉及到的人物的現實社會地位來分類。這種認知限制充分反映了人們對現實世界的一種臨摹和投影，突出了人類認知經驗在分類學實踐中的應有地位和作用。這啓發我們去研究現實的程序是如何投射爲文獻分類之順序規則的，從而從現實程序出發，揭示出文獻表述和組織的若干理據；以及反過來，文獻順序是如何臨摹現實程序的，從而從文獻順序結構中去洞察社會政治文化生活中的方方面面的原則隱含。

第三，凸顯順序限制。凸顯順序是故意違反認知順序的一種次序選擇。它立足於信息焦點，負載著文獻編碼者的興趣、心態、情感、意志等等，它決定於行爲主體的主觀選擇，涉及到信息重心的格外強調等等。詳見本章第三節，茲不煩述。

綜上，制約古代分類學線性次序的條件主要包括意義限制和認知限制。前者傾向於理性，後者傾向於感性。而意義限制和認知限制這兩條原則一般又是平行和一致的。例如，時間順序原則往往能夠較好地反映學術傳承和授受源流，從而也同時遵守了意義限制。而當意義限制和認知限制不一致時，存在一條凸顯原則，一貫地向意義限制傾斜。因此，中國古代圖書分類學的線性結構是二維的。誰排第一，誰排第二的次序選擇或者取決於意義限制，或者取決於認知限制。當然，從更爲廣泛而深刻的意義上來看，意義限制和認知限制都是一種主觀的價值和心理限制，而不是客觀邏輯限制。這表明中國古代的文獻並不是作爲一種純客觀的東西供我們來機械地定性和析解，而祇能是一種主觀心理現實或主觀價值意義上的存在。唯其如此，古代分類學也從不霸道地強求文獻來「就」一個個由標識符號結構起來的、形式主義的小方格子之「範」，而祇能是在流線性的動態平面中完成文獻的表述、組織和認識工作。

㈢以線性次序為基礎的形式結構的表義性

古代分類學以「二維線性順序」爲形式。順序是現實生活中的普遍現象，也是古代分類學研究的一個重要課題。順序不僅與古代分類學系統的結構描寫密切相關，而且和古代分類學系統的表達和理解、特點和類型等等密切相關。順序分析因此而成爲打開古代分類學系統形式之建構秘密的鑰匙。但是，古代分類學的形式結構趨於線性平面之鋪排（而不是立體等級構架）的動力和功能，都是在分類學系統的具體運用中實現的。在這個意義上，分類學的表達功能是第一性的，結構的闡釋祇能在分類表達中進行。亦即，我們首先要表述和組織些什麼，然後纔談得上怎樣表述和組織。因此，分類學結構不是自足的，甚至是不能自省的，祇有表達功能纔是自足的。在形式和意義這兩個分類學層面中，意義是核心的，形式祇是表義的符號，相對獨立於系統之外。確實，「事實的邏輯圖畫是思想，思想是有意義的」。人們記憶和理解文獻的意義，而不是記憶和理解文獻的整理形式。這一基本取向決定了古代分類學系統的以意義支點爲中心的表達意識。分類形式是爲分類意義內涵服務的，後者纔是古代分類學最本質的成份。中國古人在類分文獻時，始終清醒地區分出形式和意義，並能夠把分類意義內涵作爲優先考慮的成份，從而不使形式結構異化爲分類學的本體。

類名和文獻在線性平面上的排列先後，是表達意義內涵的有效形式之一。而古代分類學中的所謂「意義」主要包括兩層內涵：

第一，學術上的「辨考」。即通過線性次序來「辨章學術，考鏡源流」，梳理出文獻背後的文化關係。

鄭樵指出：「類例既分，學術自明，以其先後本末俱在。觀圖譜者，可以知圖譜之所始。觀名數者，可以知名數之相承。讖緯之學，盛於東都；音韻之學，傳於江左。傳注起於漢魏，義疏成於隋唐，睹其書可以知其學術之源流，或舊無其書而有其學者，是爲新出之學，非古道也」（《校讎略·編次必謹類例論》）。又說：「欲明書者，在於明類例」，「類例分則百家九流各有條理」（同上）。反過來，「書之不明者，爲類例之不分也」；「學術之苟且，由源流之不分」（《通志·總序》）……學術上的這種「辨考」都是通過文獻線性次序的分佈而實現的。例如，《四庫總目·子部·醫家》云：「《周禮》有獸醫，《隋志》載《治馬經》等九家，雜列醫書間，今從其例，附錄此間，而退置於末簡，貴人賤物之義也」。又如，清人孫星衍《孫氏祠堂書目》史學類序云：「先以正史，次以雜史，次以政書。古今成敗得失，一張一弛，施之於政，厥有典則，存乎正史。史臣爲國曲諱，或有牴牾，尤賴雜史，以廣見聞。朝章國典，著述淵藪，舉而措之，若指諸掌，則政書尤要」（《史學類序》）。可見，次序選擇是若干文獻之意義得以辨明的一種有效形式。

第二，功能上的「教化」。即通過線性次序的分類形式來反映超文本的政治教化和人倫彝常，力求使分類學文本成爲封建社會的「爲治之具」。

鄭樵雖主張「書以學類」，但分類的最終目的還是爲了「尋紀法制」、「可爲後代有國家者之紀綱規模」（《夾漈遺稿·寄方禮部書》）。

章學誠則說：「蓋部次條別，申明大義」（《校讎通義·互著第三之一》）。例如《七略·諸子略》的編次：因爲儒家者流，「游文於六經之中……於道最爲高」，故位列諸子略之首；漢初與民休息，「竇太后又好黃老之術」（《史記·儒林傳》），到《七略》著作時，儒道合璧的餘緒尤在，故道家者流居次；陰陽家居第三則與董仲舒所宣揚的陰陽五行及揉儒經與方術緯書於一體的天人感應思想有關；法家者流緊隨其後，與「孝文帝好刑名」（同上）以及宣元以來「霸王道雜之」的法治精神有關……從而用次序先後的形式充分地反映了當時特定的政治思想面貌。可見，古代分類學的教化功能也是通過線性次序而獲得表達的。一定的次序選擇，貫穿著「寓褒貶，多甄別」的分類學意義內涵。

中國古代分類學中，類名或文獻之間的二維線性單向度排序構成了一種抽象化了的形式。這種形式不是像近現代分類學那樣力求驗證、關係裸露、法則繁瑣的描寫主義的形式，它沒有浮華的結構界限；而是一種疏通、空靈、不滯於形且以意統形、心凝形釋，削盡冗繁的形式。這使得古代分類學能夠允許在現代分類學看來有「破綻」的分類編碼，其組織結構的合格度也具有極大的彈性。這樣，分類學系統可以不受形式之累，完全根據意義來作爲文獻整序的理據和原則。因此，古代分類學的形式是一種經得起意義內涵追究的、絲毫也不脫離意義內涵的形式。古代分類學注重文獻在二維線性平面中的排序，可以根據主體需要隨時改變或調整文獻的位置，從而最大程度地實現文獻的社會功能和人倫價值。而如果對文獻作機械的定性和析解，那它祇能進入四角全封、密不透氣的僵硬的形式之中，並將喪失對它作任何重新解釋的可能。

古代分類學選擇線性次序的模式作爲其結構形式，它崇尚作爲內容本體的形式，而又隨時準備摒棄累贅的形式羈絆。這種形式本身也被賦予一定的內涵：排在前面的文獻，其功能價值一貫地大於後者，或者在時間上一貫地先於後者等等，從而最終表達出「辨考」和「教化」層面上的更爲深刻的意義內涵。誠然，如果我們不是捨本逐末的話，任何文獻原先祇限於是具體內涵的，若干文獻之間的關係原先並不用外在的形式來表述，而祇是暗含在順序裏。文獻的意義內涵先於「額外賦予」的形式而存在。「額外賦予」的形式標識和法則都是游離於分類內容和人的主觀心理現實之上的繁複的形式，它們在本質上都是無本之末。這正是古代分類學選擇線性次序這一簡單形式的根本原因。由此可見，線性順序分析不僅揭示出古代分類學形式的生命理據：它的原邏輯形態，而且還揭示出，所有被納入順序結構的文獻都經歷了由具體觀念到關係觀念的價值轉移。表明所有文獻都存在於整體文化背景之中，它們處於和其他文獻的相互對比和襯托之中，必須從總體系的意義關聯上對個別文獻加以定位。

古代分類學不限於對文獻表面現成範疇（如書名、著者、版本等）的解說，也不是通過賦予文獻以一個額外的代碼符號標識（如分類號、ISBN）來控制文獻。古代分類學充分利用主體意義判斷和價值判斷來營造整個分類學體系，從現實人的主觀心理出發，通過文獻內涵在學術上的「辨考」以及功能上的「教化」，編織文獻組織體系的直覺模型。顯然，古代分類學表達了一定的觀念內涵，它本身構成了一種文化力量和文化模式。文獻通過「同類」或「異類」的其它類型文獻的位置關係之間的襯托來顯示，所有文獻都沒有固定的結構模式，可以自由地表達意思。文獻都不是在形態上自足的、與其它文獻斷然不相涉的封閉單元，而是在內容上彼此密切聯繫的開放體系。總之，中國古代分類學不以形式分析的自足爲目的，本質上是一套意義內涵表達趨前的價値系統。它的整個分類操作是以行爲主體的人文性和主觀性爲依據的，不用客觀、冷漠的知性分析去代替感受。古代分類學直接貼近分類意義內涵，意義判斷成爲古代分類學的一種抽象化了的形式。所以，每一類文獻都不是在形式上的一致，也不是學科專業或主題概念上的一致；而是意義內涵——學術「辨考」和「教化」功能——上的一致。所謂的「類」是表義功能類。意義內涵成爲知解古代分類學的眞正視角。古代分類學歷二千年而不衰，它在運動中不斷地調節自己。從《七略》到《四庫總目》，儘管古代分類學系統始終處於變化發展之中，但始終沒有放棄自己的「表義性」精髓。它啓發現代分類學：把每一個文獻放到形式主義代碼所結構起來的邏輯小方格子之中並不重要，倒不如制訂出一種線性平面上的伸縮辦法，供人們從兩三種獨立的觀點來把一種文獻擱到能和另一種文獻互相對比的位置上去。

這種位置關係應該是線性的，線性的形式完全是分類內涵的形式。中國古代圖書分類學在面臨形式和意義之間的二難選擇時，儘管不能擺脫形而下之「形」的束縛，但仍趨向於對形而上之「意」的執著。這裏，不明顯的形式標識及其模糊性的類別釐定，與中國傳統的整體性、辯證性思維特徵有關。這正像現代分類學中明顯的形式標識和嚴密的分類規則與形式邏輯有關一樣。古代分類學的「形」祇有線性順序選擇，而沒有過多的形式法則。線性順序簡潔、明快，有很強的表義性，從而從本質上肯定了分類學體系形式結構的意義基礎，並把握了分類學體系形式變化的生命之源。次序和位置成爲理解文獻內容的形式標準，因此，中國古代圖書分類學的形式構成了內容力量的本體：形式即內容。這就把分類形式內化成了觀念形式，從而深刻探討了分類意義問題。它啓發人們時刻注意怎樣在分類實踐中去識別意義、獲得意義、確保意義的存在。

綜上，中國古代圖書分類學的結構體系是表義性的。「意義」是一個不可數、且不可形式化的抽象名詞，不能用邏輯加以規範。這就導致了對意義理解的主觀性、多義性甚至隨意性。例如，孫星衍《孫氏祠堂書目》將醫、律同部，說是「醫律二學，代有傳世，並設博士，生人殺人，所關甚重」（《孫氏祠堂書目·醫律類序》）；《直齋書錄解題》經部不設樂類，而在子部中設音樂類；鄭樵《藝文略》將禮、樂、小學均獨立成部（一級大類）；史部儀注入「禮」部；諸子惟取能獨立立說名家者列類；天文、五行、藝術、醫方均獨立成部等等都是十分明顯的例證。這種「不科學」的非形態主義策略成爲古代分類學的主導，它體現了漢族人「言簡意賅」、「形簡義豐」、「詞近旨遠」的思維特徵。即用最簡潔的形式來表達最豐富的意義內容，力圖通過有限的形式來「知窮化冥」、「以究萬原」。

漢族人更長於直觀地感性領悟，體知重於認知，強調「文雖約而義廣，卷雖少而意多」、「簡而且盡，約而且詳」等等。漢人用來反映並賴以認識外部世界的符號系統往往具有象徵意義，強調目擊於象，道存於胸，學術上不求形式的精確性和可證性。反映在古代分類學中，一個文獻歸入何類或不入何類，從來不具有形態上的必然性，而祇有（主觀）意義上的應然性。文獻的類別位置要你斟酌，要你從各種不同的關係上去考察。於是，純粹的主觀默想就代替了一部份知性法則。顯然，脫離具體分類學系統的特點和民族思維方式來空談圖書分類，是缺乏說服力的。一種分類學系統的生命不在於裸露的形式構架和浮誇的形態標識，而在於它整序該民族的文獻，進而模鑄該民族觀念世界的總體精神格局。它具體表現爲分類學體系的意義結構。因此，一種分類學的成熟與否，既不在於它屬於形式結構，也不在於它屬於意義功能，而在於它是否能夠符合使用者的心理習慣。

中國傳統文化強調事物的意義，同樣，在古代分類學系統中，「意義」也構成了限制整個分類體系的更爲強大的因素。古代分類學的歷史變化，其目的也是爲了突出表義功能，充分維持表義性，使之符合漢族人的認知方式。所以，古代分類學在建構自身系統或改造系統時，始終以簡潔的線性形式爲結構模式，注意給文獻檢索者留下一條由文獻類位及其先後排序等有限形式來推定其意義內涵的通道。西方文化將理想的形式全然歸爲一種數學和幾何關係，這種形式觀也體現在現代分類學之中。現代分類學形式嚴謹而缺乏彈性，力求言能盡意，表達精確、可驗證。其功能是描述性的，觀察角度是立體、幾何的。對該系統的結構分析，祇是一種對表面現成範疇的解說。判斷分類是否合格，祇需著眼於形態制約的單一因素即可。這一特點既爲現代分類學的分析提供了便捷，同時又使研究水平長期徘徊在表面膚淺的闡釋之上，難以深入系統的本質機制。因爲它迴避了種種在中國古代分類學中所無法迴避的非分類因素：社會、政治、文化、生活等等。

第三節　中國古代圖書分類的分類標準

對一批文獻進行劃分時所依據的某種屬性或特徵叫做分類標準，

亦稱作分類特徵。使用什麼分類標準以及使用這些分類標準的先後次序，直接影響分類體系的結構，影響分類表的質量。衆所周知，每一本文獻都有許多方面的特徵，具有多向成類的可能。這樣，選擇其中的某一或某些特徵作爲分類標準，通常意味著對文獻的這一或這些特徵的傾向性認可。例如，現代分類學一般均以文獻內容的學科屬性作爲主要分類標準，必要時以有檢索意義的文獻外表特徵，諸如類型、載體、時代、地域等作爲輔助分類標準。本質上即是從知識的系統統一性和邏輯完滿性以及形式主義的角度對文獻所作出的知解。換言之，它意味著一切文獻的學科化、邏輯化或形式化存在。顯然，分類標準是一個分類學系統更爲本質的分類隱含，它更爲深刻地指明了分類學系統的本質，因而比類表結構、標識符號等分類形式更接近分類學的本體。

我們習慣於將分類體系視爲知識組織的形式，它們表達並創造著一個不同的和自由的思想體系。類別不同，暗含著對不同思想體系的眞正理解，因此，有必要認眞研討不同分類學系統的分類標準。

理論上，文獻具有多少個方面的特徵，就可以相應地有多少種途徑將某一文獻和其它文獻區別開來或聯系起來，亦即，就會有相應數量的分類標準。中國古代的情況亦不例外。姚名達先生嘗評價《七略》分類標準云：「諸子略以思想系統分，六藝略以古書對象分，詩賦略以體裁分，兵書略以作用分，數術略以職業分，方技略則兼採體裁、作用，其標準已絕對不一，未能採用純粹之學術分類法」（《中國目錄學史·溯源篇》）……當然，姚名達所開列的分類標準還不是《七略》迺至整個古代分類學分類標準之全部。比如，晉太康二年（AD281），河南汲塚郡的古墓中出土的一批古代竹簡——後來稱爲「汲塚書」——晉武帝「詔（荀）勖撰次之」，整理成75篇。這些汲塚書按其內容則四部書皆有，並非都是詩賦。而荀勖《晉中經簿》將這75篇悉數列入了丁部詩賦類。又如，《晉中經簿》乙部既有兵家，又有兵書；丙部皇覽簿與史記並列……諸如此類的簡率分類很難歸納出一個絕對確切的分類標準。再以《四庫總目》爲例，《經部·禮類·三禮總義之屬》案語云：「鄭康成有《三禮目錄》一卷。此三禮通編之始，其文不可分屬。令其爲一類，亦五經總義之例也。其不標三禮之名，而義實兼釋三禮者，亦並附焉」。這兒的分類標準是一個「義」字，而「通禮類」的分類標準則是一個「例」字。該類案語云：「通禮所陳，亦兼三禮，其不得並於三禮者，注三禮則發明經義，輯通例則歷代之制皆備焉」。而「雜禮類」案語云：「公私儀注，《隋志》皆附之禮類。今以朝廷制作，事關國典者，隸史部政書類中。其私家儀注，無可附麗，謹彙爲雜禮書一門，附禮類之末」。即私人所作的關於論「禮」和談私家儀注的書入本類，如《書儀》、《家禮》等等。而關於國家制訂的禮，因其有史料性，則入史部政書類。這兒，入「雜禮類」和入「政書類」的標準是公和私著作的不同……。

中國古代圖書分類學之分類標準確乎不一，且條例繁多。而某種分類標準的經常性使用，必定能凸顯出分類學的本質特徵。因而，窮盡性地列舉出古代分類學的一些主要分類標準不僅是可能的，而且也是必要的。我們擬從感性認知和理性條件兩個方面來對中國古代圖書分類學系統的分類標準加以歸納和分析。

(一)認知原則

認知原則係將文獻的分類標準直接建立在人們的生理感知基礎之上，旨在使得分類編碼和解碼的過程顯得簡單、可感，從而最大限度地方便人們的分類標引和檢索。

(1)時間順序原則

古代分類學中，文獻在線性平面上的順序決定於它們所表達的觀念裏的狀態或事件的時間順序；或者文獻產生的先後順序。亦即：先產生的文獻排在後產生的文獻之前！這種時序原則在殷墟史窖裏甲骨的擺放順序中即已初見端倪。而如果根據顧頡剛先生《秦漢的方士與儒生》一文的見解：「《詩》和《書》是當時的兩類書」，則作爲我國古代第一部歷史文獻彙編的《尙書》也是按時代先後順序編排次第的。今本29篇《尙書》上起《堯典》下迄《秦誓》，完全按照虞夏商周的朝代順序編次。

時序原則在《七略》圖書分類中已經趨於完善。今以《七略》爲例細析之。姚振宗評《諸子略·儒家類》云：「是篇章段凡四。晏子與孔子同時，時代最先，故以此一家居首。以下自子思至芊子，皆孔門及七十二弟子之所撰述，凡十二家，是爲第一段；《內業》以至《功議》七家，多周室故府之遺文，莫詳其作者，爲第二段；《寧越》至《虞氏春秋》十一家，爲周、秦六國近人之所作，其平原君、朱建一家，舊當在漢人之中，爲後人妄移次第，是爲第三段。《高祖傳》以下至揚雄二十一家，則西漢一代天子王侯卿大夫之所論敘，迄於王莽世，爲第四段終焉」（《漢書·藝文志條理敍》）。可見，《七略》的《諸子略·儒家類》書籍的排序，是以文獻作者時代先後爲根據的。它直接跟人類認知時間的經驗習慣相一致：現實生活中，先發生的事件排在後發生的事件之前。《七略》中的《諸子略》兵家、縱橫家、《詩賦略》、《兵書略》的兵權謀等等都非常明顯地遵守著時序原則。而如果我們把時序原則的根本內容放寬，則會發現《七略》所分「六略三十八種，五百九十六家」的排序幾乎都是按照時序原則來辦的。該原則包括：

第一，時序原則決定了兩個文獻單元之間的非對稱性的線性排列順序。因此，如果缺少明確的、具體的時間關係，線性排列原則就會失敗。例如，《詩賦略·屈原賦之屬》從《賈誼賦》7篇到《王褒賦》16篇皆爲漢初人所作，彼此之間很難分出絕對的時間先後。所以，線性的時間順序原則要求也不十分嚴格。《漢志》注「與王褒同時也」的《光祿大夫張子僑賦》3篇，就沒有與《王褒賦》16篇擱到一塊：中間還隔著差不多也「同時也」的《陽成侯劉德賦》9篇和《劉向賦》33篇。第二，具體時間關係不明朗的文獻單元，並不嚴格地受制於時序原則。但是，處於相對時間段上的文獻單元往往作爲一個整體性的文獻集團，在宏觀上顯示出明確的時序原則。亦即，時序原則的作用方式還可以表現在兩個或兩個以上的文獻集團之間。仍以姚振宗指出的《諸子略·儒家類》爲例。第一段情況特殊，詳下。從第二段的「周室故府之遺文」七家文獻集團到第三段的「周、秦六國近人所作」的十一家文獻集團，再到第四段「西漢一代天子王侯卿大夫之所論敘，迄於王莽世」的二十一家文獻集團，其二、三、四段的基本排序無疑隱伏著明顯的時間順序原則。第三，主觀心理時間軸上的時間序列原則。如雜家《孔甲盤盂》26篇，顯然不可能是眞正的黃帝之史或夏帝孔甲所作，但是在人們的主觀觀念裏，還是傾向於認爲它在時間上產生得最早，故排在《雜家》篇首。又如，《小說家》中，雖明言《伊尹說》27篇「其語淺薄，似依托也」、《鬻子說》19篇爲「後世所加」，但是人們在心理上仍然習慣於認爲它起源最早。故它們的編次分別在《小說家》篇首和第二的位置。

顯然，實際時間順序以及主觀的心理時間發展順序是《七略》組織編排文獻的主要依據之一。章學誠不悟此理，祇是一味從「辨章學術，考鏡源流」的學術授受和文化傳承的角度出發，來苛求《七略》。他責難道：「道家祖老子而先有伊尹、太公、鬻子、管子之書;墨家祖墨翟而先有尹佚、田俅之書，此豈著錄諸家窮源之論耶？」「伊尹、尹佚諸子，顧冠道墨之首，豈誠以謂本所自著耶？」（《校讎通義》卷一）。事實上，時序原則比「辨章學術，考鏡源流」更爲根本、更爲核心地控制著《七略》的基本類別趨向。

另一方面，時序作爲一條遠離抽象的經驗性分類原則，在其自身的感性認知系統中，也並不是被絕對地、毫不猶豫地遵行。相反，它有大量不守時序的「例外」。而正是這些「例外」確保了《七略》不是一部僅僅著眼於歷史時間序列的流水作業，不是一部僅僅「徒爲甲乙部次計，則一掌故令吏足矣」的分類目錄。作爲時序原則不可或缺的補充和修正，《七略》還安排了另一條與時序原則互爲表裏的凸顯原則。該原則不是以人類對時間順序的經驗感知爲基礎，而是根據分類編碼者的主體愛好、價值取向、以及牽涉焦點的不同來分類圖書。時序原則被暫擱一邊而大大地不起作用。如，姚振宗《諸子略·儒家類》第一段從「與孔子同時」的晏子到「孔子及七十二弟子之所撰述凡十二家」在時間上無疑要後於「多周室故府之遺文」的第二段，但是在順序軸上，第一段反而放在了第二段的前面。再如，《道家》的《列子》8篇和《公子牟》4篇注皆云：「先莊子，莊子稱之」，而兩者的排序卻在《莊子》52篇之後。這種凸顯原則顯然與分類編碼者的主體愛好、價值取向和牽涉焦點有關。比如《道家》。就道家學派而言，《莊子》比先於它的《列子》、《公子牟》更具代表性和典型意義。因而，《莊子》成了「道家」的焦點文獻，故被列於《列子》和《公子牟》等文獻之前。再如，「法家」的《慎子》注云：「先《申韓》」，而《申子》在前；「陰陽家」的《閭丘子》注云：「在《南公》前」，《將鉅子》注云：「先《南公》」，而《南公》次於兩者之前。同理，《儒家類》「第一段」也完全無視時序原則，而被列於第二段之前。

凸顯原則和時序原則實際上是一個問題的兩個方面。前者的存在恰恰從正面肯定（而不是從反面否定）了後者在《七略》分類理據中的重要地位。總之，時序原則制約了《七略》分類體系中的文獻排列次序，構成了一條普遍的分類限制。不妨再從六經次第來看。從《莊子》的《天道》、《天下》、《徐無鬼》到《荀子》的《儒效》、《勸學》到《淮南子·泰族訓》、《春秋繁露·玉杯》、《小戴記·經解》等等幾乎都無一例外地以《詩》、《書》、《禮》、《樂》爲主體，《易》和《春秋》排在最後。另外，該順序按經書內容的程度深淺來排定，與兩漢時期今文經學講求「微言大義」的學風相吻合。但是，從《七略》到《四庫總目》，幾乎所有封建社會時期的分類目錄，都固守著時序原則：以《易》、《書》、《詩》、《禮》、《樂》、《春秋》的順序（亦即六部文獻產生的實際歷史先後順序）來編次六經。並在這種固守時序原則的編次中，尋求更爲深刻的政教人倫理據：《易》爲「諸經之源」和「道之源」，故位列諸經之首；「《書》者，古之號令」，而《書》源於《易》。《易傳·繫辭上》有云：「河出圖，洛出書，聖人則之」。故《書》列爲第二……（傅榮賢，《《別錄》《七略》的經學意識及其成因》，《鹽城師專學報》，1992.1）

《七略》作爲中國歷史上第一部系統的圖書分類目錄，具有面向未來、啓發後世的能量。特別是爲它所自覺遵行的時序順序，直接以人類感知時間的自然順序爲理據，使得分類編碼和解碼的過程顯得簡單、可操作，因而普遍爲後世分類學體系所效仿。例如，釋道安《綜理衆經目錄·經論錄》著錄從漢朝安世高到西晉末法立共十七家，依譯人年代先後逐家彙刊。以經名爲目，下注其異名和譯出年月；鄭樵《金石略》一卷，按時代及人物分爲諸多小類，記載了從上古到唐代的各種金石銘刻；《天祿琳琅書目》以經史子集爲類，每類之中，宋、金、元、明刊版及影寫宋本各以時代爲次……每代各以經史子集分部，每部各以時代爲次；《四庫總目》評黃虞稷《千頃堂書目》云：「其別集類以朝代科分爲先後，無科分者酌於各科之末。視唐宋二志之糅亂，特爲清晰，體例可云最善」；《四庫總目·藝術類·書畫之屬》收考論書畫的書，因內容互相牽連，難以類求，所以本類的排列是以時代爲次；《四庫總目》集部總序云：「集總之目，楚辭最古，別集次之，總集次之，詩文評又晚出，詞曲則其閏餘」。「別集類，因圖書較多，以時代先後進行排列：分漢至五代、北宋建隆至靖康、南宋建炎至德祐、金、元、明洪武至崇禎、清初至乾隆六段，雖沒有標明是小類，實際是暗分子目」（北大、武大，《圖書館古籍編目》，北京：中華書局1985年版，P248）。總體上，《四庫總目》各類目諸書次序是首列帝王著述，於撰述輯錄著述，以作者的登第之年、生卒之歲排比；於注釋箋證著述，則從原著時代先後爲次第。

綜上，中國古代圖書分類學有著一條將先產生的文獻排在後產生的文獻之前的總的線性排列原則，它反映了分類學家從觀念上看待時間先後的根本態度。這種時序原則直接訴諸人們的感官，將分類原則直接建立在人類普遍生活基礎和經驗感知之上，因而比被現代分類學視爲核心的文獻內容、學科屬性等分類理據更具有形象性、可感性，也更容易爲人們所接受。

(2)體裁原則

即按書的體裁設置類目。《四庫總目》稱之爲「辨體」。按體裁分類可以追溯到先秦時期，《尙書》中就有典、謨、誥、誓等不同體裁的類別。三百五篇《詩經》按體裁可劃分爲風、雅、頌三大類，「風」按國別又有區分，「雅」又分作大、小「雅」等等。按體裁分類可以使相同體裁的文獻相對集中，便於從體裁的角度表述、組織和認識文獻。《七略》也曾成功地將體裁原則運用於圖書分類學的理論與實踐。呂紹虞先生說：「《七略》凡是性質或體例相同的，雖然沒有另列細目，還是分組排序的。如『六藝略·易類』，首先著錄《易經》12篇，以下分爲易傳、災異、章句三組。從《周氏》、《服氏》、《楊氏》、《蔡氏》、《韓氏》、《王氏》、《丁氏》七家之書以及《孟氏京房》11篇，都是解說易義的書籍。其次是《災異孟氏京房》66篇、《五鹿充宗略說》3篇、《京氏段嘉》12篇等書。末了則是章句施、孟、梁丘氏各2篇。不過在《丁氏》8篇和《孟氏京房》11篇之間，夾雜有《古五子》18篇、《淮南道訓》2篇、《古雜》80篇、《雜災異》35篇、《神輸》5篇，圖1，頗見雜亂，這些書可能原本都在災異這一組，爲後人所錯亂了的」（《中國目錄學史稿》，合肥：安徽教育出版社1984年版，P13）。誠然，在《七略·六藝略》「易類」圖書的分類過程中，作者的體裁意識是非常明確的。這在「詩類」、「論語」等類中，也可以十分清晰地發現。此外，「雜纂雜鈔的書籍，列於各該類（組）末」（同上）。如「易類」有《古雜》80篇、《雜災異》35篇；詩類有《齊雜記》18篇；諸子類的儒家有《儒家言》18篇；道家有《道家言》18篇；陰陽家有《雜陰陽》38篇；法家有《法家言》2篇；雜家有《雜家言》1篇；小說家有《五家》139篇；「兵書·兵技巧」有《雜家兵法》57篇等等。

按體裁分類後來演繹爲「辨體」，至《四庫總目》而臻於完善。事實上，《四庫總目》分類法的立類方法概言之有二，一是辨義，另一即爲「辨體」。如「史部」中的「正史、編年、紀事本末」；「子部」中的「譜錄」都是十分典型的辨體類目。辨體原則由於以體裁爲首選標準，圖書內容降到了次要的地位，因而導致了下列局限。

第一，同一內容的書籍不能相對集中。如《四庫總目》中同爲記載宋代史實的歷史書，《宋史》入正史類；《續資治通鑒長編》入編年類；《宋史紀事本末》入紀事本末類；《隆平集》（紀宋太祖到英宗五朝事）入別史類；《錢塘遺事》（紀南宋一代事）入雜史類。更有甚者，同爲紀傳體，也有的入正史，未入正史的紀傳體史書，又分入別史類，如《東觀漢紀》、《通志》等是。

第二，不同內容的書，因按體裁分又集中到一類來，如《四庫總目》譜錄一類就是如此。宋尤袤《遂初堂書目》創「譜錄」一門，《四庫總目》因之，以收談刀劍古物、茶經、酒史、食品、草木蟲魚等內容的書。《四庫總目》編者批評《隋志》以《竹譜》、《錢譜》等書入譜系類；《唐志》以《錢譜》、《相馬經》等書入農家；《文獻通考》以《香譜》入農家，認爲他們是「明知其不安，而限於無類可歸，又復窮而不變，故支離顛殊，遂此於斯」。但《四庫總目》列「譜錄」類，收「諸雜書之無可系屬者」（譜錄類類序），即舉凡沒有地方好歸類的雜書，皆可入此。故其自身分類標準亦顯得很不嚴謹。《四庫總目·譜錄類》下分器物、食譜（飲饌）、草木鳥獸蟲魚三個子目，其「器物」之屬與雜家類「雜品」之屬的界限就很不明確。「雜品之屬」案語云：「今於其專明一事一物者，皆別爲譜錄，其雜陳衆品者，自《洞天清錄》以下，並類聚於此門」。即談一種器物的書入「器物」之屬，談多種器物的書入「雜品」之屬，同一內容的書就兩分了。再如器物類，有些書放在本類，編者自己也感到十分勉強。像《雲林石譜》一書，本不是什麼器物，爲了把它附在本類，編者加以論述說：「宋以後書，多出於古來門類之外。如此譜所品諸石，既非器用，又非珍寶，且自然而成，亦非技藝。豈但四庫中無可系屬，即譜錄一門，亦無類可從，亦以器物之材，附之器物之末焉」（《雲林石譜·案語》）。（參見北大、武大，《圖書館古籍編目》，北京：中華書局1985年版，P223）

顯然，辨體類目所帶來的分類局限直接導源於辨體原則本身。因爲體裁僅僅是文獻的一種形式化指標，遠不是文獻的本質。辨體原則將這種非本質的指標強調到足夠的高度，無疑不能準確地提示文獻的本質，因而不能有效地表述、組織和認識文獻。我們認爲，「辨體」祇能作爲一種權宜之計，在局部範圍之內發揮著作用。

(3)依「人」分類

書和人密不可分。書與人兩者的關係主要包括下列兩個方面。其一，該書記錄有關人物的言行、事迹、思想等等。第二，該書爲某有關人物所撰作。對圖書的分類，往往直接關涉到對有關人物的象徵性定位。人的現實社會地位有別，對相關圖書的分類也不盡相同。

1.從圖書所記錄的人物（被傳人）的實際地位分類

《七略》敘錄即不僅向人們通報文獻的外部特徵，且敘述作者生平，以知人論世，評作品之得失。「人」一向爲歷代分類學家所重視。如《七略·儒家類》中，《高祖傳》13篇列於《陸賈》23篇和《劉敬》3篇之前，《孝文傳》11篇列於《賈山》8篇和《太常蓼侯孔臧》10篇之前。《四庫總目》各類目諸書次序也是首列帝王著作。它隱含著這樣的一個基本文化事實：高祖、孝文等帝王高高在上，具有絕對權威；其他文人臣子在下，權威很小。又如《四庫總目·史部·傳記》下分五目，其次第分別爲：聖賢（指孔子、孟子、周公一類人物）、名人（指正人君子、名臣高士、孝子隱逸、道學忠義、貞女烈婦以至翰墨文章）、總錄（一書記載很多人的傳記）、雜錄（有關傳記資料的書）、別錄（所謂「逆亂」人物的傳記）。從中一望而知，其列類標準及其先後次第，是按照被傳人的實際社會等級地位來類分的。再如，《四庫總目·雜史》類中有《明高皇后傳》。該書本是傳記的書，而因爲它是皇后的傳，不放在傳記類，而放在雜史類。

2.按作者分類

作者不同，對其書的分類態度亦有別。鄭樵所說「貨泉之書，農家類也。《唐志》以顧垣《錢譜》列於農家，至於封演《錢譜》又列於小說家，此何義哉？亦恐是誤耳！《崇文》、《四庫》因之，並以貨泉爲小說家書。正猶班固以《太玄》揚雄所作，而列於儒家，後人因之，遂以太玄一家之書爲儒家類」，實爲根據作者不同而作出不同的分類選擇。另如元人鍾嗣成《錄鬼簿》是私家專科目錄的名作，它以人類書，以劇作家爲次，對每人都「傳其本末，吊以樂章」（自序），並列其劇作，迺元代雜劇的分類目錄。

另外，古代分類目錄中「制書」類的設置，也是十分典型的依作者分類的例證。焦竑《國史經籍志》於經史子集四部之前首設「制書」大類，專收帝王之作。其序云：「今之所錄，亦準勖例，以當代見存之書，統於四部，而御制諸書則冠其首焉」。《文淵閣書目》首列「國朝」類，收錄明代御制、敕撰、政書、實錄等書。《江東藏書目》也以制書獨立一類。作者陸深在《序》言中說：「聖作物睹，一代彰矣，宜聖從周，遵一統故也。特爲一錄，以次宸章令甲，示不敢瀆云，目爲制書」。《玩易樓藏書目》：「首重王言，故一曰制」。《菉竹堂書目》：「先之以制，尊朝廷也」。章學誠《論修史籍考要略》也提出「制書宜尊」、「禁例宜明」的主張。《四庫總目》凡例說御制書「各從門目，弁於國朝著述之前」……制書類的設置及其在分類目錄中的一貫前置的排序，其人倫隱含，是不彰自顯的。

按作者分類，這在《四庫總目》中還表現爲「論人而不論其書」的類別原則。就是說，書的內容並不太高明的，而因其人在「忠節」

之例，則書的身價要提高，分類也要設法顯示其身份。乾隆四十一年欽定的《勝朝殉節諸臣錄》將明代歷朝抗節死難的人物，「皆臚列姓名，考證史迹」，一一加以表揚。這些人共有3,787位。他們當中有些是有著作的，對於他們著作的評價及其歸類，都要另眼相待、略示變通。《凡例》云：「文章德行，在孔門既已分科，兩擅厥長，代不一二。今所錄者，如龔詡、楊繼盛之文集；周宗建、黃道周之經解，則論人而不論其書」。如黃道周《禮論》五篇，本意不是解經，而是借以納諫，本不應入經部，但編者強調他「不失聖人垂教之心」。雖然不是「解經之正軌，而不能不列之經部」。又，編者在黃道周《易象正》一書後加案語說：「此及倪雲璐《兒易》，有轇轕於易外者，猶有據經立義，發揮於易中者，且皆忠節之士，宜因人以重其書。故此二編仍著錄於經部，非通例也」。「非通例」而爲特例，旨在表彰他們「死不忘君，無慚臣節」。另外，龔詡和楊繼盛的文集、周宗建的經解也都因作者「人品高尚」而「強爲之」入經部。

與此同時，《四庫總目》編者還提出了「論書而不論其人」的共軛命題。《凡例》云：「耿南仲之說易；吳幵之評詩，則論書而不論其人。凡茲之類，略示變通。一則表章之公，一則節取之義也。至於姚廣孝之《逃虛子集》、嚴嵩之《鈐山堂詩》，雖詞華之美，足以方軌文壇，而廣孝則助逆興兵，嵩則怙權蠹國，繩以名義，匪止微瑕。凡茲之流，並著其見斥之由，附存其目，用見聖朝彰善癉惡，悉準千秋之公論焉」。就是說，作者人品不好，但其書可取，也要破例加以錄取。如耿南仲《周易新講義》、吳幵《優古堂詩話》。《四庫總目》編者在耿書提要中說他「與吳幵沮戰守之說，力主割地」，認爲耿的「經術之偏，禍延國事」。在吳書提要中說他「與耿南仲力主割地之議，卒誤國事。又爲金人往來傳通意旨，立張邦昌而事之」。像這種人品本不足道的奸臣，在政治上批判之後，認爲他們的著作內容頗有可採之處，故略其短，取其所長。

衆所周知，現代分類學一般都按照圖書的學科屬性和邏輯類項，力求客觀、公正地類分文獻，做到「天才著作和下流作品同樣都是分類目錄中的一個號碼」。亦即，現代分類學都是「論書而不論其人」的。而在中國古代圖書分類學中，「論書而不論其人」是作爲「論人而不論其書」的共軛命題而提出的，它在本質上恰恰反證了「認人而不論其書」原則在古代分類學中的眞實存在。

(4)酌篇卷之多寡

余嘉錫先生云：「書之有部類，猶兵之有師旅也。雖其多寡不能如卒伍之整齊劃一，而要不能大相懸絕，故於可分者分之，可合者合之。《七略》之變爲四部，大率因此，不獨爲儲藏之不便也。即其目錄之篇卷，亦宜使之相稱」。又云：「向歆類例，分爲六略，蓋有二義：一則因校書之分職，一則酌篇卷之多寡」（余嘉錫，《目錄學發微》，成都：巴蜀書社1991年版，卷三）。「酌篇卷之多寡」這樣一條極其簡單的原則構成了《七略》以降幾乎所有古代分類學一以貫之的宏觀分類標準；同時，這一標準還暗含著古代分類學的一個重要特徵。今試析之。

首先，「酌篇卷之多寡」是中國古代圖書分類學的一條重要的宏觀分類原則。阮孝緒《七錄·序》云：「劉氏之世，史書甚寡，附見春秋，誠得其例。今衆家紀傳，倍於經典，猶從此志，實爲繁蕪。（按：此言旨在批評王儉《七志》將史籍附於「經典志·春秋類」）且《七略》詩賦，不從六藝詩部，蓋由其書既多，所以別爲一略。今擬依斯例，分出衆史，序『紀傳錄』爲內篇第二」；又說：「兵書既少，不足別類，今附於子末，總以『子兵』爲稱，故『子兵錄』爲內篇第三……」《七略》將史書附於春秋類是因爲當時史書很少，不必另類，這正像《七略》詩賦書很多因而不附入詩類的道理一樣。而《七錄》所收圖書中史書頗廣，故獨立一類；所收兵書已少，故附麗於「子」。焦竑《國史經籍志》序云：「若循《七略》，多寡不均，故謝靈運、任昉悉以勘例詮書，良謂此也」。祁承㸁《庚申整書略例》云：「故而前此劉中壘之《七略》，王仲寶之《七志》，阮孝緒之《七錄》，其義例不無取裁；而要以類聚得體，多寡適均，惟荀氏四部稱焉。兩漢而下，志藝文者，無不守爲功令矣。若嘉隆以來，陸文裕公之藏書，分十三則，……沈少司空稍爲部置，而首重王言，……總不如經史子集之分，簡而且盡，約而且詳，循序仿目，簡閱收藏，莫此爲善」。

總之，「酌篇卷之多寡」，以求「類聚得體，多寡適均」，構成了中國古代分類學的一條重要類別原則。毋煚《古今書錄·序》評《群書四錄》「體有未愜」的地方有五點，第四點則爲「書多闕目，空張篇第」。又如，鄭樵《藝文略》第十二小類爲「月令」。《校讎略·編次之訛論》云：「月令迺禮家之一類，以其書之多，故爲專類」。《唐志》設有「起居注」，《四庫總目》中所收起居注一類的書不多，故取消此類而將之附於「史部·編年類」。《四庫總目·編年類序》云：「（起居注一類的書）存於今者《穆天子傳》六卷，溫大雅《大唐創業起居注》三卷而已……不能自爲門目，稽其體例，亦屬編年，今並爲一」等等。以上都是按篇卷多寡來分類的例證。

其次，「酌篇卷之多寡」這麼一條極其簡單、且十分顯見的分類標準，還隱含著中國古人的一個重要的分類學取向。即《七略》以來的所有圖書分類學體系都是結合具體文獻的分類系統；從目錄學的角度來說，它們都是藏書目錄，都是根據實藏文獻而編製的。例如，有些書目收宗教一類的書，就必設相關類目，而不收宗教書則不設該類目。歷史上，王儉《七志》突破了藏書範圍，創造性地編出了全國性的圖書總目。王儉在自序中說：「天下之遺書秘記，庶幾窮於是矣」。故《七志》又稱《今書七志》。《隋志》為了適應特殊情況也記錄了存佚，如稱「梁有」、「宋有」或「亡」並以夾注方式依類附入亡佚書目。小計除子部外，又通計亡書，小注中尚記殘缺。鄭樵更是許下了「記百代之有無」、「廣古今而無遺」的宏願。鄭樵說：「古人編書，皆記其亡闕」，並特別列舉了孔子定《書》、王儉作《七志》、阮孝緒作《七錄》的例子，認為他們是「亡書有記」(《校讎略編次必記亡書論》)的典範。蓋鄭樵所言，並不完全符合歷史事實，但他自已卻在這一認識基礎上，從以往書目的僅僅「著錄實有」藏書，擴大到了通記「實有」和「曾有」藏書。鄭樵在《藝文略》中參考各種書目增補當時存在和新近發現的圖書，著錄了10,912部，計110,972卷，基本上 達到了「有無兼記」的著錄要求。陳振孫《直齋書錄解題》也稱其為「記世間所有之書」。此外，鄭樵還曾結合自己的求書實踐，總結出影響深遠的「求書八法」。

可見，古代書目分類——包括鄭樵《藝文略》——都是結合具體文獻的分類體系。它們都著眼於具體文獻，而都沒有能夠像現代分類學那樣，形成一套獨立的分類表系統，且都不準備面向未來可能出現的其它「新」文獻。這種充分結合具體文獻的分類學方針，反映了中國古人的實用理性精神。現代分類學立足眼前，面向未來，確實形成了一套獨立的分類表系統，並力求能夠類分所有可能出現的各種文獻。但它的類目設置有一定的前定性，哪怕類目設置得再細緻、再詳明，也肯定不能全面、準確地預見未來可能出現的所有文獻。也就是說，我們並不能事先確立起有限數量的類目（哪怕類目數量再多，也還是有限的），就可以把未來所有可能出現的文獻的特點都照顧到了。因而，現代分類學看似立意高遠，實則不然。而結合具體文獻的中國古代圖書分類學恰恰具有另一層更爲深遠的用意：即通過對具體文獻的具體呈現及其「準確」分類，形成一幅文化全景圖。所有單個文獻都是作爲總體文化背景上的一部份而存在，它們密切聯繫，相互襯托。這樣，就可以從文獻內容上交待出每一具體文獻在整體文化背景上的映射位置和彼此關係，做到「睹其書可以知其學之源流」（《校讎略·編次必謹類例論》）；做到「觀其類例，亦可知兵，況見其書乎？」（《校讎略·編書不明分類論》）總之，古代分類學立足於分類體系的總體精神，通過書目爲人們勾勒出當時文化的全部，以便於人們站在更高的層面上陳述文化世界。由此，古代分類學系統本身形成了一個自足的統一領域，具有獨特的文化價值。分類學不再是操作層面上的一門技藝，不再是「甲乙簿錄」式的流水作業。相反，它具有一種整體能量，因而具有眞正的創造性和建構性。

中國古代圖書分類學的上述四條分類學標準，都是更多地強調了人類認知經驗在分類學實踐中的獨特作用，屬於感性認知的領域。與其同時，古代分類學家還立足於哲學上的道器範疇，直接切入文獻的看不見的「道」的本質層面來確立文獻類別的理據，從而構成了古代分類學系統中的一項極重要的理性內容。它從理性的角度規定並制約了古代文獻在分類類別中的相對位置和根本次序。

㈡古代分類學的理性分類標準

⑴「道器合一」的文獻分類理據

古代分類學作爲一種逐步完善的知識組織模式，本質上是一種極其理智的文化行爲。上述建立在主體人的生理感知基礎之上的分類標準不是、也不可能是古代分類學類別原則的全部內涵。事實上，它們祇是古代分類學標準中的一個側面，僅僅在極小的範圍之內發揮著效用。古代分類學中的更爲重要、更爲綱領性的類別標準應該是理性的原則。

中國古代文獻的一個最根本性特徵在於它的「簡易性」：任何文獻都是通過對具體事物之「簡」的描述，而達到對抽象大道理之「繁」的知解的，本質上符合中國古代哲學中的「道器」關係命題。在中國哲學史上，較早提出道器範疇的，要推《周易》了。《繫辭上傳》云：「形而上者謂之道，形而下者謂之器」。規律、原則、道理等爲形而上之「道」；天地、動植、器械、事件等爲形而下之「器」。反映在文獻中，具體的、可感的文獻文本內容爲「器」。而對於文本的意義理解，亦即識讀主體賦予文獻文本內容的意義和價值爲「道」。舉例來說，《詩經》首篇《關雎》的文本內涵爲：通過水鳥和鳴起興來歌詠男女求偶。《詩毛氏傳疏》給出了它的超文本的意義內涵：「樂得淑女，以配君子。憂在進賢，不淫其色。哀窈窕思賢才而無傷善之心焉。是關雎之義也。」不僅具體篇章如此，整個《詩經》也包孕著超文本的大道理。所以，孔子說：「《詩》三百，一言以蔽之曰：『思無邪』。」《漢志·六藝略》序則說：「《詩》以正言，義之用也。」《詩經》的這種兼具文本內涵和超文本內涵的兩重性，在中國古代文獻中是有代表性的。誠然，這種兩重性符合傳統哲學中的道器關係命題。唐人崔憬以體、用喻道、器。他說：「凡天地萬物，皆有形質，就形質之中，有體有用。體者，即形質也；用者，即形質上之妙用也。言有妙理之用以扶其體，則是道也，其體用，若器之於物，則是體為形之下，謂之為器也。」（李鼎祚，《周易集解·繫辭上傳》引）這裏，形質為器，為體，是第一性的。形質之上為道，為用，是第二性的。另一方面，道和器又互依互存。朱熹說：「道器一也，示人以器，則道在其中」，「道與器之未嘗相離也」（《朱文公文集》卷72，《蘇黃門老子解》）。王夫之說：「無其道，則無其器，……無其器，則無其道」（王夫之，《周易外傳》卷5，《繫辭上傳》）。章學誠也說：「道不離器，猶影不離形」，「道因器顯」（《《章氏遺書》卷2，《原道（中）》）……無不反映了道和器之間的辯證關係。

總之，上述道器關係也同樣存在於古代文獻中。古代所有文獻都可以分析出道和器的兩個層面，其中，文本內涵之器是第一性的，超文本內涵之道是第二性的；並且，道器兩重內涵也相依相存，彼此對立統一。任何文獻皆可從道器兩個層面上加以體認。作為文獻文本之「器」，具有客觀性的一面，而對於器背後的超文本之「道」的體認則多由行為主體賦予，具有一定的主觀隨意性。我們認為，道器關係原則不僅是古代文獻的一個重要特徵，同時也是中國古代圖書分類學的總的綱領性分類標準。今以《七略》為例予以說明。

《漢志》總序開篇云：「昔仲尼沒而微言絕，七十子喪而大義乖。故《春秋》分爲五，《詩》分爲四，《易》有數家之傳。戰國縱橫，眞僞紛爭，諸子之言紛然殽亂……」顯然，漢成帝於河平三年（26BC）組織的、由劉向劉歆父子領銜負責的全國性大規模圖書整理活動，其最終目的除了要「改秦之敗，大收篇籍」保存文獻文本之外，更爲重要的是，還要「刪去浮冗，取其指要」，梳理出超文本的形而上之「道」，即對隱藏於文本背後之「道」作出恰如其分的理解、表述和認識。由此可見，劉向、劉歆等人的工作重心不限於對文獻文本事實的整理，而是對超文本的文獻價值和意義的理解。同樣，《七略》在類分文獻時，也不追求文獻必然歸於何類的必然性，而是追求應該歸於何類的應然性。由於任何文獻都表現爲某種「道器」合一的基本特徵和精神，因而道和器的兩重性使得具體文獻經常性地處於一種道器相互對立、統一的場景之中。所以，《七略》中所謂的某類文獻，往往是行爲主體對某個文獻文本之基本內涵的道器合一的辯證知解。例如，《七略》將我們今天稱之爲文字學的「小學」列入「六藝略」，視其地位與儒經同等。顯然，小學入經類，並不是小學書籍文本內涵（器）表現出的某種必然性，而是其文本背後之「道」的某種應然性。誠如《漢志》所云，文字可以「宣揚於王者朝廷，其用最大」，藉此可以「百官以治，萬民以察」。可見，小學入經類，是由它超文本的、在政治教化和人倫彝常中的作用而決定的。這種體用兼備、意義和功能相對相依的分類思想，實爲傳統哲學「道器合一」原理在分類學中的必然反映。

一般地，某文獻歸入何類，最初可以從文獻之「道」或「器」的某一個層次來確定。比如，「小學」入《六藝略》就是首先著眼於「道」的分類結果。然而，一旦某一（類）文獻進入分類類表的特定關係結構之中時，它（們）就同時獲得了道器兼備的功能。《七略》中「凡小學十家，四十五篇」因爲都類歸於「六藝略·小學類」，所以，它們不僅在文本之「器」上具有一致性，而且，在超文本之「道」上也無疑具有相同特徵。顯然，這種先道而後器，舉體以眩用的方法是《七略》類別組織的一個重要原則。文獻文本中的義類在道器合一、體用兼備的作用下，在保持文獻義類基本內涵的同時，也激發了道、器或者體、用的另一個側面。這裏，文本義類本體構成了文獻的道器本體和體用本體。比如，「蹴鞠」的義類本體是指用腳踢（蹴）那個「以韋爲之，實以物」的球（鞠），是足球運動的雛形。但《七略》並無「體育類·足球」的類名。《七略》是將《蹴鞠》二十五篇（今佚）列入了《兵書略·兵技巧》類之中的。爲什麼呢？因爲蹴鞠在中國古代不僅是一項純粹的體育項目，而且還是一種「陳力之事」，承擔著「習手足，便器械，積機關，以立攻守之勝者也」的職能。可見，《蹴鞠》的類別歸屬，使得蹴鞠遊戲活動在道體和器用兩個層面上的內涵相互發明，彼此襯托，形成了道器合一、體用兼備的辯證統一體。

《七略》對具體文獻的標引編碼或檢索解碼，往往祇能從文獻道或器的一個層面上來加以分析，而當文獻進入特定的類別結構和文獻環境之後，由於道器關係和體用關係的相互作用，使得文獻同時凸顯出另一個層面的內涵。可見，文獻的道器本體祇有在分類系統的組織結構中纔能得以表現。因此，類別文獻，本質上即是要能夠充分顯現出文獻道器合一、體用兼備的全部信息和全體意義內涵。而《七略》本旨正是要推本溯源，對孔子及其七十弟子以降的再傳弟子之「退而異言」、對文獻超文本大義的任意發揮進行檢驗和校正。《七略》特別注意通過各種大、小序；以及通過文獻類別的釐定或分并改隸來詮釋某類文獻文本之道器、體用的兩個層面的全部信息。比如，《諸子略·道家》序云：「道家者流，蓋出於史官，歷記成敗存亡禍福古今之道，然後（著重號爲引者所加）知秉要執本，清虛以自守，卑弱以自持，此君人南面之術也」。這裏，「然後」之前是道家及其相關文獻的文本內涵，是「器」，是「體」；「然後」之後則是超文本之「道」、之「用」。可見，《七略》作爲一種「當時」所有既成文化的表述和組織之認知模式，是一種解釋性、應然性的系統，而不是一套描寫性、必然性、可驗證的形式系統。所有進入《七略》類分視野的文獻，都不能用現代分類學所慣用的邏輯方法來處理。古代文獻不能進入形式邏輯規約下的、由形式代碼標識框定的非此即彼的「小方格子」。比如，如果用現代分類學中的學科屬性依據將《蹴鞠》歸入「體育類·足球」之下，那麼就祇僅僅抓住了《蹴鞠》的文本內涵，其超文本的內涵就會丟失。亦即，不能夠凸現出道器合一、體用兼備的另一個側面。本質上，是沒有能夠對文本背後的全部文化內涵進行有效的疏通和理解。因此，我們堅信，以《七略》爲代表的中國古代分類學暗含著對文獻眞正全面、正確的理解，這一點是現代分類學所無法企及的。

《七略》提供的文獻類別組織結構（環境）幫助了檢索者從道器合一、體用兼備的角度來充分識別文獻各個層面的義類內涵。例如，《諸子略·道家》小序云：「及放者爲之，則欲絕去禮學，兼守仁義，曰獨任清虛可以爲治」。《七略》中像這樣非難「放者」的言辭十分普遍。諸如「及拘者爲之」、「及刻者爲之」、「及蔽者爲之」、「及邪者爲之」等等。其目的，正是要從道器合一的角度，實現對文獻內涵由器及道及其相反、互動過程的準確無誤的知解，達到道、器互依互存、彼此發明的境界。因此，《七略》組織結構環境與其說是提供給不同內涵文獻以某個分類類別位置，毋寧說是賦予其特定的「道器合一」的功能。《七略》提供的文獻類別環境，正是對文獻的「道器合一」的評價。宏觀上，則是對當時所有文化的梳理，反映了秦漢時期人的文化知識結構。在這個結構體系中，文獻的理解和闡釋占據了重要地位。如果說，哲學是一種對我們人類精神加以反思的產物，那麼，《七略》則是先賢對當時所有書本文化進行反思的產物。

《七略》分類編碼者的類別造境滲入了主觀；解碼者的解境也要從主觀、情感以及傳統文化思維特徵出發，結合文獻的文本內涵和超文本內涵實現對文獻的檢索。這裏，徹底的經驗主義導致了徹底的人本精神。本質上反映了《七略》文獻組織模式與漢民族文化心理結構的深層通約和兼容。蓋中國傳統文化始終以人為本位，「萬物皆備於我」。同樣，《七略》也以主體人為分類本位，把人類主觀精神視為分類的出發點和歸宿點。一言以蔽之，在現代分類學「邏格斯」（logos）把持的地方，《七略》則用一種人文主義的道器合一的「道統」來詮釋。這反映了和現代分類學在分類特徵上的關鍵性區別。

《七略》以文獻內涵在道器關係上的特徵信息作為原則性的分類標準。這種分類學價值取向，不以任何形式邏輯意義上的主題概念的概括與劃分或者綜合與分析為堅強後盾，而祇能向主體人的主觀意識全面認同，表現出一種以事理邏輯（而不是形式邏輯）為依據、天人合一的全息性文化觀照。道和器的相互轉換在本質上是以器為前提的，而「器」意義上的文獻一旦進入了類別環境，意義就獲得散發，並凸現出「道」的隱含層面，導致《七略》類表結構功能突出，相關的語法原則則告貧乏。道器合一的傳統哲學命題既使得《七略》文獻組織的主體體認性特徵得以加強，同時又有效地限制了形態主義的語法原則。《七略》的語法功能被一種更爲重要的、更具價值的社會文化功能所取代，導致《七略》書目分類系統對文獻類別的確認往往立足於社會政治功能和人倫彝常價值。亦即，功能取代了結構。確切地說，《七略》祇見功能，而沒有結構。

綜上，古代文獻的文本之別體現了文獻意義的根本區別。《詩經》就是《詩經》，「在心爲志，發言爲詩」。而文獻一旦進入類表組織環境之後，由於道器關係的互動而獲得了道、器內涵的兩重特徵。比如，所有進入《六藝略》的文獻都同時具有「觀風俗，知得失，自考正」的功能。「小學」也不例外。被《七略》類分的文獻，從義類到類表組織再到功能表述，基本上不受形式主義或結構意義上的語法限制。並且，從義類到類表組織再到功能表述，體現了文獻本質遞減的層次，其中，義類是第一性的，是最根本的。所以《六藝略·詩》小序說：「孔子純取周詩，上採殷，下取魯，凡三百五篇，遭秦而全者，以其諷誦，不獨在竹帛故也。漢興，魯申公爲《詩》訓故，而齊轅固、燕韓生皆爲之傳。或取《春秋》，採雜說，咸非其本義。與不得已，魯最近之」。孔子刪《詩》可謂是一個用心良苦的文化「圈套」。後人的自由發揮則背離了其本義。《七略》的任務就在於通過確定文獻類別來恢復某種文獻本義。

班固以劉向、劉歆《七略》爲藍本，「刪其要，以備篇籍」，成就了中國古代現存第一部體系完備的圖書分類學系統：《漢志》。由於中國古代有著「依劉向故事」一以貫之的分類學理論和實踐，這樣，《七略》的上述類別特徵，其實也構成了整個中國古代圖書分類學的類別特徵。這個命題，應該是不證自顯的。而由於以儒家爲代表的中國傳統文化是把「道器合一」之「道」設定在現實的政治教化和人倫彝常層面上的。故此，文獻內涵的政治教化和人倫彝常取向遂成爲古代分類學的眞正核心的分類標準。

(2)以文獻內容所反映的政治教化和人倫彝常爲分類標準

這種獨特的分類標準是以通過對文獻內涵所反映的政治教化和人倫彝常之功能價值大小的比較來實現對文獻的組織和排序的。功能大的文獻排在功能小的文獻之前；功能大小相同或相近的文獻在分類結構中的位置也趨於靠得比較近。亦即，中國古代圖書分類學是根據文獻深層的信息內涵進行分類的，旨在凸現出文獻內涵在生活意義、人性價值上的功能，本質上意味著對文獻的「道」學認可。

例如，古代四分法一以貫之的尊經、重史、輕子、鄙集的傳統，其文獻編碼用意是不彰自顯的。而入經部的所有文獻也不是同一性質的書，將它們列爲一類，是就其重要性而設置的。它們都是「經秉聖裁，垂型千載，刪定之旨，如日中天」（《四庫總目·經部總序》）的萬世教科書。其它史、子、集部文獻的情況亦然。這種重「道」思想（最終是重視政教人倫價值）落實到分類學理論和實踐之中，成爲入世的傳統文化的一部份。它有力地制約了古代分類學的類別原則。今以《四庫總目》爲例試作一說明。如《四庫總目·史部》有「詔令奏議類」。該類類序針對《千頃堂書目》將制詔放在集部的做法，責難道：「渙號明堂，義無虛發，治亂得失，於是可稽。此政事之機樞，非僅文章類也，抑居詞賦，於理爲褻」。又如，《四庫總目·藝術類·

雜技》凡講博奕、歌舞、射法、投壺的書入本類。但編者卻用尊卑的標準區分這類圖書。如《羯鼓錄》、《樂府雜錄》二書，《新唐志》入經部，編者認爲是「雅鄭不分」而把它們分到本類來了。所謂「射義投壺，載於《戴記》，諸家所述，亦事異禮經，均退置藝術於義差允」。這些分類都十分明顯地遵守了政教人倫原則。

誠然，每一文獻都具有多方面的特點，而古代文獻則可簡括爲是道器合一的存在。古代文獻除了具有文本內容（器）之外，還具有超文本內容之「道」。傳統哲學中的道器關係的辯證性命題，確證了中國古代的一切文獻都具有契入大道的價值和能量，以及進化爲本體的可能。而這個「道」的基本取向又是政治教化和人倫彝常，這樣，人倫價值遂成爲中國古代分類學系統最爲優先選擇的分類標準。這在本質上是肯定了文獻的政教人倫存在。古代分類學系統高度重視對文獻政教人倫內涵的闡述，並據此給不同文獻以特定的類別定位。因此，古代分類學中的每一「類」文獻都不是形式、邏輯或學科專業上的一致，而是文獻內涵在政教人倫上的充分性一致。「類」是表義功能類」，超文本的意義結構成爲知解古代分類學的眞正視角。

我們擬從以下數方面進一步理解古代分類學分類理據中的這種政教人倫特徵。

第一，遠在公元前26年劉向、劉歆父子領銜負責進行第一次全國性大規模圖書整理活動之前，中國的學術分類傳統即完全著眼於文獻的政教人倫價值。例如，孔子校訂六經就是以文獻的政教人倫價值爲標準的。《史記·孔子世家》正義引《尙書緯》云：「孔子求書，得黃帝玄孫帝魁之書，迄於秦穆公凡3,240篇。斷遠取近，定可以爲世法者百二十篇。」《世家》又云：「古詩三千餘篇，及至孔子，去其重，取施於禮義……」從孔子學派校定六經到《史記·儒林列傳》形成中國古代歷史上最早的經典書籍學術分類系統，而從《莊子·天下》、《荀子·非十二子》、《韓非子·顯學》、《呂氏春秋·不二篇》、《淮南子·要略》到司馬遷之父司馬談《論六家要旨》則形成了中國歷史上最早的諸子百家學術分類系統。《七略》之前的這兩類主要學術系統也是以文獻潛在的政教人倫內涵爲主要分類標準的。如《禮記·經解》假孔子之口曰：「入其國，其教可知也：其爲人也，溫柔敦厚，《詩》教也；疏通知遠，《書》教也；廣博易良，《樂》教也；潔淨精微，《易》教也；恭儉莊敬，《禮》教也；屬辭比事，《春秋》教也」。再如，《史記·滑稽列傳》引孔子語曰：「六藝於治，一也。《禮》以節人，《樂》以發和，《書》以道事，《詩》以達意，《易》以神化，《春秋》以道義」。可見，傳統的儒家六藝（六經）並非如姚名達先生所說：「以古書對象分」，而是以各自在「教」和「治」上所發揮的不同作用——亦即以其各自政治教化和人倫彝常之功能價値大小——來分類和排序的。前《七略》的這種學術分類傳統，無疑對《七略》及其以降的所有中國古代圖書分類學產生了深刻的影響。

第二，古代分類學文本多爲封建政府組織的、收集和整理全國當時現存典籍活動的產物。分類行爲與校書活動及官修制度相聯繫，實爲執政者文教政策的重要組成部份，這在《四庫總目》中表現得尤爲突出。作爲文教政策的組成部份，其政治色彩必然可想而知。私家目錄雖然官方色彩疏澹，但其編撰者多爲封建儒者，他們都自覺承擔著「助人君順陰陽明教化」的歷史使命，其分類目錄也都承載著這種政教人倫取向。

另一方面，《七略》、《隋志》等等本身也是一本書。宋人所撰《新唐書·藝文志》乙部有「目錄」類，收書19家22部406卷，是採用目錄爲類名的開始。《孫氏祠堂書目序》云：「（目錄）流傳書籍，自有淵源，證以各家著錄，僞書缺佚，不能妄托，宜存其目」。可見，古代書目分類著作本身也是一本本古代文獻，也是兼具「道器合一」的雙重實在。章學誠評《七略》說：「劉向父子部次條別，將以辨章學術，……非深明於道術精微，群言得失之故者，不足與此」。而《七略》的《輯略》「最爲明道之要」（《校讎通義·自序》）。又說：「由劉氏之旨，以博求古今之載籍，則著錄部次，辨章流別，將以折衷六藝，宣明大道，不徒爲甲乙紀數之需，亦以明矣」。而御定的《四庫總目》大旨也是「即陰陽，往來，剛柔，進退，明治亂之依附，君子小人之消長，以示人事之宜」，這纔是「最爲切要」的「帝王之務」（康熙御定《日講易經解義》提要）。亦即，古代書目分類學著作也是「器」，同時又是「道寓於器」，個中包孕著天地人倫大道。這一特徵表明古代分類學能夠、而且必定是以文獻的政教功能作爲主要類別依據的。分類學著作全息著政教人倫內涵，而這種內涵既是一本本文獻賴以具體類分的精神綱領，又是文獻具體類分過程中被重點強調的意義和價值之必然旨歸。這使得古代分類學著作具有一種深層的哲學本體論意識。所以，章學誠認爲分類學著作是「綱紀天人，推明大道，所以通古今之變而成一家之言者」。（《文史通義·內篇四·答客問上》）

第三，中國古代文獻號稱「浩如煙海」、「汗牛充棟」，其實際數量異常大。並且，中國古代分類學結合具體文獻，以有「撮其指意」的敘錄和解題爲上佳。因此，一個書目分類學系統往往並不能將當時所有的文獻都收羅殆盡。即便是成熟的《四庫總目》也祇收了3,461種，加上《存目》6,753種，也祇有萬餘種。因而，確立一個收集範圍，可視爲廣義意義上的分類。而這種「分類」也是以文獻的政教人倫價值爲重要根據的。如北魏道武帝曾採納李充的建議：「唯有經書三皇五帝治化之典，可以補王者神智」（《魏書·李充傳》），能夠列入政府書目；《隋志序》云：「其舊錄所取文義淺俗，無益教益者，並刪去之」，「其舊錄所遺，辭義可採，有所弘益者，咸附入之」；宋代的政府圖書館成立了禁書書庫；清代的《四庫全書》「詆毀本朝之語，及此一番查辦，盡行銷毀，杜遏邪言，以正人心而厚風俗，斷不能置之不辦」（乾隆三十九年八月初五日上諭，《檔案》上冊，頁30下），具有一種強烈的崇儒重道的思想。《四庫全書》是欽定的書，高宗皇帝親自參與，嚴爲去取。《四庫總目·凡例》第三則云：「前代藏書，率無簡擇，蕭蘭並擷，珉玉雜陳，殊未協別裁之義。今詔求古籍，特創新規，一一辨厥妍媸，嚴爲去取。其上者悉登編錄，罔致遺殊；其次者亦長短皆臚，見瑕瑜之不掩；其有言非立訓，義或違經，則附載其名，兼匡厥謬；至於尋常著述，未越群流，雖咎譽之咸無，要流傳之已久，準諸家著錄之例，亦並存其目。」若干文獻被分成了「其上者」、「其次」等數等，而其標準祇有一個「闡聖學，明王道」。誠如《四庫總目·凡例》19則云：「聖朝編錄遺文，以闡聖學，明王道爲主」。所以，《四庫總目》對於懷疑《尚書》有問題而在注解時提出了自己看法的書，如王柏、賀成大、胡一中等人的著作，都「附存其目」入了「存目」，旨在「庶不使旁門小技，淆亂聖經之大義」（《四庫總目·書類案語》）；又如，《四庫總目·集部·詞曲類序》云：「詞曲二體在文章、技藝之間。厥品頗卑，作者費貴。特才之士，以綺語相高耳。」對於曲，編者認爲更「卑下」，故《四庫總目》衹錄品題論斷的書，而不錄曲文……可見，中國古代圖書分類學中，對具體文獻的收錄範圍、去取標準等等，也是以文獻在政教人倫上的功能爲主要根據的。

第四，古代分類學理論，始終重視對文獻意義內容的研究，強調從意義內涵出發，來「即類求書，因書究學」。而求書、究學的根本目的又是爲了實現政教人倫理想。鄭樵說：「學之不專者，爲書之不明也，書之不明者，爲類例之不分也……類例分則百家九流，各有條理，雖亡而不能亡也。」(《校讎略·編次必謹類例論》)類似這種強調類例之重要的言語，在《校讎略》中比比皆是。這兒，鄭樵所謂的「學」並非今天科學意義上的嚴格的「學術」(詳本章第四節)。事實上，中國古代從來就不曾有過爲學術而學術的情況。章學誠說：「部次條別，申明大道，敘列九流百家之學，使之繩貫珠聯，無少缺逸，欲人即類求書，因書究學」(《校讎通義·互著三之一》)。學術、類例、明道，這三者緊密相聯。

通過上述對古代分類學分類標準的論述，以及四點補充性意見的分析，我們發現：古代文獻(文化)、古代分類學「部次法」、古代分類學文本等等，這一系列不同層面的文化現象，完全是全息性的傳統文化大前景規約下的必然產物。各個文化層面的現象和特點都來源於傳統文化「道器合一」的本體論命題，同時又都回歸於這個命題。

第四節　中國古代圖書分類的非知識分類取向及其對文獻意義的建構

中國古代圖書分類學的文獻整序過程，本質上迺即一種體「道」。「道」不是知識論，不可論證和推理；相應的分類學也不取知識分類。古代文獻內涵之「道」並不全然顯露於文獻外表，而需經由識讀主體的主觀賦予。分類正是分類學家作爲識讀主體而賦予文獻之「道」以各種意義和價值的有效形式。文獻的意義和價值並不全部由文獻本身來提供，而是有相當一部份來自它們的整序類型：分類。

㈠古代分類學的非知識分類取向

知識分類從廣義上來說包括事物分類和學科分類。狹義僅指學科分類，亦即科學分類。事物分類指根據事物的同和異把事物集合成類並構成事物分類體系，以便系統地認識事物。科學分類指考察各門學科之間的區別和聯繫，確定各門科學的內部結構，建立相應的分類體系，以便於反映當代科學水平和指導科學發展。客觀性和發展性是知識分類的重要原則。將事物概念納入知識分類體系（事物和學科的分類體系），是對客觀世界千差萬別的事物作系統研究的重要方法，是對各種事物之間的區別和聯繫從本質上、原理上進行揭示的重要手段，它對信息的系統化具有重大價值。因此，知識分類遂成爲現代分類學的基礎。體系分類法、組配分類法、迺至敘詞法、標題法以及代碼系統等，都在不同程度上反映了知識分類。如現代等級分類法（《中圖法》、DDC、LCC等）即是一種直接體現知識分類的等級制概念標識系統。其主要特點是以分類號爲標識，按學科、專業集中文獻，並從知識分類角度揭示各類文獻在內容上的區別和聯繫，提供從學科分類檢索文獻的途徑，對系統掌握和利用一個學科或專業範圍的知識和情報十分方便、有效，集中體現了知識分類取向。事實上，在多大程度上反映出當代知識分類的水平，也構成了現代分類學系統之質量優劣的重要標誌之一。

中國古代圖書分類學並不是以知識分類爲基本取向的。如上所述，古代分類學的類別標準繁複而又多樣。就具體列舉的各種專門分類學標準來看，時序、體裁、篇卷多寡、依人列類等等都將分類原則直接建立在人類感性認知基礎之上，顯然都不是知識分類。而就理性的政教人倫原則而言，表面上看，它是以「知識分類」爲基本支撑的，但本質上對應於中國古人「道器合一」、「體用不二」的基本哲學命題。「道」以儒家所宣揚的政教人倫內涵爲取向，它不可論證和推理，不能從「知識分類」的角度加以知性的析解。這決定了古代分類學中的理性分類標準也遠離知識分類。

古代分類學有一種超越旨向，它把自身設定在更爲廣泛而深刻的本體論層面上，它不僅是「學術之宗」，更是「明道之要」（《校讎通義·原道》）。這兩點構成了古代分類學的深層意義內涵。古代分類學的一切理論、方法和技術都是圍繞這一意義內涵而發生和運作的。另一方面，古代所謂的「學術」又並非今天嚴格的科學意義上的學術。在認識論上，古人不以邏輯爲手段，也不以求知爲目的。《荀子·勸學》云：「君子之學也以美其身」；《論語·述而》云：「多聞，擇其善者而從之，多見而知之，知之次也」。求知的根本目的是要能既得之於己，又能用之於世。因此，學術之宗和明道之要在根本上又是一致的。中國古代學術的最高目標即在於道德人格的完成，然後由道德之人去「助人君、順陰陽、明教化」，實現政教人倫理想。這樣，對天下的社會政治和現實人倫的終極關懷構成了所明之「道」的本體內容。道是中國古代最高的哲學本體設定，學術文化最終也要服務於斯道。對學術的理解，總能找到道體上的深層內涵。

反映在古代分類學上，所有的文獻之「學術分類」本質上都是對現實的政教人倫的具體分辨過程和象徵定位過程。歷史上，鄭樵曾大聲疾呼「書以學類」，並在《藝文略》中身體力行；明代茅元儀《白華樓書目》直接用「學」字來標類，往往被視爲「能獨以學術爲分類之標準」的代表。但是，事實上並非如此。中國古代圖書分類學並不以知識分類爲取向！

今以鄭樵的分類學理論與實踐爲例予以說明。鄭樵「書以學類」的最終目的也還是要「尋紀法制」、「可爲後代有國家者之紀綱規模」（《夾漈遺稿·寄方禮部書》）。鄭樵《藝文略》「總十二類、百家、四百二十二種」中所列舉的類目，一望而可知絕非純粹的知識分類。進一步分析鄭樵的分類觀，可以發現，鄭樵的十二分體系是在傳統四分法經史子集的基礎上增益而成，依然是一個以儒家經學爲核心的學術系統在分類學上的反映；更深一步，是中國封建社會時期特定的社會結構和意識形態在學術上的反映。《藝文略》尚不是一個嚴謹的邏輯分類體系，從中看不出對文獻主題概念的眞正科學的概括與劃分或者綜合與分析。比如，鄭樵在史類之下新增食貨一類，其下又分若干三級類目，如貨寶、器用、豢養、種藝、茶、酒等等，以著錄反映經濟生活方面的圖書。但在任何一個完整的類系（如史——食貨——酒）中，祇要一個類名還能劃分出下位類，它就不具有安置文獻的職能。本質上表明文獻的主題概念並沒有眞地按照邏輯類項來劃分。從這個意義上說，《藝文略》和其它中國古代分類學文本並沒有眞正本質的區別。這就不難理解爲什麼鄭樵一方面要強調「學守其書，書守其類」的主張，另一方面又將圖譜單獨著錄而沒有隨部入類的事實了。阮孝緒《七錄序》嘗云：「王氏（王儉《七志》）圖譜一志，劉略所無。劉數術中雖有曆譜、而與今譜有異。竊以圖畫之篇，宜從所圖爲部，故隨其名題，各附本錄。譜既注紀之類，宜與史體相參，故載紀傳之末。」即主張將圖畫隨書入部，把譜牒歸史部，取消圖譜大類。但以強調「書以學類」而著稱的鄭樵，在他自己的《圖譜略》、《金石略》中卻顯然沒有遵守這一原則。

中國古代圖書分類學中，文獻在政治教化和人倫彝常上所表現出來的特徵信息，是文獻系統之間普遍聯繫的重要形式。在兩種或兩種以上文獻之政教人倫特徵的比較中「部次流別，申明大道」，從而淨化人的心靈，讓人獲得美的享受，並激發人們對善的追求。文獻之間的這種非客觀主義的內在聯繫構成了古代分類學的本質價值。任何一類文獻，它們之間的「類同」都是潛在的、政教人倫內涵意義上的。文獻之間由此及彼的推導，不是取形式邏輯意義上的三段論，而是取其潛在意義內涵上的事理邏輯推論。同一類文獻不是、也不可能是學科屬性或邏輯類項上的一致，而祇能是彼此在深層的內涵上的一致。後者使它們之間的「連類」並進而「即類求書」成爲可能。總之，迄今爲止的大量事實一再提醒我們，古代分類學並不是嚴格的科學意義上的知識分類。今以《隋志》類名本義爲例再申論之。《隋志》分四部40類，各有類序，剖析源流，發明其旨。此外，編者似又曾爲各個類目，分別作一簡括的說明，見於《唐六典》。茲轉錄如下：

經部：

1	易	以紀陰陽變化	2	書	以紀帝王遺範
3	詩	以紀興衰誦嘆	4	禮	以紀文物體制
5	樂	以紀聲容律度	6	春秋	以紀行事褒貶
7	孝經	以紀天經地義	8	論語	以紀聖賢微言
9	圖緯	以紀六經讖候	10	小學	以紀字體聲韻

史部：

1	正史	以紀記傳表志	2	古史	以紀編年繫事
3	雜史	以紀異體雜記	4	霸史	以紀僞朝國史
5	起居注	以紀人君動止	6	舊事	以紀朝廷政令
7	職官	以紀班序品秩	8	儀注	以紀吉凶行事
9	刑法	以紀律令格式	10	雜傳	以紀先賢人物
11	地理	以紀山川郡國	12	譜系	以紀世族繼序
13	略錄	以紀史策條目			

子部：

1	儒家	以紀仁義教化	2	道家	以紀清淨無爲
3	法家	以紀刑法典制	4	名家	以紀循名責實
5	墨家	以紀強本節用	6	縱横家	以紀辯說譎詐
7	雜家	以紀兼敘衆說	8	農家	以紀播植種藝
9	小說家	以紀芻辭輿誦	10	兵法	以紀權謀制變
11	天文	以紀星辰象律	12	曆數	以紀推步氣朔
13	五行	以紀卜筮占候	14	醫方	以紀藥餌針灸

集部：

1	楚辭	以紀騷人怨刺	2	別集	以紀辭賦雜論
3	總集	以紀類分文章			

顯然，上述類名的解釋性文字並沒有給類名內涵帶來確切的含義，它們往往是辭簡而義豐，內涵深邃而外延寬泛。古代分類體系的類名取向與今天的人工語言取向顯然是大相逕庭的。一般地，中國古人並不把同一概念分析爲抽象的和具體的特徵或方面。在具體的、可捉摸的現象界（象、器）與抽象的、不可捉摸的本質世界（意、宜、道）之間並不存在絕對的對立。這啓發我們：不應當對客觀和主觀加以比較或把它們對立起來，而必須比較各種物理的或形而上的思維方式並考察它們的對立。漢族人倡導一種意象同一、天人一致的文化精神。這一獨特的、浸潤著人文性的文化方案，使得中國古代分類學沒有像現代分類學那樣墮落爲單純的工具系統和符號系統，而是立足於系統的本質——人文性——來給系統本身加以定位，力求從內容與形式的有機統一所產生的表達效果上整體地把握分類學系統的特徵，這必然導致對客觀形式以及知性成份的疏澹。

誠然，客觀化、知性化地類分文獻，能夠使分類學系統具有明晰、規範、細緻、嚴密等諸多無可否認的優點。但若對客觀性的限度沒有充分認識，甚至將它異化爲一種本質，那我們將永遠無法理解分類學的眞正含義。分類行爲的複雜性恰恰在於，人既是研究的客體，又是研究的主體。分類學不僅要研究制約人類文化表徵的客觀因素，更要研究人類表徵文化的主觀因素，在具體研究過程中還要充分考慮到兩者的相互作用。所以，分類學不同於無生命的自然物理研究。現代科學的信念——將事物的某些方面或性質抽象出來，一般化與非時間化後加以某種形式化的描寫和說明，並得出形式化的精確結論——並不能夠用於規範古代圖書分類學。立足於學科屬性和邏輯類項的現代知識分類體系，在抽象化的同時捨棄了分類學在人文價值方面的根本屬性，從而無法貼近分類學事實和文化事實，因而無法深入分類及文化的本質層次。

中國古代分類學恰恰超越了客觀分類的樊籬，引入了人文因素，因而也可以自由地重新建構所有文獻之「意義」。

㈡古代分類學之文獻意義的建構

和西方理性文化相比，中國古代傳統文化屬於價值型文化，強調人所生活的世界是價值世界。它把客體看作人類實現其目的意志的工具和產物，重視客體對於主體所具有的某種意義，客體的形式和性質僅僅維繫於主體的使用。在認識論上，中國傳統文化不是設問求知式地站在超出世界的層面上來觀察和分析世界，不是在靜態中求眞；而是以價值認識和意義判斷爲基本特徵，注重生活意義和人生境界，以及對現實人所產生的引導和提昇作用。記錄這種文化的古代文獻也是一種意義性和價值性存在。《隋書·經籍志》云：「夫仁義禮智，所以治國也；方技數術，所以治身也；諸子爲經籍之鼓吹，文章洒政化之黼黻，皆爲治之具也」。這種對文獻文本背後的意義和價值的充分性張揚，抑制了文獻本身的客觀性和對象性，導致不同的行爲主體總是從自身的需要和理解出發，運用自己的尺度或標準確定某文獻所具有的意義。

例如，同樣是一本《周易》，但卻有「《易》道四用」的分別：「以言者尙其辭，以動者尙其變，以制器者尙其象，以卜筮者尙其占」（《易傳·繫辭》）。又如，《樂》在中國古代並非純粹的音樂文獻，它還具有超文本的意義和價值。《史記·樂記》說：「生民之道，樂爲大焉」；又說：「樂觀其深矣」。「大焉」、「深焉」的《樂》被不同行爲主體根據不同的需要和理解而賦予不同的意義。僅《左傳》所載就包括：「樂以箴諫」（襄公十四年）；「樂以知軍」（襄公十八年）；「樂以知政」（襄公二十九年）：「樂節百事」（昭公元年）；五聲可以「平其心，成其政也」（昭公二十年）；「樂過生疾」（昭公二十一年）；樂「能協於天地，是以長久」（昭公二十五年）等等。可見，古代文獻在看得見的字面含義之外，還有更爲重要的、看不見的超文本意義存在，反映了漢民族「顯中有隱」的思想。文獻的意義，既與文獻所記錄的客觀內容（「顯」）有關，也與主體人的認識能力、需要程度迺至情感、欲望和希冀（「隱」）有關。文獻的本質不再局限於它所描述的現象、形式、性質和規律，對文獻的認識也不表現爲科學主義的知性分析，而是重在對文獻客體內容的屬性與主體需要之間關係的把握，旨在揭示文獻對主體所具有的意義和價值。中國古代圖書分類學正是在這一認識論前提下展開對文獻的表述和組織工作的。

文獻通過文字再現了客觀世界的歷史，它記載著人類的知識、經驗、思想和科學實驗的成果，是人類認識世界的工具。從這一意義上說，文獻的內涵是客觀的。而識讀主體恰恰致力於超越這種客觀所昭示出來的前提必然性，得出超文本的意義和價值。文獻的意義和價值正是通過識讀主體而實現的，離開了識讀主體，文獻的所有價值和意義皆「無」（nothing）。而分類又恰恰是識讀主體賦予文獻以意義和價值的有效形式。文獻本身並不提供、也不可能提供它們的全部「意義」，而是有相當一部份來自文獻的整序類型：分類。非知識分類取向的中國古代圖書分類學正是古代文獻「意義」的一種必要的構成。它不像以知識分類爲取向的現代分類學那樣，僅僅是文獻的記錄形式或被動的外在設計。

古代分類學超越了知識分類的客觀性，其本旨正是要通過對文獻的獨特分類，來賦予文獻以「正確的」意義。例如，《漢志》將天文、曆譜歸入「數術略」中，表明相關的文獻和同一類的五行、蓍龜、雜占、刑法類文獻一樣，都具有「參政」、「察變」的超文本意義。誠如《漢志》數術略序所云：「天文者，……以記吉凶之象，聖王所以參政也」。曆譜是聖人知民之術，「凶惡之患，吉隆之喜，其術皆出焉」。可見，天文、曆譜除了具有客觀的「敬順昊天」和「敬授民時」的文本意義之外，還具有「參政」、「察變」的超文本價值。以知識分類爲取向的現代分類學無疑會著眼於其客觀成份，將其分入「天文曆法」類；而以非知識分類爲取向的古代分類學則立足於其超文本的價值，將它們分入了「數術略」中，表明它們與五行、蓍龜等一樣，具有通過天象、徵候推測人事吉凶的另一層「意義」。可見，古代分類學類分文獻的過程本身參與著對文獻意義的識讀和賦予，文獻的內涵不再全部由文獻本身來提供，它還取決於對文獻的具體類分。同樣的文獻在不同的類別環境中會有不同的意義或失去意義。例如，《四庫總目》的編者認爲《春秋繁露》一書雖本《春秋》立論，而無關經義的地方很多，其性質如同《尚書大傳》、《韓詩外傳》，如果都放在經解類裏是不符合書的內容情況的，故改入春秋類的附錄裏面。另有一部份如《左傳始末》之類，認爲無關經旨，放至史鈔類去了。《四庫總目·樂類序》云：「惟以弁律呂、明雅樂者，以列於經。其謳歌末技，弦管繁聲，均退列雜藝、詞曲兩類中，用以見大樂元音，道侔天地，非鄭聲所得而奸」。「書類」末尾論蔡沈

《洪範皇極數》云：「雖以《洪範》爲名，實以洛書九數推演成文，於《洪範》絕無所涉，舊以爲書類，於義殊乖。今悉退列子部術數類中，庶不使旁門小技淆亂聖經之大義焉……。」

可見古代文獻不再是立於我們面前，供我們加以機械定性和析解的東西。文獻重在其文本背後的意義。古代分類參與著文獻意義的構成，並成爲使文獻具有意義的一種必要形式。因而，分類不是被動地、客觀地和形式主義的文獻組織過程，而是文獻意義的一種必要因素。對文獻的不同類分，導致文獻獲得不同的意義。這樣，通過對古代分類學系統的分析，將有助於我們了解和發揮文獻的各種可能的潛在意義。這在現代分類學那兒是不可想像的。現代分類學立足於知識分類，力求客觀、公正、準確地將文獻列入一個個形式主義的代碼符號之中。它將人作爲主體放在文獻面前，再把文獻作爲客體放在人面前，然後，主體人去製造、測量和征服客體。所有文獻的內涵都是客觀的、理性的和科學的，不允許主觀成份的介入，整個分類行爲遂表現出一種被動性。

古代分類學和現代分類學之間的差異，本質上是中西方文化差異的產物，體現了中西方完全不同的運思方式和價值取向。中國古人通過對文獻的特定分類而賦予文獻以特定的意義。類分和賦予的過程表現出強烈的重德精神、民本精神、倫理精神和超越精神。這種人文性的分類學態度完全是古代文獻「道器合一」的原則造成的必然結果，也是傳統文化之人文性的一部份。

第四章　中國古代圖書分類學之文化學透視

圖書分類在整序文獻的同時，也整序了文獻背後的文化。因此，分類學與當時的文化背景，在總體精神上應該是相協而不是相悖的。分類學的基本態度和策略其實也是相關文化的基本態度和策略。換言之，分類學和文化學之間是相互通約和兼容的，兩者具有既被動又能動的互動關係。這一點構成了古今中外一切分類學所必須遵守的、屢試不爽的原則，實爲分類學的最根本的文化學本性。這樣，在描述中國傳統文化時，如果對該文化賴以整序的古代分類學比較熟悉，那麼文化的描述將會更加透徹。反之，若能利用傳統文化的其它方面的某些知識對古代分類學作出描述，必將會對古代分類學的特點及其最終作用提供更加全面的說明。

第一節　古代分類與傳統文化相通約

文獻品種和數量的增加，迫使人們採行一套行之有效的方法對文獻本身進行標引和檢索。圖書分類學正是源於這種整理文獻的文化需要。而文獻的本質是它所記錄的文化內涵。因此，分類學在整理文獻的同時，本質上也整理了人類的各種經驗智慧。即對文獻中所記錄的不同經驗事實之先後關係、基本順序等問題提出了某種根本看法和處理意見。分類學幫助人們分辨了記錄在文獻中的各種日常經驗對象。這些對象主要來自包括自然生態、社會結構、意識形態、價值傳統等方面的諸多文化事實。現實生活中的每一個人都被上述各種文化事實包圍著，他（她）必須面對該事實，並盡可能使之有序，以便於人們觸及、理解和認同文化事實本身。人類使用著不同的手段來實現著這種有序，哲學、科學、藝術以及宗教等等都是極重要的形式。

由於中國古代圖書分類學提供了另一種獨特的實現渠道，而使古代分類學本身獲得了類似哲學、科學、藝術和宗教的聲望。歷代學者對分類學文本的評價即完全著眼於文化層次。例如，范文瀾先生曾說：「西漢後期，繼司馬遷而起的大博學家劉向、劉歆父子，做了一個對古代文化有巨大貢獻的事業，就是劉向創始劉歆完成的《七略》。」又說：「西漢有《史記》、《七略》兩大著作，在史學史上是輝煌的成就」（《中國通史簡編》，第二編P126），逕將《七略》與偉大的《史記》相提並論。而像《書目答問》這樣高質量的分類目錄著作，又幾乎成了當時士子致學的敲門磚。范希增《書目答問補正·跋》云：「承學之士，視爲津筏，幾於家置一編」；魯迅《而已集·讀書雜談》云：「我以爲要弄舊的，倒不如姑且靠著張之洞的《書目答問》去摸門徑去」。張之洞《書目答問·輶軒語》則說：「《四庫全書》，爲讀群書之徑」。陳垣《余嘉錫論學雜著·序》云：「余之略知學問門徑，實受《提要》之賜」；「他的學問是從《書目答問》入手」。余嘉錫自己則說：「目錄之學爲讀書引導之資，凡承學之士，皆不可不涉其藩籬」（《目錄學發微》卷一，成都：巴蜀書社1991年版）。人們對古代書目分類學的邏輯定義，更爲強調其文化內涵。例如，姚名達先生即認爲書目分類是「將群書部次甲乙，條別異同，推闡大義，疏通倫類，將以辨章學術，考鏡源流，欲人即類求書，因書究學之專門學術也」（《中國目錄學史·目錄學篇》）。事實上，古代分類學也正是在「文化」這一高層次領域展開實踐活動和理論探討的。

中國傳統文化是一種價值型文化，記載這種文化的古代文獻也是一種主體價值性存在，不能作形式邏輯類項上的劃分。與傳統文化相一致，古代分類學不是在靜態中求眞，而是力求提供一種超文獻文本的人倫解釋，並致力於陳述動態的力量和生機。所以，誠如本書第三章所述，中國古代圖書分類學在類分文獻時，也不以文獻主題的學科屬性和邏輯類項等客觀成份爲依據，而是以文獻內涵在政治教化和人倫彝常上的價值大小作爲類別標準。亦即，古代分類學不僅僅局限於對文獻的物理形態或性質的刺激作出反應，不是把文獻理解爲純粹事實的集合，而是將反應機理建立在文獻的深層內涵之上。相應地，中國古代圖書分類學的類表結構也表現爲一種線性平面的鋪排，而不是等級性的立體幾何構架（等級性來源於文獻主題概念的邏輯概括與劃分）；也不用代碼符號或其它關係詞來作爲分類標識並控制分類類目（標識代碼意味著類名、進而意味著文獻主題概念的邏輯代碼性）……古代分類學從內涵出發，不必再額外地制定一套形式代碼系統，從而使得整個分類學體系顯得簡鍊而富有彈性。分類類別的合格度是可塑的，缺乏必要的直接性和專指性，沒有現代分類學引以爲豪的邏輯性、清晰性。但它卻和漢民族「和諧大度」、「整體體悟」的思維方式相一致，因而是更高層次上的「科學」。可見，古代分類學的基本特徵與傳統文化的基本特徵是完全一致的。文獻背後的文化構成了分類學編碼和解碼的最終對象，有什麼類型的文化，就應該相應地有什麼類型的分類學系統。兩者表現出極其深刻的通約性與兼容性。

西方文化是理性邏輯型的。西方哲學試圖通過對人類認識的反思一勞永逸地找到知識確定性和思想客觀性的最終根據，進而實現對人類的永恆的理性基礎的終極知解。記錄這一文化的西方文獻（包括1919年「五四」新文化運動以來的絕大多數中國文獻），其主題概念一般皆具有可以明確劃分的邏輯類項。所以，1876年第一版DDC以來的近現代西方分類、以及1917年《仿杜威書目十類法》以來的中國近現代分類，也選擇了文獻主題的學科屬性和邏輯類項作爲首先考慮的類別標準，並相應地配置了一套形態外顯、關係裸露的代碼符號來控制類目。例如，沈祖榮、胡慶生兩位先生在其《仿杜》序言中即說編製該分類法的目的是因爲「歐亞交通，新學發明」，反映新學科的書籍大增，原分類法體系無法容納，故「創立新法，包羅中外之書」，「並求檢閱便利」。《仿杜》是我國等級列舉式分類法的開始，是引進先進技術編製的第一部分類法。這種著眼於形態的分類學也因此而贏得了體系組織上的精確、專指等不容置疑的優勢，它對應於西人文化思維中的科學修養和理性邏輯信念。

總之，分類學與特定的文化學之間隱含著極其深刻的一致性。《校讎通義·宗劉篇》云：「凡一切古無今有、今有古無之書，其勢判如霄壤，又安得執《七略》之成法以部次近日之文章乎？」早年替張之洞《書目答問》作箋補的江人度亦曾感慨說：「處今之世，書契益繁，異學日起，匪特《七略》不能覆，即《四部》亦不能賅……且東西洋諸子之書，愈出愈新，莫可究詰，尤非四部所能範圍，恐四庫之藩籬終將沖決也」；「蓋《七略》不能括，故以四部爲宗，今則四部不能包，不知以何爲當？」何日章、袁湧進說得更直接了當：「古今勢異，不能蹈四庫之舊規，中外異宜，不能採杜威之成法」（《中國圖書十進分類法·序》，北平師範大學圖書館1934年印行）。余嘉錫說：「今之學術，日新月異而歲不同，決非昔之類例所能賅括。夫四部可變而爲五、爲六、爲七、爲八、爲九、爲十、爲十二，今何嘗不可爲數十，以至於百乎？」上述見解，大意都在表明：古今中外的文化類型不同，相關的文化認知模式——分類學系統——也就各異。中國古代傳統文化有著一以貫之的繼承性，所以古代分類學雖然有四分、五分、六分、七分等等之不同，但尊經、重史、輕子、鄙集的分類學策略卻得到了相應地一以貫之的繼承。中西方文化、以及中國古代與西學東漸以後的中國近現代文化之間的差異比較明顯，所以中國近現代分類學也突出地顯現出了這種差異性。沈、胡二先生的《仿杜》著作正是在這一時代背景下產生的。

1934年武昌文華圖書館專科學校印行的皮高品先生的《中國十進分類法》自序云：「採杜、補杜固有不然，至若仿杜，亦未見可也。蓋我國之學術，自有其特性，不容偏廢苟簡。世之作者，必悉加編纂，詳制類目，使適中外文籍，庶云有濟」。儘管皮先生自己的分類法並未能擺脫DDC的窠臼，但亦明確提出了分類學與文化學之間的深層一致性。這種一致性，不但對分類學的現象、形態以及特點作出了最根本的說明，而且還揭示出了分類學成功的目標、關鍵及其標準，亦即，「與文化相通約和相兼容」。這不但說明了什麼是分類學，而且還指明了什麼是成功的分類學以及好的、行之有效的分類學之標準。

現實生活中的每一個人都必須學習文化、學習他適應在社會中充分參加活動所需的知識和行爲準則。而每一本文獻都是作爲個人對世界的認知而積習於書本並傳播爲社會經驗的。從歷史的角度來看，人類文化的傳承，主要是通過一個複雜的文獻信息傳播體系而實現的；分類學則是人類文獻信息傳播最主要的和最高度發達的系統。人創造了文化，又採用分類的形式來整序它。人與文化之間多了一層分類學系統之「隔」。這個「隔」影響了人們對文化的理解方式和基本評價。文化價值深埋在分類學系統結構之中，分類學的本質正是一種文化模型、一種文化環境。分類學的策略暗含著對文化心理的塑造方式。因此，分類學與文化學之間的通約和兼容，包含著分類學對於人類文化學的既受動又能動的互動關係。

分類學取決於特定主體的思維方式和客觀的、被整序的文獻特徵，同時，分類表達又必定是這種思維和現實的反映。亦即，一方面分類學系統必須通過整序文獻這一特殊形式來被動地表述、組織和認識文化，表現出操作層面上的實用性和功利目的。另一方面，分類學系統與文化學之間的關係又不是單向的、線性的，而是辯證的、互動的。分類學賴以出發的初始條件——反映在文獻中的既成文化——作爲歷史的、給定的絕對前提，是無法選擇的，因而具有被動性。但是，分類學系統的眞正作用恰恰在於爲人們重構和揚棄這一前提所呈現出來的可能性，在回溯歷史和展望未來的總體文化背景中確立起終極性的文化參照，實現「思接千載、目通萬里」的理想。這正是分類學的超越性所在。分類學應該能夠根據自身所確立的理想境界來審視一切現有文化並重估它們的價值，因而，具有能動性。例如，「英國瓦爾堡研究所（Warburg Institute）圖書館的書籍分類對猶太哲學家卡西爾（Cassirer,E）的文化哲學思想影響很大。該圖書館的書籍四個層級。第一層級是關於一般的表述問題和符號的本質的書籍，其意旨是從人類學到宗教再從宗教到哲學。第二層級是有關藝術表現的理論和歷史的書籍；第三層級是語言和文獻書；第四層級是人類生活的社會形式——歷史、法律、民族等方面的書籍。圖書的這種分類編排方式揭示了人類由圖像（藝術）到語詞（語言）再到意義（宗教、科學、哲學）的思想、文化歷程」（李小兵譯，《符號神話文化》，北京：東方出版社1988年版，P29）。可見，分類法一旦成爲文化認知的標識，就可以相對獨立於被標識的文化之外，進行自身系統的自組織，從而讓人們在文化交往中離開文化事實本體，直接圍繞一套標識符號來思考和交流文化信息。又如，正像「紡織」和「運籌學」相結合可以形成邊緣學科「紡織運籌學」一樣，人們還可以將分類法中任意兩個或以上類名相結合，來討論它們在現實世界中相互聯繫的可能性。

分類學系統作爲一種特殊的文化現象，既是文化的一個組成部份，又是反映文化其它部份的一面鏡子。作爲文化的一個組成部份，分類學系統與其它文化現象互相影響、互相制約。作爲文化的鏡子，分類學系統又映射出民族文化乃至人類文化的種種特徵。這樣，如果能夠表明文化會影響分類系統的結構和內容，那麼分類系統的分化至少部份是由於文化分化的結果。反之，文化和分類系統之間的相互影響的方面也可以逆轉，即是說分類學系統也可能會反過來影響文化的其它方面。

回到中國古代圖書分類學和中國古代傳統文化的相互關係上來。古代分類學和傳統文化學之間的互動關係，體現了古代分類學系統自身受動性和能動性的內在統一。一方面，作爲認知模式的分類學系統總是折射出古代「當時」文化的基本精神內涵；另一方面，古代傳統文化精神又通過特定分類法的表述、組織和認識而成爲突破具體時代維度限制的超越旨嚮。古代分類學的這種辯證性特質，爲我們進行文化反思提供了一種可靠參照。它啓發我們去完成兩個互補、渾融的命題：從傳統文化看古代分類；以及反過來，從古代分類看傳統文化。它要求我們不論對於傳統文化現象還是對於古代分類現象，在研究時爲了求得對於本質義蘊的理解，都應該對對方的系統作整體的貫通。

第二節　從傳統文化看古代分類

中國古代圖書分類學是中國古代傳統文化規範下的產物。事實上，本書的前三章，正是用傳統文化的基本思維特徵去考察古代分類並得出一般分類學結論的。文化觀念表現爲一種深層的文化結構，認知主體的認識能力、特定歷史積澱因素、現實的社會結構和意識形態，是影響傳統文化結構變異的本質成份。由此，可以導出古代分類學在上述諸方面的相應性特徵；另一方面，古代傳統文化是一種價值型的文化觀，具有一以貫之的繼承性。我們擬基於此，討論古代分類學在類型、結構和形式上所表現出來的價值論特徵。

㈠從不同的認知主體、歷史條件和社會現實看不同的古代分類

古代分類學不僅是學術之宗，而且還是明道之要。而學術之宗和明道之要在本質上又是一致的。具體文獻之整序過程本質上乃即一種體道，是從具體的角度對道的把握過程。道不是一個邏輯概念，不能

用既定的規範來言說。對道的把握本質上是一種體驗的生命形式，道「唯在於自得耳」(郭象《莊子注》)。因而，我們就可以從古代分類學的不同形式和結構中洞察出不同行爲主體對「道」之理解的不同。亦即，如果對「道」產生了不同尋常的體驗結果，相應的分類形式和結構也會因爲對這種結果要求所做出的適應而發生變化。這種結果一方面取決於不同行爲主體的認知能力；另一方面又取決於不同歷史條件下的特定社會結構和意識形態。

首先，從認知主體的角度而言。古代分類學的形式結構會因爲認知主體的認識能力的超常變化而發生變異，以便充分實現這種超常要求。今以清人孫星衍《孫氏祠堂書目》爲例分析。《孫氏祠堂書目》不按四部分類，而是根據實藏文獻之品種和數量，將總目分爲十二大類。孫氏將「天文」獨立一類，乃因「儒者立身出政，皆則天法地」。將「醫學」和「律學」合爲「醫律」類，乃因「醫律二學，代有傳世，並設博士，生人殺人，所關甚重」。「金石學」獨立一類，乃因「足考山川，有裨史事」。「小學」的作用爲「六義不明，則說經不能通貫，或且望文生義」。類書「實亦羽儀經史」(該書序)…，故小學和類書也都獨立成部。顯然，分類學形式不過是分類意義內涵(學術之宗和明道之要)和行爲主體心理認知程序相結合的產物。意義內涵並非客觀的存在，而是以體道爲取向，最終必須通過主體心理的認知、認可和認同而實現。主體的心理機制會不可避免地以自身的特定程序要求對意義內涵進行界定，決定它祇能以什麼方式呈現出來。總之，古代分類學形式正是其意義內涵要求與人的認知心理要求之間相互作用的結果。分類形式不僅投射著主體認知心理的特徵，甚至人們希望分類學形式所表達的意義內涵爲什麼會具有目前的結構，也可以到主體認知心理中去尋找說明和解釋。

其次，歷史積澱因素。古代分類學還是一個發生、發展的連續的歷史過程，具有縱向的歷時性特徵，因而必須受到特定歷史積澱因素的影響。這些因素同樣投射在了古代分類學的若干結構形式之上。人所共知，中國成熟的分類學肇始於西漢時期的劉向和劉歆。劉氏父子的《七略》作爲古代分類學的奠基之作，隱含著後代分類學理論和實踐的理性原則，叫做「依劉向故事」。《三國志·吳書·韋曜傳》說吳國孫休即位後命韋曜「依劉向故事，校定衆書」。西晉荀勖也「依劉向別錄，整理記籍」（《晉書》卷39《荀勖傳》）。梁任昉「依劉歆《七略》，更撰《七志》」（《昭明文選·王文憲集序》）。《隋志·簿錄類序》說《七錄》「大體雖準向、歆，而遠不逮也」……歷史積澱因素主要是在特定歷史條件下對分類意義內涵的特定認知要求的產物。比如，《七略》以降的古代分類學文本的大類體系雖有四分（如《隋志》）、五分（如梁祖暅之《五部目錄》）、六分（如《七略》）、七分（如《七志》）、八分（如宋李淑《邯鄲書目》）、九分（如《七錄》）、十分（如茅元儀《白華樓書目》）、十二分（如孫星衍《孫氏祠堂書目》）、十三分（如陸深《江東藏書目》），乃至孫樓《博雅堂藏書目錄》十七分、孫能傳《內閣藏書目錄》十八分、錢曾《讀書敏求記》四十六分、《述古堂書目》七十八分、王聞遠《孝慈堂書目》八十五分等等區別，但是，以儒家經籍爲中心，以史書和子書爲兩翼的分類策略卻得到了繼承。如《孫氏祠堂書目》十二分的具體類目爲：1經學、2小學、3諸子、4天文、5地理、6醫律、7史學、8金石、9類書、10詞賦、11書畫、12小說，一望而可知是在傳統四分法的基礎上增益而來。誠如《四庫總目》卷首所言：「從來四庫書目，經史子集爲綱領，裒輯分儲，實爲古今不易之法」，表現出十分明顯的歷史傳承性。這不能不歸結爲歷史積澱因素制約的結果。又如，有宋一代，因由北宋興起的理學主要講修己及人的心性修養，而《四書》中有修身的三綱領、八條目以及倫理道德，可供理學家們矜談妙悟，發揮天理、人欲的思想。故而在儒家經籍中，宋人更爲重視《四書》。尤其是哲宗元祐四年（AD1089）《四書》成爲科舉必讀的教科書以後，《四書》的實際地位更是與日俱增。但宋代所有的分類學文本仍然以《易》、《書》、《詩》、《禮》等爲經部目錄的基本次序，顯示不出《四書》的特別。這無疑也是歷史積澱因素作用的結果。

這種歷史積澱因素，本質上是特定歷史條件下對分類學意義內涵的獨特界定。祇不過這種獨特界定隨著歷史的發展而消失了，但它的產物卻因分類學形式的穩定性而保存下來，成爲共時狀態中的偶然和例外。事實上，《四庫總目》即是以「典據」和「變通」爲原則，以記一代藏書之盛。所謂「典據」，正是對分類學歷史積澱因素的繼承。如《四庫總目·子部·類書》序云：「類事之書，兼收四部。而非經、非史、非子、非集，四部之內，乃無類可歸」，但又根據《隋志》列於子部，說《隋志》這種安排「當有所受之」。《四庫總目》編者明知列於子部而不安，又拘泥於四部成法，沿而不變。又如「香譜、鷹譜之屬」，《四庫總目》編者從《遂初堂書目》之例，立「譜錄」一門。再如，《四庫總目》所收有關佛教的書入「子部·釋家」，但不收佛教經典。《四庫總目》釋家類序云：「今錄二氏於子部末，用阮孝緒例。不錄經典，用劉晌例也」。可見，古代分類學的若干現象，有時置諸特定的歷史背景中，更能獲得某種可解釋性。

第三，現實的社會結構和意識形態。古代分類學系統都是以「爲治之具」的姿態出現的。結合當時現實的社會結構和意識形態，更能夠揭示出分類學的特點。例如，《隋志》設有「譜系類」，乃因六朝世族門閥重選舉、婚姻、品第人品，故大量撰作譜牒的風氣盛行。而「自唐以後，譜學殆絕」，則與門閥制度式微，科舉取士有關。所以後世分類學系統——如《四庫總目》——多刪去譜系類。而這一點，也正可以看出《四庫總目》在務求「典據」的同時，力求「變通」的原則。又如，《四庫總目・集部・詞譜、詞韻》類，收講詞的譜式及填詞押韻的書，如清萬樹《詞律》、清仲恆《詞韻》等。而唐宋兩代沒有詞譜的專書，分類學文本亦不設此類類名。《四庫總目・欽定詞譜提要》云：「蓋當日之詞，猶今日里巷之歌，人人解其音律，能自控腔，無須於譜」。再如，《四庫總目・史部》的「政書」類，《新唐書》稱「故事」，明錢溥《秘閣書目》立「政書」一門，《四庫總目》因之。《四庫總目・政書類序》云：以前「故事」一類，大多收藏前代的事情，《四庫總目》則並收清代典章制度的書。所謂「我皇上制作日新，垂謨冊府，業已恭登新籍」。再如，清孫鐘瑞《聖學大成》一書，《四庫總目》編者認爲書中「所引皆講學之語，當列於儒家。以其中楊起元輩儼然自號比丘者亦廁簡牘，則其流不一矣，故改錄之於雜家」（《四庫總目・聖學大成》提要）。顯示出了當時特定的社會結構和意識形態。

理論上，對分類學的主體心理認知限制雖然有一定的主觀色彩，但仍然是一種極其理智的行爲：即通過整序文獻來張揚某種理性的分類意義內涵。主體心理認知上的主觀性、見仁見智的歧義性，其實都是按照特定的現實人倫法則而進行的；祇不過它不是知性法則而已。因此，主體心理認知限制和現實的社會結構與意識形態限制在本質上又是完全一致的。如王儉《七志》把《孝經》列爲經部目錄的首位，固與王儉個人「孝乃百行之首，實人倫所先」的認識有關，更與當時社會上以孝道來區分親疏尊卑、太學裏專門爲《孝經》立了博士的社會現實有關。

再從歷史積澱因素來看。歷史積澱因素之所以能夠在分類學中存留下來，也正是因爲這些因素能夠以曲折的方式服務於當時特定的社會現實要求的緣故。後代分類學對前代分類學的有選擇的保留和繼承，本質上也正是看中了被保留和繼承下來的這些部份或方面，能夠充分服務於特定的「現實的社會結構和意識形態」的緣故。而如果歷史積澱因素失去了現實價值，則往往會被取消。例如，《四庫總目·千頃堂書目》提要評價該書分類時說：「既以《四書》爲一類，又以《論語》、《孟子》各爲一類，又以說《大學》、《中庸》者入於三禮類中。蓋欲略存古例，用意頗深。然明人所說《大學》、《中庸》皆爲《四書》而解，非爲《禮記》而解。即《論語》、《孟子》亦因《四書》而說，非若古人之別爲一經，專門授受，其分合殊爲不當」……所以，《四庫總目》僅列《四書》類。凡分注一書，如《論語正義》；或兼釋兩書，如《論孟精義》；或通釋四書，如《四書集編》、《四書弁疑》等書均入本類。

由上述三點推而廣之，我們發現，擁有自己的文化心態、文化背景和文化氛圍的不同民族，在不同的歷史時期，會產生各不相同的分類學結果。同樣，由於個人文化素養、條件、心理的不同，也會提出自己個人的分類學主張，形成獨特的分類學樣態。誠然，「設想如果DDC的改造由第三世界的婦女來完成，那它必將與現在的產物產生很大的差異。在現行版本中，它強烈地反映了美國及歐洲中產白領階級的思想和願望。這一點不僅體現在概念的等級結構上，而且類名的選擇也深受影響。國際上，各種社會力量給發展國際分類學體系帶來了困難。隨著社會、歷史的改革，一致認同發生了變化，要產生一種擺脫民族及觀念意識的國際分類法就顯得尤爲困難。在分類學體系中，社會可接受的概念在等級體系中通常給予了重要地位，而社會沒有接受的主題概念則排在次要地位」（黃筱玲編繹，《近年分類和索引的理論進展》，《圖書館理論與實踐》，1996.2）。顯然，文化諸方面的因素對分類學系統的制約是具有廣泛性和普遍意義的，將分類學置諸文化因素下來考察，確實是十分必要且十分可行的。另一方面，就中國古代圖書分類學而言，如果我們將它當作一個整體，去和西方文化規約下的近現代分類學加以比照，那麼我們將會發現：中國古代的傳統文化支持並適應了一個完整的、迥異於西方的分類學系統。我們擬從傳統文化價值觀的角度，具體討論古代分類學的相應性特徵。

㈡從傳統文化的價值觀看古代分類的價值觀

討論中國古代圖書分類學在眞、善、美等哲學範疇上所表現出來的若干特徵，可以發現古代分類學不是以客觀、冷靜的知性法則見長，而是一種道德價值趨前、知性分析滯後的學術標準與追求。它對應於中國古代傳統的價值型文化。在哲學上，價值是與眞理相對的共軛範疇。價值是客體對於主體所具有的某種意義或是主體在創造世界中賦予世界的「意義」。對於每一個人來說，人的主體性是一切價值的根本，宇宙間祇有人的主體性具有絕對價值。古代分類學強調所有被整序的文獻在內容上對於主體人所具有的某種意義和價值；以及文獻編碼、解碼的整個分類學行爲所折射出來的人生處世誠意、社會倫理規範、政治教化作用等等更爲廣泛而深刻的內涵，表現出了明顯的價值取向。這一點，是和以追求形式化、客觀化、標準化爲己任的現代分類學大相逕庭的。

第一，古代分類學之「眞」。

哲學之「眞」所研究的對象是思維與存在的關係，表示主體對客體及其規律的正確反映。「眞」在內容上有著不同於「善」的獨特價值。分類學上的「眞」主要表現爲根據文獻的外部形態特徵或內涵的客觀主題概念，爲每一個個別文獻都提供一個「準確」的類別位置。由於文獻的形態特徵和主題概念是客觀的、不以人的主觀意志爲轉移的，所以，據此可以獲得嚴格的邏輯「眞」。中國古代圖書分類學並不著眼於文獻的物理形態或主題概念的邏輯類項，它不以是否「科學」作爲分類工作的基本要求，而是從求善的目的出發來組織文獻。祇有求善的過程纔能達到眞知，表明人類眞理本質上是知行合一、身心合一的結果。誠如程頤所說：「知而不能行，祇是未眞知」（《二程遺書》卷十五）。古代分類學更多地思考作爲文獻編碼主體與作爲文獻解碼的另一個主體之間的相互作用關係。「眞」不再是認識論範疇，而是一個道德價值問題，「善」纔是眞的內容和本質，體現了眞善價值的統一。古代分類學的這種眞理觀是和中國傳統文化相一致的。孔子說：「知之者不如好之者，好之者不如樂之者」（《論語·雍也》）。認知不是目的，使人好之樂之，達到審美求善的境界纔是目的。中國哲學十分強調人的主體性，這一點也深深地烙印在古代分類學之中。中國哲學雖然承認自然界的先在性和本源性，且建立了宇宙論和本體論，但自然界並不是作爲認識對象而存在，而是轉爲一種主體人的內部存在。自然事物固然可以獨立於人類而存在，但它們的意義和價值都必須由人類去賦予。從意義和價值的角度來看，沒有人類主觀的參與，則一切皆「無」。《莊子·齊物論》：「非彼無我，非我無所取」，準確地概括了人與自然萬物的關係，以及由此而來的認識論關係。孟子說：「萬物皆備於我」。陸九淵說：「萬物森然於方寸之間」……在人的心靈中就內涵著自然界的普遍法則。因而，在中國古代，無論在經驗或理論層次上，客體與思維主體都是同一不對立的。客體原則存在於主體自身之中，主體與客體以及人與自然的統一需要依據主體的內在意識及其實踐纔能完成。

從內在主體出發，按照主體意識的評價和取向，賦予世界以某種意義，且把意識還原爲某種本質的或形式的存在！這樣，對外物性質的認識遂被視爲認識事物之意義的手段，一切認識論目的均是要獲得事物的意義，而不是要獲得事物的客觀性質或規律。這種主體性的中國傳統哲學，力求用體驗的方式直接把握事物的意義，並從主體人的具體感受中形成一般原則。這使得主體人的情感、態度和需求等主體因素在思維中占據了突出的位置，使客體具有了人的特徵。由這種主體性的傳統文化指引，我們發現，古代分類學也是以人爲本體，把人類精神視爲分類標引和檢索的內在原則的。中國古代圖書分類學更多地從「爲我關係」的角度對文獻加以理解和思考，它強調主體人在分類學行爲中如何能動地改造文獻、影響文獻、控制文獻，使之爲主體服務，使之符合人類的主觀需要。本質上反映了漢民族的價值理想和天人合一、物我相諧的世界觀。

古代分類學從主體出發，努力使對客體文獻的整序行爲爲主體服務，表現出眞正的自主性和目的性。文獻的外部形態和邏輯概念等客觀成份，被限制到了最低程度。這種主體性包括使客體爲主體服務的價值關係、爲我關係，表現出中國古代圖書分類學的獨特的眞理觀。這裏的「我」包括社會主體、群體主體和個體等不同層面。如梁代祖暅之《五部目錄》在經史子集四部之外另增「術數」一部，顯然與他個人是一位天文曆算學家（按：暅之爲冲之子）有關。又如，《七錄》立「僞史」一目，《隋志》改爲「霸史」，《四庫總目》則根據自己的理解而改稱「載記」。《四庫總目·載記類序》云：「年祀綿邈，文籍散佚，當時僭撰，久已無存，存於今者，大抵後人追記而已。曰霸，曰僞，皆非其實也。案：《後漢書·班固傳》稱撰平林、新市，公孫述事爲載記，《史通》亦稱平林，下江諸人，《東觀》列爲載記，又《晉書》附敘十六國亦云載記，……準《東觀漢記》、《晉書》之例，總題曰載記，於義爲允」。可見，古代分類學從主體出發，包括從主體的現實條件、現實情況和實際利益出發。

從主體出發，還包括從主體已有的觀念、認識出發以及從自己的價值理想出發。例如，《四庫總目》編者說：「今所編錄，於推演數學者，略存梗概，以備一家。其支離曼衍，不附經文，於易杳不相關者，則竟退置於術數家，明不以魏伯陽、陳摶等方外之學，淆六經之正義」（《四庫總目》易類案語），將魏伯陽《周易參同契》、陳摶《龍圖序》乃至亡佚的《指玄篇》等分入術數家。另外，從主體出發還包括從主體的情感、意志出發，甚至包括感情用事的情況在內。例如，同樣是琴譜書籍，《四庫總目》卻堅持將熊朋來《琴譜》、王坦《琴旨》等書籍列入經部樂類，而將《琴史》、《琴譜合璧》等書列入「子部藝術類琴譜之屬」。其「理由」是：「惟以弁律呂、明雅樂者，仍列之於經，其謳歌末技，弦歌繁聲，均退列雜藝、詞曲兩類中」。又如，《四庫總目》所著錄的3,448種書籍都是經過審查並根據需要而作必要的刪削、改竄、重編之後纔編入《四庫總目》之內的。《存目》著錄的6;783種書都是經過審查認爲「無礙」而發回原藏書家的，還有3,000多種所謂「禁書」遭到了暗殺，都被擯棄在了《四庫總目》的著錄範圍之外。顯然，主體性內在地包含著主觀性。使客體爲主體服務，這幾乎是所有古代分類學文本都具有的一種帶有根本性的價值目標。

古代分類學將主體人的主觀動機和行爲方向視爲自身的工作重點，文獻的類別完全取決於主體人對其價值和意義的預先設定或主觀判斷。價值和意義是一個主體範疇，必須由人類理智和情感等主體因素的總和來判斷。從主體出發的古代分類學，不是從形式或邏輯的角度爲若干未經組織的文獻提供一個長遠保持秩序的「客體」體系，而是從文獻內涵的意義和價值的角度提供一個「主觀」序列。行爲主體——文獻編碼者和解碼者——對古代分類學的控制和影響，主要表現在主體對客體文獻的合目的改造上。所有被整序的文獻都不再是立於主體面前，供我們從形態特徵或邏輯內涵上加以打量的對象，而是注入了主體人的情感、欲望和希冀；它不僅打動了我們的理性思維，而且還撩撥了我們的情感和想像。這樣，用於整序這種兼具主客二重性特徵之文獻的古代分類學也發生了合目的變化，得到了主體實踐的改造，並獲得了新的功能。這種新功能，集中表現在它不僅要「甄明科部」，而且還要「申明大義」；不僅是「學術之宗」，而且還是「明道之要」。古代分類學所包蘊的這種「義」和「道」，來源於對各種文獻內涵的超文本的主體性理解，這是主體力量的確證，集中體現了主體性。

唐人毋煚說：「夫經籍者，開物成務，垂教作程，聖哲之能事，帝王之達典……（分類）將使書千帙於掌眸，披萬函於年祀，覽錄而知旨，觀目而悉詞，經墳之精術盡探，聖哲之睿思咸識，不見古人之面，而見古人之心，以傳後來，不其愈已」（古今書錄·序）。古代分類學的這種取向，是主體本質力量外化的功能表現，是主體本質力量作用於客體文獻所表現出來的對客體對象的作用和影響。它反映了分類學行爲中主體人的充分性存在，具有現代分類學無法比擬的內在價值。從主體出發的中國古代圖書分類學，按照主體的尺度理解文獻，並製造分類學的一般理論、方法和技術。這使得分類學爲主體服務，因而屬於價值性活動，反映了現實人的主體精神之持續不斷的勞作過程。本質上是主體有目的、有計劃地整序文獻、改造文獻，進而重新設計分類組織之本體原則的活動。古代分類系統不局限於客體文獻之間的機械作用，也不是形式主義和符號主義的工具系統。古代分類學對文獻的整序始終致力於一種解釋性和應然性，而不是客觀必然性。不必然，所以有各種可能情況。而正因爲存在各種可能，人們纔能在其中選擇一種最有利於人的，把它實現出來。可見，古代分類學不僅被動地處理文獻，而且還極主動地去解釋它們，從而將由若干文獻排序所呈現出來的客觀世界，轉化爲一個理想的觀念世界，顯示了人之爲人的主體性。解釋性過程體現了分類學家作爲主體人的內在精神活動，是分類學家作爲創造性主體的自由的顯現，是對生命的充實，是生命的具體展開形式，表現出了獨特的「眞」的理論類型。事實上，這種主體性不僅是中國古代分類學的某種標誌，而且，主體性浸潤在分類學理論和實踐中的程度，也是衡量其優劣得失的重要標準。中國傳統哲學以道德完善、成爲「聖人」爲最高境界。而古代分類學則以文獻整序爲特殊形式，以「申明大道」爲宗旨，構成了邁向人性之最高實在的一個重要步伐。古代分類學的這種主體性特徵，不以「客觀性」爲眞理的根本內涵，正是傳統文化之主體性特徵的必然產物。

第二，古代分類學之「美」。

哲學之「美」所研究的對象是個人與社會以及個人與自然的關係，指人的本質力量在客觀對象中合乎人性的實現或對象化。古代分類學之「美」主要是指通過文獻的整序，形成一幅囊括天地人三道而又以人倫意識爲中心的文化圖景，並由此帶給人們一種賞心悅目、淨化心靈的功能效果。古代分類學經由對若干文獻的排序而呈現出獨特的天人之序和人倫之序，它們分別暗示了現實人與自然以及現實人與社會所應當採取的正確態度和關係。古代分類學的最高境界，不是追求文獻單元在形式上的絕對精確和明晰，而是要根據文獻內容的意義和價值，將它們安置到某一個具體的、適當的位置上。然後，所有具有「適當」位置的文獻單元共同構成一幅天人一致、物我相諧的人文文化景觀。

首先，古代分類學中的天人之序。

古代分類學不是對文獻的物理形態和邏輯主題的刺激作出反應，因而也不用一套僵硬的形式框架來約束文獻。古代分類學將反應機理建立在文獻內涵對人倫教化的作用上，表現出義無反顧的倫理價值追求。這種追求集中體現了古代分類學的理性取向。在倫理的古代分類學追求中，主體不僅充分地實現了自我，回歸到了心靈的本眞狀態，並充實和完善了心靈，同時，這種倫理追求還契合於社會的天定和宇宙之道，並最終達到宇宙、社會、人生渾然莫分的至美境界。儒家強調經世致用，這種積極入世的精神造就了積極入世的人格。而入世，從分類學的角度而言，便是通過文獻整序活動而實現現實倫理。中國傳統文化對宇宙、社會、人生取經驗的理性組織方式，即用經驗的宇宙自然之序律定社會與人生，並用社會與人生的經驗去理解、闡釋和構入宇宙自然之序，從而形成宇宙與社會人生互照互融、而又以人的倫理道德爲中心的觀念體系。這在本質上是一種天人合一模式。它迥異於西人所崇尚的天人相分、主客對立，以及由此而來的客觀觀察、超越想像、邏輯推衍等思維成規。傳統文化致力於探索生命之序和人生之序，且它們的「序」的依據又都共獲於天人合一思維模式，同時也全息於那個天人合一之序。而倫理的核心問題就在於「序」。各種倫理規範的建立、倫理義務的形成，都在於維護和穩定這個「序」。天之序中有人之序的合入，反之亦然。《莊子·大宗師》有云：「故其好之也一，其弗好也一。其一也一，其不一也一。其一與天爲徒，其不一與人爲徒，天與人不相勝也，是之謂眞人」。天之序和人之序本爲一回事，倫理之網在天人合一的大「序」中疏而不漏。

古代分類學中，這種天人「大序」是經由文獻之規整性的小序而達致的。隨著不同意義和價值的文獻在分類學體系中的「準確」就位，便漸次展開爲一種對整個人生、歷史、宇宙的哲理性感受和領悟，從而最終實現「目通萬里，思接千載」的理想。這種帶有哲理性的人生感、歷史感和宇宙感是古代分類學中最富有形而上意味的一種類型。它超越了文獻之「序」的有限，達到了天地人三道之序的無限。它使得天地萬物向人敞開，成爲一種精神體驗的對象，並因此而重新安排、調整了人與萬物之間的關係，使人產生「與萬物渾然同體」、「民胞物與」、「天人一致」、「物我相諧」等等諸多主觀體驗。天人合一作爲中國古代倫理的基本理性模式，規定了古代倫理體系的經驗性特徵，形成了我國古代不同於西方的體驗型倫理。這種類型的倫理主要取內在的心性根據或尋求心性的解釋，表現出明顯的對於時代和物質的超越。傳統哲學中的天人合一思想，主張取消物我界限，求得物我交融。反映在古代分類學上，天人合一思想集中表現爲客觀文獻和主體人之間的一致而不是對立。古代分類學傾向於對文獻作某種應然性的人倫解釋，它不以個別文獻在分類體系中所處位置的當否作爲立足點，不是要揭示若干文獻之間的形態聯繫或主題概念的邏輯聯繫，而是要在整個分類學理論和實踐中表達一種對整個世界和人生的體驗與感受，是要從一個角度去揭示人生的意味，表達一種帶有哲理性的人生感、歷史感和宇宙感，顯示了天人合德的人文性。

例如，孫星衍自己說，把《孫氏祠堂書目》分爲十二個大類，是以十二月爲計，「以應歲周之數」；《四庫全書》選用四種不同色彩的包背綾衣來區別四庫圖書，乾隆皇帝在一首詩裏這樣寫道：「浩如慮其迷五色，挈領提綱分四季。終誠元矣標以青，赤哉亨哉史之類，子肖秋收白也宜，集乃冬藏黑其位」。大意是說，爲了易於識別，用象徵四季（亦配東南西北四方）的顏色來標識書的部別。經書居典籍之首，如同新春更始，應標以綠色；史部著述繁盛，如火如熾，應用紅色；子部採擷百家之學，有如秋收，以白色或淺色爲宜；集部文稿薈萃，好比冬藏，應用黑色或深色。「從文淵、文源、文津、文溯四閣書的裝幀情況來看，與詩中所描述的情況雖然稍有差別，但大體上還是不錯的」。（華立，《四庫全書縱横談》，上海：上海古籍出版社1988年版，P70）

古代分類學提供的一幅文化「美」景，能夠相當自然地使主體人充分地倫理化。主體在文獻之序中體驗到的、並藉以實現的是他的心性，表現出獨特的物我相諧、天人合一意味。所以，清高宗在《文淵閣記》中談及他撰修《四庫全書》的目的時纔會說：「予搜四庫之書，非徒博佑文之名，蓋如張子（按：張載）所曰：『爲天地立心，爲生民立道，爲往聖繼絕學，爲萬世開太平』。」顯然，古代分類學之倫理化的根源是古代的生活主體（現實人）的充分倫理化；而倫理化了的分類學又反過來使主體以生存的倫理狀態爲其基本生存依托。亦即：主客相融的宇宙、社會、人生三者渾然一體的秩序，被同化爲心性標準，並被視爲超時代的、穩定的體驗根據，進行現實的理性批判與接受。天人合一之序是宇宙、社會、人生三者渾然一體的秩序，它超越了每一個具體的社會和人，獲得了超然的標準和不言而喻的合理性。而這種標準或合理性又構入每一個具體人的生存狀態，成爲每一個具體人的倫理關懷。古代分類學承載著這一關懷，並通過文獻整序的形式來實現這一關懷。作爲古代分類學的基本價值取向，天人合一的倫理之「序」的關懷主要體現在對於「天下」命運的關懷之上。天下即國，即社會，即人，它是天人合一之序的現實社會體現。它上承「天」序，下順「人」序。所以古代分類學主體對天下的關懷，同時也是對一切有利於「國」之序的規範、義務的關懷，關懷它們的實現情況，憂於它們的不被遵循。是否合於天下之序、是否合於依天下之序而確定的各種現實生活規範和義務規定，成爲規約古代分類學的重要尺度，表現出其獨特的「美」之追求。《論語·述而》有言：「志於道，據於德，依於仁，游於藝」。眞正值得關切的是道、德、仁之人倫本位，操作層面上的技藝祇能「游」於其中，不能喧賓奪主。這種分類學之「美」，表現出對心性之序的應合和倫理的生命體驗，實爲古代分類學中最具建設性的部份。

其次，古代分類學中的人倫之序。

古代分類學因小見大，通過文獻之序呈現出天地人三道之序。從而帶給人們一種關於世界和人的特定態度和關係。文獻的整序過程其實也是世界和人的象徵定位過程。衆所周知，在傳統文化天人合一的思維模式中，道家取「天」這一極，它超越於「人」並宏觀地規定著人，人應該順天而行；而儒家則取向於「人」這一極，力求經驗地把握人（社會）之序，以天之序投合於人之序，天祇有在人這裏纔能獲得合理性及其意義。可見，儒、道對於天與人的不同極向雖各有側重，但兩者都將天人合一之序最終聚焦在生命之序、人生之序上，表現出「殊途而同歸，一致而百慮」的價值認同。這決定了整個傳統文化更加致力於探索人倫之序。天之序最終都必須歸結爲和簡化爲人倫之序，人倫之序在古代分類學中主要表現爲對現實感性世界的重視以及對人倫位置的格外強調。而這兩個方面，也事實上構成了古代分類學「美」之追求的基本類型。

金岳霖先生曾經根據對人與世界關係的不同認識，而將世界文化劃分爲三大基本形態：印度文化爲他世性的（Other-worldliness），講來世超度；希臘文化爲超世性的（Super-worldliness），即站在超出世界的層面上觀察和分析世界，講設問求知；中國文化爲此世性的（This-worldliness），講實用經驗。中國文化呈現出來的是對生命、生活、人生、感性世界的肯定和執著，它要求爲生命、生存、生活而積極活動，並要求在這種活動中保持人際和諧以及人與自然的和諧，表現出迥異於印度文化和希臘文化的取向。中國古代圖書分類學也承載了這一取向。《漢書·敘傳》云：「劉向司籍，九流以別，爰著目錄，略述鴻烈。」劉向通過回溯性分類目錄，不僅要「別九流」，且要「述鴻烈」。這種對於現實感性世界的重現，理所當然地在我國古代的歷史傳承中產生了普遍性的影響。自此而還，古代分類學「依劉向故事」也獲得了這種現世價值實現的普遍性。例如，直到近代張之洞編撰國學書目《書目答問》時，還力求「內篇務本，以正人心；外篇務通，以開風氣」。古代分類學在整序文獻的同時，強調對社會、人生的啓迪價值，並通過整序文獻的具體行爲來維護社會秩序。入世的古代分類學是入世的傳統文化的一部份。這種對世界的現實性和實質的歷史感的高度相信與投入，在中國古代佛教分類學文本中表現得尤爲明顯。

佛教從印度傳入中國，它以「無常」和「緣起」爲核心教義。在時間取向上，佛教認爲歷史和現實皆非實在，皆爲「無常」。歷史和現實經由「緣起」而指向未來，表現出對彼岸世界（來生）的強烈關注，實爲「他世性」文化的眞正代表。但是，佛教自西漢元壽元年（2BC）傳入中國後，即被加以改造，其基本教義爲儒家所吸收，逐漸完成了向「此世性」文化的轉變。例如，在時間取向上，變得不再執著於彼岸關注，而是更多地注重此生。人們大多「臨時抱佛腳」，對「佛」抱一種實用的態度。歷史上，力主上接於天道、下接於倫常的宋明理學對佛教的批判，其實也是中國文化中人倫此岸對於佛教彼岸的批判。換言之，在中國古代，即便是充分彼岸化的異域宗教，也要被納入現世人倫的解釋中來。同樣，中國古代的佛教分類目錄也把它的根牢牢地扎在現世人倫之中。梁啓超在《佛家經錄在中國目錄學之位置》中總結佛錄方法有四大優點，「一曰歷史觀念甚發達。凡一書之傳譯淵源、譯人小傳、譯時、譯地、靡不詳敘。二曰……」。「歷史觀念甚發達」被列爲中國古代佛家分類目錄四大優點之首。誠然，東晉釋道安《綜理衆經目錄》」編製法是「始述名錄、銓品譯才，標列歲月」（《出三藏記集》卷二）。法經《大隋衆經目錄》著錄從漢朝安世高到西晉末法立共十七家，依譯人年代先後逐家彙列等等。分類學文本上的這種歷史觀念甚發達，本質上正是中國化了的佛教的歷史觀念甚發達的體現。它顯示了對現世感性世界的強烈關注。所以，唐釋智昇在《開元釋教錄·序》中說：「夫目錄之興也，蓋所以別眞僞，明是非，記人代之古今，標卷帙之多少，摭拾遺漏，刪夷駢贅。欲使正教倫理，金言有緒，提綱舉要，歷然可觀也。」佛教分類學文本的這種對現世感性世界的關注，集中體現了中國古代圖書分類學的人倫取向，表現出人倫之「美」。

第三，古代分類學之「善」。

中國古代圖書分類學不以「眞」爲旨歸，它通過用心良苦的類目設定，求得一種「治心」和「教化」的審美效果。同樣，古代分類學通過對若干文獻的整序而形成的文化景觀，也帶給了人們一種與道德相聯繫的審美愉悅，這種美不再是形式美而是內涵美。美以善爲其內容，善以美爲其形式，二者高度統一。有時，美甚至直接等同於善。分類學文本一旦遵守了善的原則——文獻據其內容分別出「治心」和「教化」的功能大小——那麼，由此形成的一幅分類學圖景就同時也是美的。這兒，美本身並不是目的，治心和教化的倫理之善纔是目的。孔子有言：「里仁爲美」、「人而不仁，如樂何？」可見，道德價值之「仁」是和審美價值之「樂」相統一的。這種統一性根源於美所具有的美感與作爲倫理基礎的道德價值之間的相通。所以，中國傳統文化哲學中的審美價值觀總是強調美與善的高度統一，總是把美的價值和道德的價值聯繫在一起，要求「文以載道」、「情理統一」、

「里仁爲美」等等。古代分類學也相應地要求「申明大義」，成爲「明道之要」。而古代所謂的「善」是以儒家倫理觀念爲基本取向的。因此，作爲「明道之要」的古代分類學集中表現出了超越「甲乙簿錄」之上的倫理追求與倫理實現。這種倫理性，也事實上構成了古代分類學的「善」之所歸。

中華民族是世界上各大民族中最重視倫理道德的民族之一。這一點深刻地影響了中國古代分類學的基本價值取向。古代分類學的這種倫理基點，與中國古代的宇宙觀、社會觀和人生觀相一致，影響了古人對於分類學的基本理解。爲倫理而分類學——這在古代分類學中表現得極爲充分。古代分類學旨在通過文獻分類而「寓褒貶，多甄別」。例如，《舊唐志》將《三國志》拆分爲三部份，列《魏志》於正史，而列吳、蜀二志於僞史類。《開元釋教錄》記前涼張氏歷史時遵用兩晉年號，以示前涼與晉的從屬關係。《隋志》將紀傳類史籍列入正史，但田融所撰《趙書》十卷雖亦爲紀傳體，卻由於趙是少數民族的政權，在「華夷之辨」的觀點支配下而列入霸史類之首。……可見，古代分類學是以文獻內涵的現實倫理價值爲基本編碼依據的。用心良苦的類別設定，正是對文獻價值的用心良苦的挖掘。與此同時，整個分類學系統也進化爲一套倫理學的意義系統和價值系統。古代分類學準備從「文獻整序」這一有限形式提升到對「大道」的推求，以實現儒家經世致用的人倫理想。倫理之人制定倫理之分類學、完善倫理之人生，這是古代分類學的本體論，也是它的目的論。唯其如此，古代分類學纔能「其教有適，其用無窮」。

中國傳統哲學價值觀的本質特徵是「道德價值中心論」或「道德中心的價值論」。它主要從現實人的道德價值的角度去衡量、揭示和闡發人的功利價值、眞的價值、美的價值等不同的價值表現形式。道德價值是其它一切價值形式的根本內容和本質特徵，它集中表現爲對「善」的無比堅定的追求。受惠於此，古代分類學和其它傳統文化類型一樣，也都是通於政、歸於善的。張岱年先生曾經指出：「中國哲人認爲眞理即是至善，求眞乃即求善。眞善非二，至眞的道理即是至善的準則，即眞即善，從不離開善而求眞。並認爲離開善而專求眞，結果祇能妄得，不能得眞。爲求知而求知的態度在中國哲學家甚爲少有。中國思想家總認爲致知與修養乃不可分，宇宙眞際的探求，與人生至善的達到，是一事之兩面，窮理即是盡性，崇德亦即致知」（《中國哲學史大綱》，北京：中國社會科學出版社1982年版，P7）。而最終的善之所歸，又不是什麼外加的倫理規範，而是生於內的心之善。所以善之歸其實便是心之歸，即所謂「足以感動人之善心」。因此，古代分類學主張「不見古人之面，而見古人之心」；主張「即類以明學，由流而溯源，庶幾通於大道之要」……分類學編碼主體的倫理積澱被解碼主體所領悟，兩者經由分類而完成了通政致用的倫理融合。這樣，見之於社會群體的倫理規範與見之於個體心靈的情感動力就獲得了統一。

衆所周知，在西方倫理學傳統中，倫理或是以其現實性與宗教的彼岸對立；或是以其社會群體與個體人的心靈相對立。反映在西方分類學上，則表現爲對倫理的堅定排斥。西方分類學總是設法遠離倫理，力求客觀、公正、科學地組織起文獻，做到「天才著作和下流作品同樣都是分類學系統中的一個號碼」。從這一意義上說，中西方分類學的根本區別即在於各自對待日常倫理的不同態度。正像中國傳統文化不是以知性分析見長一樣，現實倫理與分類學的西方式的對立，在中國古代分類學理論和實踐中也不存在。古代分類學的文獻整序活動，始終表現出一種融於倫理定性的社會規範，分類學與倫理學總是渾然莫分。人們對文獻的整序，總是基於文獻內涵的意義和價值，把最有利於人倫的那部份突出外來，實現出來。分類學家總是活躍於他自己建構的文獻（進而是世界和人）合理性中，而文獻（進而是世界和人）的合理性又總是源於一定的解釋。因此，不同的分類學，本質上反應了分類學家對現實世界和理想世界之間的不同的區分過程。

㈢對古代分類學之價值觀的評價

綜上，古代分類學以人倫理想爲基本追求，喜悅於這一追求的實現，或沉鬱於這一追求的失落，這一點構成了古代分類學屢試不爽的表達效果。古代分類學和現代分類學之間的差異是非常明顯的，而當我們進一步追問這種明顯的差異何以形成時，便不能不把它歸諸東西方文化精神中的不同的倫理價值取向。古代分類學致力於文獻的屬性、規律同「人的尺度」之間關係的認識，屬於「價值認識」，進行價值評估，解決價值問題。它將若干未經組織的文獻形成一個價值序列，本質上意味著世界和人的價值性存在。價值是人類生命活動中所特有的現象，也可以說是因人而存在，爲人所特有。人的欲望、需求乃至整個人類生命活動的本性，對價值的實現起到了不容忽視的作用，呈現出主體性特徵。現代分類學從形式和邏輯的角度機械主義地組織起文獻，是對文獻的一種客觀、公正和科學的實體論處置，是對文獻事實的屬性、規律的認識。它旨在把握「物的尺度」，屬於「事實認識」。它設法從形式和邏輯的角度提供一個保持文獻秩序的系列，本質上意味著對世界和人的形式化、邏輯化知解。古代分類學表面上也追求某種客觀、冷靜的文獻編碼和解碼效果，做到「類例既分，學術自明」等等，然而，在更高層次上，文獻在分類學體系中的類別位置的當否祇是一種手段。手段背後還有更爲本質、更爲核心的道德價值目標，具有至上的性質。當兩者發生矛盾不能兩全時，便應犧牲前者實現後者。這樣，後者作爲一種精神價值，就成爲古代分類學的內在本質。

若從理論上加以審視，可以發現古代分類學的價值型特徵包含著正負兩方面的效應。一方面，這種價值性包含著主體知識結構、思維方式、價值觀念、情感、意志、目的等主體範疇對文獻整序工作的實際影響。亦即，古代分類學包含著主體意識的作用，因而主體性包括主觀性。事實上，正是由於主觀性，纔使得主體能夠對客體文獻信息進行抽象概括。從現象到本質，可以超越客體文獻信息的文本內容的限制，進行想像、預測和創造性思維，設計出理想的超文獻文本的文獻整序體系：分類學文本。另一方面，古代分類學要實現主觀價值目標，不僅要使主體認識活動符合自身的利益、需要，還必需尊重客觀規律，從被整序的客體文獻的實際內容出發（因其「器」而有斯「道」）。不僅要遵循主體尺度，還要遵循客體尺度，受客體制約，尊重客觀規律。所以，主體性內在地包含著客觀性。

古代分類學在維護自身的「爲治之具」、「大道之要」的價值性目的時，也同時考慮到如何使自身的文獻整序工作更加客觀、公正和「科學」。如《漢志》對《七略》個別類目進行「入」、「出入」、「省」等調整。「入」是新增；「出入」是調整歸屬，如《兵書略·兵技巧》「出司馬法入禮也」；「省」如《兵書略》總計中寫道：

「省十家二百七十一篇注」，這是由於這十家與其它「略」中有重覆，因即省家省篇。《史記正義》引《七略》說：「《管子》十八篇，在法家」，而《管子》在《漢志》中則入「道家」。又如，《隋志》以《七錄》爲藍本，然亦「或合並篇目，或移易次第」（姚振宗，《隋書經籍志考證》），特正史、古史、雜史、起居注四篇更不用《七錄》體例；鄭樵《校讎略》對《漢志》等分類學文本的或抑或揚；明焦竑《國史經籍志》末附《糾謬》一卷，考正《漢書》、《隋書》、《唐書》、《宋史》諸藝文志及唐《四庫書目》、明《崇文書目》、《藝文略》、《經籍考》、《郡齋讀書志》九家分類之誤；清錢大昕《隋書考異》、《十駕齋養新錄》都對《隋志》有正誤、補缺，其中有不少是就分類而言的；姚振宗作《隋書經籍志考證》五十二卷；清人章宗源也作《隋書經籍志考證》十三卷；章學誠《校讎通義》折衷各家，考證原委，以彰明分類學宗旨，指陳了劉向父子、鄭樵、焦竑的學術得失；《四庫總目》在凡例、類序、案語及提要中也都較爲系統地指出和研究了分類學方面的具體問題。如在提要中論述分類，多首先考證某書過去的分類得失……所有這些努力，都是古代分類學力求分類客觀性的明證。因爲，祇有保證必要的客觀性，纔能實現使文獻整序行爲爲主體服務的價值目標。祇有在充分掌握了客觀規律以後，纔能更好地使客體爲主體服務。所以，主體性內在地要求從實際出發，亦即，主體性內在的包含著客觀性。主體對客觀規律把握越好，其思想、行爲越是符合客觀規律，主體性越強。

古代分類學和現代分類學的差異，本質上是中西方文化差異的產物，體現了中西方完全不同的運思方式和價值取向。中國古人通過對文獻的特定分類而賦予文獻以特定的意義。類分和賦予的過程表現出強烈的重德精神、民本精神、倫理精神和超越精神。這種人文性的分類學完全是古代傳統文化人文性的一部份。因此，古代分類學儘管不「科學」，但仍然是一種極其理智的行爲：即通過分類而賦予文獻以理性的意義。具體文獻類別在表面上的主觀性、歧義性，其實都是按照早已被人們認可的人倫法則（而不是知性法則）進行的。具體文獻的具體分類一開始就有一種系統化、定型化的傾向。宏觀上，分類學家提供的一套分類學系統，乃是人對自身文化行爲中的理智性的發現，也是對於理智性存在於分類學系統中的肯定。事實上，分類學系統的本旨即在提供一套適應分類與思維發展的系統。各類序、提要、凡例、案語等等以及像《校讎略》和《校讎通義》那樣的學術專著，其中心思想即在找出分類理據性。祇不過這種有理可據的分類學行爲要同時受到分類學原則和人倫價值原則的雙重制約而已。

古代分類學通過對文獻的「準確」歸類而賦予其超文本的意義。然後，所有具有確定分類位置（從而具有確定意義）的文獻共同構成一幅天人合一而又以人的政教人倫爲中心的圖式。每一個古代分類學體系——它對每一文獻意義的用心良苦的確定；它的尊經、重史、輕子、鄙集的深層意蘊等等——無不盡顯天人合德的人文性，本質上無不是通過分類模式而給出一種看待世界的基本眼光。古代分類學體系暗示著人們對整個世界的某種文化把握，它不再僅僅是機械的文獻整序形式，而且還形成了一種獨特的文化力量，代表了對世界的某種基本理解。類分文獻意味著從客體文獻內容到主體人的觀念加工，進而意味著在承認客體世界形和體的同時，充分肯定了人的認知作用。古代分類學充盈著主體人的認知、評價、審美、信仰、情感、意志、目的等等，因而在整序文獻、賦予文獻以主體意義和價值的分類學實踐中，主體也得到了改造和發展。這就是主體客觀化過程中同時進行的客體主觀化的過程，這個過程使主體本質力量不斷發展，主體性逐步加強。而文獻檢索的實際解碼過程，也是解碼者運用價值性尺度進一步對特定的社會結構、意識形態、人倫規範、天人關係等等更為廣泛而深刻的人生內涵的認同過程。分類學的具體操作技能被內化為主體的觀念，它不再是「一掌故令吏足矣」的技術活動。這樣，文獻編碼主體纔能夠通過分類學的文獻整序活動，和另一個正是作為主體的文獻解碼者發生聯繫，反映出文獻編碼者和解碼者之間的相互作用關係。

中國古人將自己對世界的理解，透過特定文獻的匯通和條理而固定下來，成為人的主觀世界的一幅藍圖。分類觀成為人們的世界觀的一種重要基礎，成為人們認識世界、體驗世界的一種重要方式。因而，也構成了漢民族認知世界的一種結構化運作。古代分類學在「條別學術異同」的同時，還要求能「推闡大義」，通過將若干未經組織的文獻形成一個長遠保持秩序的意義序列之形式，達到為世界和人提供一個長遠保持秩序的價值序列的高度。每一個分類學系統都力求將個人對文獻意義的理解，以系統的形式向全社會推廣。官方的書目分類系統則代表了當時統治者的價值取向和理性判斷。本質上是要在一個社會中維繫著同一的文化觀、價值觀乃至信仰，因而也是傳統文化中天地人三道統一觀在文獻整理實踐中的集中體現。掌握了分類，也就掌握了文獻的秩序，進而也就掌握了天道人倫的秩序。所以，圖書分類學在中國古代一直很受重視。《七略》以來，大規模、全國性圖書分類活動差不多和「書同文」一樣，構成了政府的一項重要職能。其最終目標是欲為人們確立一個統一的情感交流對象，然後再使人從這個統一的目光來看待世界和人。它把人的生活引到了一個嶄新的高度，使他們從中發現了一種肯定的力量：人與世界的正義、道德聯繫在一起，人應該為一種神聖的力量而生活，並使生活獲得神聖的意義。這種以價值觀為取向的古代分類學遂超越了文獻整序的範圍，啓迪了人們一種積極的人生態度。

第三節　從古代分類看傳統文化

文化信息的傳播、交流和延續構成了人類社會得以生存並繼續發展的先在條件之一。人生活在各種文化信息之中，既為它所制約，又要改造、超越它。在中國古代，記錄各種文化信息的文獻，在數量上眞正是「汗牛充棟」、「浩如煙海」。方厚樞先生估計「我國古書的總數約有七、八萬種之多」；楊殿珣先生又作「可能有十五萬種左右」的約略估計（來新夏，《古典目錄學淺說》，北京：中華書局1981年版，P44）。如此衆多的文獻祇能給予我們一些雜亂無章、川流不息的印象。祇有分類學系統纔能將它們疏通理順，使之系統化。古代分類學正是一個用來組織傳統文獻（文化）的體系。分類學系統不僅迫使人們接受一定的文獻整序樣式，而且還影響了人們的文化理解方式。我們這樣或那樣看到、聽到和感到的一些古代文獻（文化）現象，主要是由古代分類學系統預先規定了的一定的表達方式所導致的。誠然，古代分類學不能定義在一個狹窄的範圍之內，它有廣泛的職能和文化聯繫。我們認為，一定時空條件下的分類學系統完全是相關文化的基本積澱和反映。分類學系統的界限就是文化的界限，文化的各個層面都可以與分類學系統表現為一定的關係。這樣，我們就可以從古代分類學入手去討論它是如何對中國古代傳統文化發生作用和影響的。

㈠從具體的意義上來看

古代分類學始終在「文化」的層面上展開理論和實踐活動。如《七略》的解題。劉氏父子在敘錄中不僅介紹著者生平，敘述學術源流，辨別書的眞僞，還闡明書的內容，並加以分析、批判和評價，從而決定「皆可觀」、「亦有可觀者」或「可常置旁御覽」等等。自然，這不是針對一般讀者，而是對他們所服務的封建統治者而言的。衆所周知，分類類別和敘錄解題是表和裏的關係，兩者是平行和一致的。這在本質上也是肯定了分類對文獻文化的實際影響。

鄭樵認爲分類學首先具有記存古籍，傳佈圖書的重要職能。他說：「士卒之亡者，由部伍之法不明也；書籍之亡者，由類例之法不分也。類例分，則百家九流各有條理，雖亡而不能亡也」；又說：「自漢以來，書籍至於今日，百不存一二，非秦人亡之也，學者自亡耳」（《校讎略·秦不滅儒學論》）。而如果有了較好的分類編目工作，就能收到「人有存沒而學不息，世有變故而書不亡」的效果。顯然，鄭樵是將書籍的亡佚，委過於分類法之不明的。其《通志·總序》云：「書籍之散亡，由編次之無紀」；《通志·圖譜略》云：「若無部伍之法，何以得書之紀」。

鄭樵認爲分類學對文化的另一個作用是：分類條理化是知識和眞理的根本前提，分類爲人們勾勒出了當時文化的全部，以便於人們站在更高的層次上陳述著文化世界。分類學系統形成了一個自足的統一領域，具有一種整體能量。鄭樵說：「類例既分，學術自明，以其先後本末俱在」；又說：「睹其書可以知其學之源流」。他在《校讎略·編次必記亡書論》中說：「古人編書，必究本末，上有源流，下有沿襲，故學者亦易學，求者亦易求」。《通志·總序》云：「學術之不明，由源流之不分」。鄭樵還在《藝文略》乃至《圖譜略》、《金石略》中具體實踐了由分類指明學術源流的這種文化意旨，即所謂「總十二類，百家，四百二十二種，朱紫分矣」；「散四百二十二種書，可以窮百家之學，斂百家之學，可以明十二類之所歸」（《校讎略·編次必謹類例論》）。

可見，在鄭樵眼裏，分類學對文化的主要影響是流佈圖書和辨別學術（後者實爲清人章學誠「辨章學術、考鏡源流」思想之先導）。鄭樵說：「學之不專者，爲書之不明也；書之不明者，爲類例之不分也」（《校讎略·編次必謹類例論》）。分類學對於圖書的流佈和文化的傳承，起到了巨大作用。

余嘉錫先生在《目錄學發微》中認爲古代書目分類的文化功能表現在：一曰以目錄著錄之先後，斷書之眞僞。二曰用目錄書考古書篇目之分合。三曰以目錄書之部次定古書之性質。四曰因目錄訪求闕佚。五曰以目錄考亡佚之書。六曰以目錄書所載姓名卷數考古書之眞僞。並一一舉出例證予以說明。余先生最後總結說：「雖然，以上所言數事，皆是用之以考古，則或疑爲考證家專門學問，非普遍學人之所需。然目錄之學爲讀書引道之資，凡承學之士，皆不可不涉其藩籬」（《溯源篇》）。

來新夏先生《古典目錄學淺說》則將目錄學的作用概括爲：一、掌握古籍總的基本狀況。二、了解圖書的本身狀況。三、粗知學術源流。四、指示門徑和輔導讀書（第一章，第一節，目錄學的作用）。來先生最後亦總結說：「學者們對於目錄學的種種見解和不同形式的實踐活動，表明了他們重視目錄學的態度，也反映了目錄學在推動學術工作上的重要作用」（同上）。古代目錄學是以分類的形式組織文獻的，因此目錄學的上述文化功能也即分類學的文化功能。

總上，古代分類學構成了傳統文化的有機組成部份。中國古代有著五千年的文明史，燦爛的中華民族文化對世界文明的巨大貢獻是有目共睹的。而作爲傳統文化認知模式的古代分類學，可以提供對傳統文化加以全新理解的有效視角。分類學的形成及其歷史過程、它們的特點等等，不祇本身有意思，而且還有診斷價値，可以幫助我們了解特定的文化問題。今試舉二例。

第一，從《漢志》證知《別字》即《方言》，它確爲漢人揚雄所作。

《方言》是我國最早的一部方言比較名著，考定《方言》的作者與寫作年代，對確定《方言》反映哪一時期的方言現象與聲韻現象無疑具有決定意義。但自宋人洪邁於《容齋隨筆》中疑《方言》非揚雄所作，《方言》作者遂成一大懸案。今考《漢志·小學》之著錄，悉抄如下：

《史籀》十五篇。周宣王太史作《大篆》十五篇，建武時亡六篇矣。

《八體六技》。按顏師古注引韋昭曰：「八體，一曰大篆，二曰小篆，三曰刻符，四曰蟲書，五曰摹印，六曰署書，七曰殳書，八曰隸書。」

《蒼頡》一篇。上七章，秦丞相李斯作；《爰歷》六章，車府令趙高作；《博學》七章，太史令胡毋敬作。

《凡將》一篇。司馬相如作。

《急就》一篇。元帝時黃門令史游作。

《元尙》一篇。成帝時將作大臣李長作。

《訓纂》一篇。揚雄作。

《別字》十三篇。

《蒼頡傳》一篇。

揚雄《蒼頡訓纂》一篇。

杜林《蒼頡訓纂》一篇。

杜林《蒼頡故》一篇。

凡小學十家，四十五篇。入揚雄、杜林二家二篇。

可見，《漢志》小學類中有「《別字》十三篇」，未明著撰人。今由《漢志》分類著錄慣例可知：首先，凡同一個人的作品都放在一起，中間沒有插入他人作品的情況。對同一人的作品，《漢志》祇在第一作品下注撰人名，下面作品便略而不注（唯一的例外是：「春秋類」中有《左氏傳》30卷，下注「左丘明，魯太師」。又有《國語》21篇，下注「左丘明著」。兩者中間隔十七家。原因是《漢志》書目編次乃以《七略》爲藍本，「刪其要，以備篇籍」而成，小注則悉爲班固所加。班固認爲《左傳》和《國語》均爲左丘明作，事見其《司馬遷傳贊》和《律曆志》。但劉氏父子不以爲然，所以《七略》把二書分開編排。班固《漢志》本《七略》，原有書目次序一律不更動，而補寫小注出以己見）。其次，《漢志》統計家數和篇數方法有二。一是以「書」爲單位計數，一本著作即爲一家，同一作者有幾本書，就算幾家，如陰陽家中的鄒衍、雜家中的劉安等等。二爲以「人」爲單位，一個作家即爲一家，同一作家不論幾種書，都算一家。如「詩類」中《韓內傳》4卷和《韓外傳》6卷，均韓嬰所作，衹算一家；「小學類」中《史籀》15篇一家；《八體六技》一家；《蒼頡》一篇爲一家；李斯、趙高、胡毋敬三人作品合集，爲三家；《凡將》一篇爲一家……共十家。這裏，顯然是將《訓纂》、《別字》、《蒼頡傳》、揚雄《蒼頡訓纂》四種書算成了一家。由此可以證知，《別字》確係揚雄作品。（參見東景南，《《別字》即《方言》考》，《文史》，1995.39）

第二，由《漢志》考「小說家」之眞義及其對後世小說之影響。

《漢志·諸子略》：「小說家者流，蓋出於稗官。街談巷語，道聽途說者之所造也。孔子曰：『雖小道，必有可觀者焉，致遠恐泥，是以君子弗爲也』。然亦弗滅也。閭里小知者之所及，亦使綴而不忘。如或一言可採，此亦芻蕘狂夫之議也」。劉班將小說家與儒家、道家、陰陽家等諸家並列爲諸子略，認爲它們「各推所長，窮知究慮，以明其指，雖有蔽短，合其要歸，亦六經之支與流裔」。由此可以推知：

第一，小說家應該是與儒、道等諸家相並列的諸子百家之一，在當時並非當作文學作品，故「小說」亦非文體名。小說家和其餘九家一樣，是爲政治教化服務的。劉班說：「諸子十家，其可觀者九家而已」，雖將小說家摒於可觀者之列，但仍可備一「說」，衹是「小」罷了。它與其餘諸家衹有量之別而沒有質之別。所以，《隋志》論析諸子時也說：「儒、道、小說，聖人之教也，而有所偏……若使總而不遺，折之中道，亦可以興化政治者矣」。明胡應麟《少室山房》也說：「漢藝文志所謂小說，雖曰街談巷語，實與後世博物、志怪等書迥別。蓋亦雜家者流，稍錯以事耳」。

第二，小說家重「說」。《漢志》所著小說家之首篇爲《伊尹說》27篇。《史記·殷本紀》云：「伊尹……以滋味說湯，至於王道」。後人多據此以爲《呂氏春秋·本味篇》出自小說《伊尹說》。《本味》介紹了伊尹的事迹，主體是伊尹向商湯述說天下之至味，極盡誇飾之能事，仍與政教有關。這種以「說」命名、且以「說」爲「小說家」之本色的例證，還可以從《天乙》、《鬻子說》、《黃帝說》、《封禪方說》等見著於《漢志》的作品及其班注中讀見。

第三，小說家之作品多記瑣事異事，民風民俗，寓言故事等，並藉以說明道理。蓋前人所輯《漢志》十五家小說的遺文多是。

第四，小說家有獨特的語言風格。對比於墨家的尙質無文、道家的想像奇特、法家的犀利嚴密、縱橫家的誇飾鋪張、儒家的圓潤融通等等，小說家其語淺薄，迂誕依託之辭甚多。《漢志》所著小說家中，《伊尹說》27篇班注：其語淺薄，似依託也。《鬻子說》19篇班注：後世所加。《師曠》6篇班注：見《春秋》，其言淺薄，本與此同，似因託之。《天乙》3篇班注：天乙謂湯，其言非殷時，皆依託也。《黃帝說》40篇班注：迂誕依託……可見，《漢志》特別重視對小說家言語風格的強調。再有，劉向所序67篇（包括《新序》、《說苑》、《世說》、《列女傳頌圖》）皆入儒家，但其所輯撰之《百家》39卷則入《小說家》。據劉向自己說：「所校中書《說苑》雜事，……除去與《新序》覆重者，其餘者淺薄不中義理，別集以爲《百家》」（《說苑·敍錄》）。《百家》之降爲小說家類，顯然跟它的語言特點有關。

由此可知漢代人對「小說家」的認識和解釋。漢人的觀點通過書目分類的形式，對後世之作爲文體名的小說的形成、其內涵的變化等等產生了深遠的影響。後人一方面認爲小說不登大雅之堂，但又覺得小說並非完全無可取。於是又轉而強調其「可觀之辭」的另一面，旨在以通俗語言，鼓吹經傳，強化小說作品的教化意識和社會功用。如凌元翰《剪燈新話序》云：「是編雖稗官之流，而勸善懲惡，動存鑒戒，不可謂無補於世」。紀昀《閱微草堂筆記·灤陽消夏錄·小序》云：「小說稗官，知無關於著述，街談巷議，或有益於勸懲」。又《筆記·姑妄聽之》盛時彥跋語亦云：「嘗謂先生諸書，雖托諸小說，而義存勸戒，無一非典型之言。」

㈡從觀念層次上對文化的影響

分類學對人類文化的影響不僅僅停留在具體例證之上，它還在觀念層次上影響了製造和使用它的分類學行爲主體的文化性格。分類學系統遂可視爲特定歷史時期之文化價値和心氣系統的外部表現。一般地，每一部具體的分類學體系都是歷史的、具體的、行爲主體主觀創造的，本質上反映了行爲主體對當時所有人類文化的一種主體設計方案。對分類學的研究有助於理解特定時期人們的心理結構及其過程的性質。

圖書分類學是人類文化和世界秩序的反映，它建構了人類的文化知識世界，而後者又是客觀現實世界的反映。因此，圖書分類學與現實的經驗世界之間的關係也異常密切。客觀世界是文化知識和文化認知的基礎，現實生活中的人不可能全然依靠直接經驗來接觸和認識客觀世界，而必須同時借助於反映在文獻中的間接經驗。因而也就有必要借助於整序文獻的圖書分類學來對客觀世界進行適應和改造。並在此基礎上，重構一個與分類思維模式同構的「客觀」世界。因此，有什麼樣的圖書分類學體系，往往就會產生什麼樣的「客觀」世界。不同的分類學體系代表著對現實世界的不同的觀念體系。分類學是一種文化最有價值的創造，分類、文化、思維三者之間存在某種直接的聯繫。通過對古代分類學系統的分析，我們發現，把古代的傳統文化乃至整個社會生活看作可以用同樣方式分析爲分類學標識的純粹整序系統，不僅是正確的而且也是可行的。作爲傳統文化認知模式的古代分類學，可以提供對傳統文化本身加以理解的嶄新視角，可以洞察出隱伏於不同分類學體系底下的不同的觀念體系。分類學和哲學、科學、藝術、宗教一樣，都是現實和思想的體現。由此，分類學研究遂成爲對傳統文化作徹底研究的重要部份。

就中國古代圖書分類學而言，其分類的表層結構直接反映了意義結構，而後者又直接等同於中國古人的觀念結構。因此，我們可以將中國古代圖書分類學看成是按特定社會的文化所規約起來的觀念內容，本質上反映了我們先賢從觀念上看待現實的獨有特點。雖然，整序文獻並進而整序文化的職能，爲古今中外各種分類學體系所共有，但特定的觀念和思想卻是各種分類體系所專有。換言之，由於分類體系不同，它們所理解的現實、它們背後的思維和觀念也就各異。而通過對古代分類學系統的研究，我們可以洞察出漢民族在觀念思維上的獨有特點以及看待現實的特有方式。

第一，對中國古人的認知影響。

正像現實世界不排斥感性經驗一樣，分類的若干原則也往往來自對普遍基本的人生經驗的領會。分類學因此而可以折射出主體人的認知特點。如時間順序原則。它表現爲：二個文獻單元在線性平面上的相對順序取決於它們產生的歷史先後次序，即先產生的文獻排在後產生的文獻之前。由於時序原則直接建立在人類生理感知基礎之上——現實生活中，人們習慣於將先產生的事件或項目排在後產生的事件或項目之前——使得分類學編碼和解碼的過程顯得簡單、可感，因而被古今中外各種圖書分類學文本所廣泛採用。

按時間先後發生的文獻在各種分類學文本中常常按相應的先後次序處置，從而將有明顯或隱含時間關係的文獻構成一個時間維度的順序。然而，中國古代圖書分類學除了遵守現實的時間順序原則之外，還遵守一條「想像的主觀心理時間軸上的時間順序原則」。在中國古代，文獻可以有眞實的時間順序，也可以沒有，但往往被處理爲好像按眞實的時間發生（詳第三章第三節）。眞實的時間可能是所有分類學體系的共同發明，但想像的時間卻是漢族人的獨特發明。由此可以看出中華民族觀念世界裏獨有的時間順序法則。我們從古代分類學體系中發現的這種獨特的「想像時序原則」，和在對漢語語法中分析而得的時序原則是一致的，漢語中也同時遵守著現實的時序和想像的時序這兩套法則（Hsin-1　Hsieh（謝信一）著，葉蜚聲譯《漢語中的時間和意象》（上、中、下，分載於《國外語言學》1991.4期，1992.1期，1992.3期）。可見，古代分類學體系確實能夠創造自己的本體，並擺出對世界的獨有看法。它的那些被認爲是普遍的事實或思想的表述，其實不僅是約定俗成的標簽，而且還能夠反映其所理解的事實或思維的結構。

古代分類學的感知原則還有很多，比如「以人立類」問題，如果我們致力於對它們進行相應性分析，同樣可以揭示出古代分類學的獨有思維特徵以及被古代分類學所描繪的文化世界裏的現實。

第二，對中國古人的理性影響。

不同的分類學系統承載著不同的文化理解和不同的世界觀。從古代分類學入手，不僅可以查找出埋藏在分類系統表層樣態底下的漢族人的獨有認知特點，還可以查找出古代分類學系統底下的理性觀念的內部連貫性。

分類學從根本上反映了行爲主體對現實的不同看法。西方的理性分類思維包含著數學意義上的任何抽象符號的算法操作，它將分類學系統視爲一定規則的形式系統，並受制於結構主義的形式框架。從標識和內容的對應關係和反映能力入手建立分類學體系，從而使得分類學體系本身墮落爲一門邏輯和數學的簡單練習，永遠超不出符號的王國。中國古代圖書分類學代表著另一種迥異於西方分類學的理性原則和精神。如，由《七略》的一些基本分類學原則——諸如，將經部列爲第一大類；把自然科學斥爲數學、方技之列；諸子略中又以「儒家者流」居首等等——可以察見其隱含的中心思想是「罷黜百家，表章六經，推崇儒術，實行思想統治」。《七略》的這種理性認知特點，是以現世人倫爲取向的。杜定友《校讎新義》卷七云：「歷來目錄學之誤」，「傳統觀念階級思想之深也」（上海：中華書局1930年版）。其實，中國古代書目分類學的最根本的理性特徵正在於始終表現出了對以儒家倫理思想觀念爲主體的某種倫理追求與倫理實現。古代分類學之倫理觀的根本目的就是爲了說明人的倫理存在。由古代分類學之文獻整序方式，可以推知漢族人組織經驗的理性手段。

現代分類學植根於對科學理性的推崇，邏輯經驗論獨斷分類學的所有領域。文獻（人類知識）被認爲祇能從邏輯上加以考察；分類學理論是由客觀描述及普遍法則組成的公理系統，這就將價值取向排除在了分類學知識之外。它在本質上對應於西人的科學方法論傳統：認爲人類生活和社會的各個方面都可以是思維和分析的合適對象，凡不能由觀察來證實或證僞的陳述皆無意義。中國古代圖書分類學之文獻整序方式，隱含著漢族人對經驗世界的特殊組織方式。古人認爲文獻並不是適合觀察的對象，理性分析對分類學理論也並無明確的決定關係，分類編碼者和解碼者對文獻的認識充斥著大量非客觀的因素。人的意向——如形上學信念、意識形態、宗教信仰等等皆成爲影響古代分類學的因素。古代分類學重視對分類對象的內在精神的揭示，本質上對應於中國人的那種以人文科學爲組織經驗的手段。中國古代分類學無疑揭示了中國古人的這種獨特的哲學思考。

綜上，我們初步討論了圖書分類學與人類文化認知及其觀念結構和經驗世界之間的關係。分類、文化和現實之間是等價和同構的，有不同的分類學就有不同的文化、經驗和世界觀。因此，如果給分類學以一定的理據，認爲它構成了一定的意義——標引編碼者正是通過這個類別樣態來理解他們眼裏的現實世界的——則分類學能夠並且必定是這種思維和現實的反映。相應地，文化的本質也可以從分類學的運用中獲得和形成。我們擬從整體性和誤導作用兩個方面進一步討論中國古代圖書分類學對傳統文化觀念的影響。

首先，中國古人的整體認知意識。

中國古代圖書分類學系統的一個重要特徵之一是集合具體文獻進行分類，旨在通過對古今有無的所有文獻的全部呈現及其準確分類，形成一幅文化全景圖。所有單個文獻都作爲總體文化背景上的一部份而存在，它們密切聯繫，相互襯托。這樣，就可以從文獻內容上揭示出各具體文獻在整體文化背景上的映射位置和彼此關係。由此，書目分類學系統形成了一個自足的統一領域，具有一種整體能量。

中國古代圖書分類學正是一種把握全局式的綜合性知解的整體體系，它著眼於分類學系統的整體精神。王充《論衡》卷十三云：「六略之錄萬三千篇，雖不盡見，指趣可知」。文化現象滲透到了分類學的各個層面，分類學系統是使各個文化領域統一於一個文化整體的基礎和依據。分類學系統將當時所有的文獻（文化）都納入到一個統一的系統之中，並對各種類型文化之間的先後次序、根本關係等基本問題提出了某種根本看法和處理意見，因而具有一種哲學眼光的審愼。每一個文獻單元都不再是形態上自足的、與其它文獻斷然不相涉的封閉單位，而是內容上彼此密切聯繫的開放體系。我們必須充分聯繫「類」、「類表」、以及總體系的意義關聯，來對每一個個別文獻加以理解。古代分類學注重整體，它不計較細節上的技術性處理和分門別類的精確，而是追求融會貫通的全面。因而分類系統的類別設置常常模稜兩可，亦不用嚴格的形態標識來限定體系。它強調「即類求書」，通過文獻內容在整體文化背景上的對應關係來組織、排檢文獻。同時，每一文獻也可以通過自身的內容特徵獲得文化背景上的整體認同，從而確保每一個別文獻都不是孤立的。

「類」不僅是古代分類學的關鍵依據，也是古代分類學工作的重要指標。所謂的「類」是完全著眼於文獻內容的。部類、序類、經類、大類、小類、類列等等沒有一個「類」字不和內容有關。古代分類學的文獻整序方式，就是從文化整體出發，通過對各「類」文獻的層層關照，用演繹的形式「以大觀小」，逐次安置文獻的不同位次。它要求：「俾覽之者如入群玉之府而閱木天之藏，不特有其書者稍加研核，即可洞覽旨趣；雖無其書者，味茲品題，亦可粗窺端倪，蓋彌見洽聞之一也」（馬端臨，《文獻通考·經籍考·自序》）。即如鄭樵所謂：「睹其書可知其學之源流」；「觀其類例，亦可知兵，況見其書乎？」……。

古代分類學以體系——類列——單元的單向度逐層決定，作爲分類組織的內在原則。每一文獻單元都是密切聯繫類列和體系的邏輯事理發展的產物。比如《四庫全書總目》史部地理類的分類原則：「首宮殿疏，尊宸居也。次總志，大一統也。次都會郡縣，辨方域也……次外紀，廣見聞也」。(《四庫總目·史部地理類序》)。這兒，皇城、宮殿、總志、都會、郡縣、外紀等不同內容的地理著作，其次第原則即是以總體地理學價值選擇的逐級決定爲依據的。古代分類學從體系看類列，從類列看單元。它首先要解決的是宏觀體系問題。或「依劉向故事」七分，或「仿李充」以四分爲「永制」，或如鄭樵《藝文略》「總十二類」等等，表面類別數量的不等，掩蓋不了內在的邏輯事理之一致性：即它們都是站在文化的總體系的高度，成功地去建構和組織起文獻世界。在確立了分類學體系的整體文化精神之後，緊接著要解決的問題便是「類」或「類列」。從《七略》部序和類序到《四庫總目》的凡例、類序、案語、提要，其主旨都是要討論和解決「注解書的歸類、按內容歸類、類目的來源、類目的涵義及收書範圍諸方面的問題」。（北大、武大，《圖書館古籍編目》，北京：中華書局1985年版，P251）。

建立在這種整體原則和「析類」觀念基礎上的古代分類學，不以文獻單元之類別位置的當否爲著眼點，而是以與分類體系、乃至文化背景的全面協調和全面認同爲最高境界。它注重文獻單元在文化背景中的主動調適，以單元服從類列、類列服從體系爲原則。單元、類列、體系三者祇有逐層協和，纔能實現單元在類列中，類列在體系中，體系在文化價值和社會規範的總體精神中，獲得定位和認可。單元力求在類列中定位，類列力求在體系中定位，體系力求與天地人三道相切。這種整體性的分類學，充分反映出文化協同的一面，分類學所包含的「分析」也衹能是綜合前提下的分析。相應地，古人的文化認知亦多注重整體把握，強調「文史哲」不分家；強調天下文化「一致而百慮，殊途而同歸」；強調「夫士之於學，所以窮理而致用也，文雖學之一事，要亦不外乎此」（宋·真德秀，《文章正宗·序》）；強調「大聖人闡揚風化，開導愚蒙，委曲周詳，無往而不隨事立教」（《四庫總目·欽定曲譜提要》）……。

綜上，中國古代圖書分類學中，任何一個文獻單元都是在整體文化背景的關係之網中決定的，分類學體系所投像的任何文獻都將映射到整個網絡之中，其背後更大的分類學背景（道）纔能說明個別文獻的意義。古代分類學的整體性特徵不僅很好地演繹了漢族人注重整體綜合、辯證轉化的思維機制，而且還在文化認知上有力地強調了這種整體特徵。衆所周知，中國哲學以有機自然主義爲永恆主題，它來源於對自然的一種有機認識，是一種綜合層次的理論。它在本質上不是二元論，而是整體論，旨在從整體演化的角度理解世界多樣性的統一。在中國古代，以農耕爲主的、與自然進行物質交換的特殊生產方式在漢族人的全部經濟生活中一直占據統治地位，科學的發展亦主要和農業生產有關。這種田園文明把人和自然看作是有機聯繫、相互作用的整體，由此形成的「天人合一」思維形式，其特點就是堅持普遍聯繫、整體考察。「合一」成了一個具有穩定性和普遍性的思維模式，從而使得中國人對世界的認識和把握多帶有綜合性、寬泛性、靈活性、不確定性等特點。這些特點在中國古代圖書分類學中都有所體現；並且，古代分類學也不容置疑地強化了這些特點。

其次，對中國古人的誤導作用。

分類學在文獻文化和人之間起著中介作用。它使得相對於主體人的文化信息世界成爲一個現實的符號化世界，同時又使得相對於客體文化的主體成爲一個現實的運用符號的主體。分類學系統是不可缺少的文化認知工具，但其成立的前提是承認文化具有「等於」類名標識符號的性質。如《四庫總目》的一個完整類系：子部—〔職官（官制；官箴）〕，由這個完整的類系可以看出，不同的類名反映了各個不同層次內涵的文化信息。每一個具體類名都是相關內涵之所有文獻的代表者和指稱物。如「官制」類名代表了所有關於政府組織、官吏執掌及規制的書，諸如《唐六典》、《翰林志》、《秘書監志》等入此；「官箴」則指稱所有關於講官吏道德、做官的教條以及帝王大僚誥誡官屬的書，諸如《百官箴》、《御制人臣儆心錄》等入此。標識符號作爲一種對主體來說有意義的指稱一方面與一定客體的文化信息內涵相聯繫，另一方面又能夠被主體思想所理解和容納，從而成爲主體指稱客體的中介。亦即，以分類標識對文化信息的不斷分類或概括，並以先入爲主的符號體系導出、發現和認識新的文化現象和主題事物，並掌握其規律。這樣，原來很「客觀」的文化知識，就不再是純客觀的存在，它還要受制於特定的分類形式和符號標識，體現了分類模式對於使用它的人的文化束縛，呈現出分類學在文化認知過程中所固有的局限性。

任何文化信息都要通過分類學系統進入人的意識和思維，而文化的主體是現實的人，它是具體的、超越符號的存在。分類標識僅僅是文化的指稱物，它絕對不是文化本身，而祇是對運動變化中的文化的一種觀念形態的反映。符號不是現實文化所固有的，而是額外賦予的。總之，分類學的範疇和文化範疇並不是嚴格對應的，符號的存在事實上造成了對具體文化的靜止的、僵死的理解，乃至造成文化認知上的誤導。

掌握不同分類學體系的人，其文獻分辨力和文化認知方式也大相逕庭。例如，中國古人早在春秋時期就產生了足球運動的雛形：蹴鞠。然而，《漢志》是將《蹴鞠》25篇（今佚）列入「兵書略·兵技巧」類之中的。現代分類學則將足球列入體育大類之下，認爲足球是體育運動的一個組成部份。而劉氏父子乃至班固則視蹴鞠爲「陳力之事」，故「附於兵法焉」。《漢志》師古注云：「技巧者，習手足，便器械，積機關，以立攻守之勝者也」。顯然，分類類別的不同，影響了人們對文化事實的認知方式。如果從《七略》、《漢志》以來，人們能夠自覺把蹴鞠從「陳力之事」的「兵技巧」類中游離出來，歸入體育類（假如有體育類的話），那麼國人對蹴鞠的理解就會產生質的飛躍，或許中國的現代足球也不致於「屢戰屢敗」。

分類學體系的習得和掌握過程，也是運用分類學規則、原則或條件改變感知和劃分已有文化生活經驗的過程。分類表的編製更是如此。這樣，分類學可以通過重組自己的文化經驗而形成屬於自己所獨有的世界圖景。分類學爲認知主體提供了區分、辨別、組織和整合經驗文化的有效渠道。分類體系不同，主體對經驗文化的處理方式和處理結果也就各異。不同分類系統可以使人形成不同的思維方式和認識框架，再以此去掌握反映在文獻中的現實世界的種種對象，那麼呈現給不同主體的就是各有特點、不全然一致的表象世界。確實，分類學不僅影響人們對文化的整理和記憶，還影響到對文化的知覺和理解。

分類學系統可以強烈地支配人們對文化信息的感受，有時甚至可以致使人們的感知不同於客觀文化實際的存在。例如，宋代人胡安國寫的一部《春秋胡氏傳》在明代十分流行。胡傳和左傳、公羊傳、穀梁傳等幾部注解《春秋》的書，主旨各有不同。左傳著重用歷史事實來說明春秋；公羊傳、穀梁傳著重闡述孔子的所謂「微言大義」；胡傳作於南宋初，感於時事，往往借春秋以寓意，假經文以論時政，不是所謂「師傳」之作。康熙《欽定春秋傳說彙纂》、乾隆《御纂春秋直解》對胡傳大加攻擊，所謂「揭胡安國傳之意斷傳會，以明誥天下」，並將這種「御定」的定論在《四庫總目》分類類別中顯示出來，胡傳由此而不再流行（《四庫總目·御纂春秋直解·提要》）。

一般地，分類學系統既是人類觸及、理解和認同文化的橋梁，又是人類認識難以超越的屏障；既是認識業已達到某種程度和水平的標識，又是認識可能達到的某種限度。人們的認識很容易被業已建立起來的常規和流俗所左右。例如，《中圖法》（第三版）中的一個相關類目：

0　數理科學和化學

01　數學

03　力學

04　物理學

06　化學

……

由此我們可以隱約看到伽里略（Galileo）《關於兩個主要的世界體系的對話》中為近現代西方科學奠定的方法論基礎：除非證明是數學的，否則就沒有絕好的確定性。伽里略說：「自然的書是用數學符號寫的」，祇有數學纔具有完全可以信賴的確定性，祇有在現象中發現了數學的規律，纔能確定它們在力學、物理學、化學或其他自然科學上也達到了眞理。笛卡爾（Rene Descartes）《正確思維和發現科學眞理的方法論》也認爲：除了數學是一種完善的科學之外，任何其它領域的知識都是有懈可擊的，建議使用數學公式描寫世界。《四庫總目》則將數學列入「子部」，其相關類目爲：子部—〔天文、算法（推步、算書）、術數、數學〕。由於中國傳統數學是以計算爲中心、學以致用、注重實驗的學問，所以《周髀算經》入推步類，《九章算術》入算術類。《四庫總目》編者解釋說：「天文無不根算書，算書雖不言天文者，其法亦通於天文」。而《四庫總目》中所謂「數學」不是指我們今天的數學，而是「物生有象，象生有數，乘除推闡，務究造化之源者，是爲數學」。漢代儒生用數理講《周易》，因而數學成爲儒家的一個組成部份。漢揚雄模仿《易經》作《太玄經》，宋邵雍作《皇極經世書》，都是「數學」著作。

顯然，《中圖法》和《四庫法》對數學書的分類，都是「當時」特定時代人們對數學理解的反映。這種理解一旦以分類語言的形式固定下來，就會嚴重阻礙人們對數學持某種發展眼光的再理解。事實上，關於數學，不僅《四庫法》的認識有局限，《中圖法》的理解也有錯誤。從科學史的角度來看，以「測不準」定律而聞名的德國學者沃納·海森堡（Heisenberg, W.K.）已經成功地論證了科學的度量能力在理論上存在的局限性。愛因斯坦（Einstein,A.）高深的相對論（狹義）所要表達的根本問題也是數學對科學度量相對性的道理。

迄今爲止，我們尙找不到一種絕對理想的分類學系統。從傳統的二維線性分類學文本到1876年第一版DDC以來的等級幾何分類學文本，再到1933年第一版CC（《冒號分類法》：Colon Classification）以來的分面分類學文本，分類學本身在發展。理論上，分類學要實現其文化信息的編碼和解碼功能，就必須與人們的認知思維以及和文獻所反映的客體文化建立聯繫，這就決定了絕對「理想」的分類語言是不存在的。分類學系統一旦進行文獻描述和組織（展開標引編碼和檢索編碼）工作，就必然會「受累於」主體認知思維和文獻及其所反映的客體文化事實。例如，「小學」被古人列入「經部」，其地位被視爲與儒經同等，導致「小學」蔚爲「大國」，成爲顯學。還導致「小學」研究在中國古代一直爲解經服務，成爲經學的附庸。儘管中國古代有異常豐富的音韻學、訓詁學、文字學，然而語法研究卻很不發達，幾乎成爲空白。衆所周知，中國語法學研究是從1898年馬建忠先生的《馬氏文通》纔起步的。總之，深受人類主觀思維和客觀現實作用的分類學，同時也形成了一種支配我們認識和理解現實文化的模式。人類運用分類學進行文化理解，同時又因此而陷入了困境，顯現出分類學固有的局限。

清人王鳴盛《十七史商榷》說：「目錄學者，學中之第一緊要事，必從此問途，方可得其門而入」（卷一）；「凡讀書最切要者，目錄之學。目錄明，方可讀書，不明，終是亂讀」（卷七）。江藩《師鄭堂集》說：「目錄之學，讀書入門之學也」。分類目錄以其獨特的價値存在於人類認知體系中，成爲人們接觸文化的一種有效形式。甚至可以說，人是根據目錄來接受文化的。所以，王鳴盛在《十七史商榷》中引金榜語又說：「不通《漢書·藝文志》，不可以讀天下書」（卷一）。顧實《漢書·藝文志條理敘》也說：「然不通《漢書·藝文志》，誠不可以讀天下書」。以《漢志》爲代表的古代目錄是以分類爲自身組織形式的。由此可以發現古代分類學和傳統文化之間的內在聯繫。一般地，主體人對文化的理解並沒有絕對把握，而必須以分類學爲其實現媒介。一個時代出現的分類學，首先反映的是該時代某一階層對圖書狀況的認識，旨在爲了一定的社會理想和社會職能而積極地揭示圖書。因此，分類學的發展從一個側面反映了人類文化的進程和文化認知能力的發展。分類學可以作爲社會歷史文化發展的一個尺度，它既體現了社會文化的變化，又是歷史遺迹的反映。當我們由不同的分類學體系去把握和描述同一主題事物時，就會由分類學體系的差異，帶入和體現不同時代、不同民族之間的社會歷史文化及其認知方式上的差異，顯現了分類學與特定文化思維之間的通約和兼容。分類學遂可視爲特定時空條件下人們的觀念世界之總體精神格局的反映。因而，另一方面，分類學又會反過來影響人們認識和記憶文化的方式、以及進行各種文化思考時的方便程度。亦即，可以通過分類學符號系統的自組織而能動地對人類文化及其認知方式施加影響。

第五章　中國古代圖書分類學的現代價值

圖書分類學在整序文獻的同時，也整序了文獻背後的文化，分類學與特定的文化之間是同質同構的。放眼世界，人類社會文化和歷史進程是無限豐富和多樣的，不同民族面臨著不同的生態環境，必然導致不同的經驗和智慧類型。因而，用於記錄、反映各種經驗和智慧的文獻（文化）也就必然千差萬別。而如果世界文化是一元的、單向度的，那以它很可能便利於某種政治整合，但卻剝奪了人類一切心智和理想的源泉，以及充滿分歧和選擇的各種可能性。因此，文化的差異性是人類的巨大精神財富，也是人類文明賴以繼續發展的重要支點。就中國而言，她那無限豐富的傳統文化包含著對整個人類來說帶有根本性的精神價值。誠如普利高津在《從混沌到有序》一書序言中所說：中國文明對於那些想擴大西方科學和技術的作用和範圍的人來說，始終是一個啓迪的源泉。傳統是現代的前提和基礎，兩者是相得益彰而不是不共戴天的。例如，德國學者萊布尼茨創立的二進制數術，是整個計算機文明最本質的前提，而二進制卻源自中國古代《周易》陰陽爻的啓迪。

當今世界文化主體已經由西方原子主義分析型向東方重整體的宏

觀性文化模式傾斜。西方文化中的理性的獨斷喪失了理由，使得西方的一些有識之士轉而向中國傳統文化中吸取靈感，以尋求人類文明的共同出路。在傳統文化邁步走向世界，並逐步成爲當今全球文化主流的今天，面向傳統文化的中國古代圖書分類學也無疑有著不可估量的現代價值。本章擬從①類分中國古籍；②現代分類學之借鑒價值；③哲學收益等三個方面加以討論。

第一節　類分中國古籍

中國古籍究竟應該怎樣分類？斯事有關於傳統文化的繼承與發展，意義重大而深遠。近現代以來，中國出現的幾乎每一部綜合性分類學文本都把這個問題納入了自己的課題。《中圖法》、《中國科學院圖書館圖書分類法》（《科圖法》）、《中國人民大學圖書館圖書分類法》（《人大法》）、《中小型圖書館圖書分類表草案》（《中小型表》）、《中國圖書資料分類法》（《資料法》）、《賴永祥分類法》以及此前的各種「仿杜」、「補杜」、「改杜」等分類學文本都致力於對古籍分類問題作出回答。與此同時，大量討論古籍分類的文章不斷出現。大陸則在本世紀八十年代掀起過爭議的熱潮。有人主張用《中圖法》，有人主張用傳統的《四庫法》，也有人提出了一些折衷性的意見。但由於各種不同見解往往祇停留在分類學表層問題上，沒有能夠深入到問題的本質層次，其說服力也就可以想見，結果也就祇有不了了之。

我們擬從《四庫法》和《中圖法》的若干本質區別出發，結合中國古籍的獨有特徵，以及傳統思維的基本特徵，來回答這一長期聚訟紛爭的問題。我們認爲，必須首先弄清楚中國古籍的眞實面貌、以及用於類分古籍的分類學文本的眞實面貌。

㈠《四庫法》和《中圖法》的本質區別

《四庫法》是中國古代圖書分類的主體形式，其典型範例和首選標本是成書於清乾隆年間的《四庫總目》。周中孚《鄭堂讀書志》云：「竊謂自漢以後，簿錄之書無論官撰私撰，凡卷第之繁富，門類之允當，考證之精審，議論之公平，莫有過於是編（按：指《四庫總目》）矣」（卷32）。《四庫總目》實爲集我國自《漢志》以來公私簿錄之大成者。余嘉錫先生亦云：「自劉向《別錄》以來，纔有此書」。而《中圖法》則在中國當代圖書分類理論和實踐中，具有事實上的國標地位。1981年國家標準局曾發文確定《中圖法》爲國家標準試用本。在全面比較《四庫法》和《中圖法》兩者的異同之前，我們首先應該大膽承認：《中圖法》的濫觴是1876年第一版DDC以來的西方等級分類體系，以DDC爲代表的等級分類體系的若干特徵幾乎爲《中圖法》所全面吸收。

⑴標識符號

《中圖法》全面使用了阿拉伯數字和拉丁字母等西碼符號來固定所有分類類目。如K（歷史、地理）、K2（中國史）、K20（通史）、K204（古代史籍）、K204.4（紀事本末）。《四庫法》則選用概括性的文字（如「天文」、「小學」）或代表性的文獻（如《周易》、《書》）作爲類名，而沒有在類名的基礎上另外再配置一套形式化的代碼標識。用不用代碼標識，表面上看是分類學方法和技術上的不同，實質上則反映了分類學本質的差別。比較文字字符（類名）和西碼符號之間的異同可知，西碼符號的個體元素符合邏輯同一律：A是A，而不是非A。而文字字符中一詞多義、一義多詞以及詞類活用（背後是義類活用）的現象卻十分普遍。用同一律的西碼來固定類目，旨在清除自然語言的含糊性和不確定性，使分類學符號精確化、形式化、結構化，從而最終意味著類名概念的邏輯代碼性，也表明各個文獻主題都具有明確的邏輯類項。《四庫法》用文字字符作爲分類焦點，同時兼起類號的作用。每一個類名都提供了一個具體的、象徵性的意象，它不必精確、合理，也不必契合事實，祇求通過具象性的類名來傳神活現、畫龍點睛。本質上表明類名概念的非邏輯性，以及文獻主題在類別歸屬上的意象性。更高層次上，則反映了中國傳統哲學思維中主客一致、和諧大度、整體直觀的價值取向。

(2)類表結構

《中圖法》的每一個類目都和它的左鄰右舍之間表現出一種形式邏輯意義上的等級、從屬或並列等多種邏輯關係。如上例中K-K2-K20-K204-K204.4等等。每一個類系，都是一棵具有嚴格層次關係的等級譜系樹，整個類表又是一棵更大的、由各個類系組成的全息性等級譜系樹。這種等級性來自形式邏輯中概念的概括與劃分，即利用概念的內涵由反映事物本質屬性的概念因素構成，概念因素的增加或減少可以形式新的概念，概念內涵與外延成反變關係等各種性質，對概念進行劃分（縮小）或概括（擴大），形成更爲專指或更爲泛指的新概念，用以區別客觀世界千差萬別的事物，並利用劃分或概括過程中所產生的概念隸屬關係和並列關係，建立概念等級體系。這樣的概念等級體系，通過具有同一律的西碼的層層套疊和組合來標識和固定，構成了一套四平八穩的「小方格子」，格子和格子之間通過邏輯關係來維繫。這樣，整個分類學系統就淪落爲一套工具系統和符號系統，它以形式化、精確化爲旨歸，形成了一個邏輯主義的形式構架。

《四庫法》的類表結構是以線性平面爲基礎的結構模式，它將文獻信息的分佈和線性次序選擇聯繫在一起，本質上是事理邏輯（而不是形式邏輯）規約下的產物。等級構架或線性鋪排顯然是中西方不同文化思維方式的結果。漢族人的推理是按照跟亞里斯多德邏輯完全不同的方式構成的，漢人沒有演繹法，因而也不存在亞氏邏輯，不把概念、命題、材料用演繹法串連成一個嚴謹的邏輯網絡。反映在對「類」概念的理解上，漢人的「類」不僅是具有相同屬性的事物的彙集，而且還是關於定名、立辭和推理的基本概念。漢族人不僅把「類」作爲分析事物的根據，而且明確地把「類」與「故」（理由）聯繫起來，作爲立辭和辨說的基本原則。這種「類」不是事物形式或性質的集合，而是功能和意義的集合，本質上不能作形式邏輯意義上的邏輯類項的概括與劃分。

⑶分類法索引

第一版DDC即爲分類學配備了一個詳細的相關索引，旨在從主題查出類號。事實上，這種形式和內涵之間的一一對應論，從十九世紀以來，就一直支撐著西方的科學方法論傳統。中國古代至遲在1652年就有了被稱作「鍼線」的索引。但索引用於書目一類的書，則是晚近纔出現的。換言之，《四庫法》沒有索引。因爲，中國古人不把書目分類視爲一套形式工具系統。《四庫法》重視分類類別構架底下的觀念體系，它祇承認分類學系統是一套切合政事日用的「爲治之具」，並由此而爲分類學的結構原則提供成套的理據。《四庫法》從不將分類學局限在單純符號化和功利性的範圍之內。所以，它沒有索引。

(4)分類原則

現代等級分類學要求選擇具有科學認識意義的、相對穩定的內容特徵作爲分類原則。這樣，文獻內容的學科屬性和相關的邏輯依據便構成了《中圖法》的首選分類標準。而學科屬性和邏輯依據在《四庫法》中卻不是最具價值的成份。《四庫法》中決定文獻歸屬的因子，是文獻背後看不見的功能價值。而功能價值是一個主體範疇，是不可形式化和精確化的。因此，《四庫法》也必定相應地排斥形式代碼以及由代碼結構起來的立體幾何框架。

綜上，《四庫法》和《中圖法》的若干區別，反映了行爲主體從觀念上看待世界的不同。《中圖法》反映了西方的文化思維，它注重知性分析和邏輯驗證，注重對事物進行細密解剖，層層推衍，並建立一套形態裸露、關係外顯的法則，具有較高的抽象思維和邏輯推理性質。《四庫法》是中國傳統思維的產物，它注重直觀感受、切身領悟，慣於對事物進行整體觀照。它的一整套法則或原則是隱含的，反映了漢族人的生動活潑的具象思維以及取譬托諷、言近旨遠的表達方式。儘管得益於形式邏輯的《中圖法》在實際運用中取得了令人鼓舞的成就，但是，《中圖法》用於類分現代文獻或許是自足的和比較有效的。因爲現代文獻（主要包括西方近現代文獻和1919年「五四」新文化運動以來的中國近現代文獻）本身也是西方邏輯修養和科學精神的產物，其主題概念可以進行概括與劃分，並進一步確定其邏輯類項。《中圖法》用於類分中國古籍就不行，因爲古籍沒有明確的邏輯類項。

㈡中國古籍的本質特徵

中國古籍是中國古代傳統文化的主要載體。一本本古籍是分類學的基本實體和元素，它們構成了分類學的基本結構本位。因此，應該從古籍一切形式和內容的總和出發，從古籍形式和內容相統一所產生的表達效果來討論古籍自身的分類問題。古籍的一個最基本特徵就是它的簡易性：任何文獻都是通過具體事物之「簡」來表達大道理之「繁」的。小到《詩經》用具體草木鳥獸起興說明事理，大到《易經》通過具體卦爻象和卦爻辭來徵喻天地人三道，都是循著這條思路進行的。這在本質上對應於傳統哲學中的道器合一、天人合一命題。我們先人十分善於從各種錯綜複雜的現象和變化關係中理出脈絡，總結出規律，使之簡易化。然後，再從簡易入手，通過對應思維和歸納思維，駕御各種現象和變化關係。例如，用五行或八卦所象徵的五種或八種基本物質來描述客觀世界無限多樣化的統一等等。因此，中國古代文化始終能夠站在天人關係的本體論高度，對自然和社會作出整體探討。也正因爲如此，中國古代的文史哲是不分家的；中國古代的各門具體科學的自覺時代都產生得很遲。例如，史學的自覺時代到東漢纔開始，而文學的自覺時代則肇始於魏晉。

社會科學如此，自然科學亦然。不妨以古代數學爲例來具體分析。先秦數學是從屬於天文學的，而天文學則尚未從自然哲學中分化獨立出來。換言之，在當時，「簡易」的數理是爲了論證自然哲學服務的。雖然公元前後的《周髀算經》和《九章算術》開創了數學研究的自覺時代，但是，「算術亦是六藝要事，自古儒士論天道定律曆皆學通之，然可以兼明，不可以專業」（顏子推，《顏氏家訓·雜藝》）。該數學觀與孔子「志於道，據於德，依於仁，游於藝」（《論語·述而》）的論調一脈相承：認爲大道纔是最關鍵的，數學等技藝衹能「游」於其中，以便論證「大道」。一旦專職肆習，就是捨本趨末甚或是旁門左道了。古人就是如此理解數學的。南宋數學家秦九韶即認爲「數與道非二本」，並欲將數術「進之於道」（秦九韶，《數書九章·序》）。金末元初數學家李冶嘗言：「小數之假所以爲大道之歸」（《測圓海鏡》卷三）；「術數雖居六藝之末，而施之人事，則最爲切務」（《益古演段·自序》）。「兼習」數學的大學者黃宗羲則主張：「借數以明理」（《南雷先生文集·答忍庵宗兄書》）……顯然，簡易的數理僅僅是論證抽象大道的手段而已。

數書的這種簡易性是有代表意義的。中國古籍並不具有現代科學意義上的自然物理特徵或邏輯特徵，而是表現出內容上的發散性：每一個文獻所論述的表象道理（如數書對數理的闡明）最終都必須歸結爲對抽象大道的知解。數學、光學、文學等等都不是純粹的數學、光學和文學，因爲「這沒有意義」。中國人從不爲學術而學術，任何典籍也都衹是具有確切意義的單元，而不是具有確切現象或性質的單元。文獻訴諸人的感受，是經驗的、藝術的心理對應物，最終都必須服務於最高哲學本體範疇——道。因此，用分析的態度對待古籍，本質上是出於對古籍的無知。中國古籍是「簡易性」的，是「道器合一」的辯證性存在。它們所表述的任何一個主題都不可能通過形式邏輯意義上的概念的概括與劃分或綜合與分析，找出個別主題的絕對明晰的、非此即彼的邏輯類項。因爲，中國古籍主題不是形式或性質之「器」層面上的，而是意義和價值之「道」層面上的。意義和價值不可形式化，它沒有固定的結構模式，呈現出開放性的特點。

中國古籍的主題無定義故無定類，古籍的內涵廣泛而深邃，意指模糊而不定，義域連綿而不可離散，因此無法進行推理和標準化。把古籍僅僅視爲一種形式分類單元是沒有根據的。西人祇要抓住文獻主題之學科、專業或其它具有檢索意義的客觀的分類屬性，就可以類分自己的文獻。而要用《中圖法》類分中國古籍，本質上是要偏執於古籍從表象主題（器）到深層主題（道）的一個邏輯極端值，因而，不可能眞正實現對古籍文化信息的全面、整體的把握。例如，儒家傳統經書若按《中圖法》分，則《易》入B221諸子前哲學，《書》入K221.4古代史籍，《詩》入I222.2古代作品，《周禮》入K224.6西周史料，《樂》入J6音樂等等。這種以學科屬性和邏輯原則爲主要類別依據的分類學方法嚴重破壞了經學的本體內涵。其實，經學從漢武帝以來就是「經秉聖裁，垂型千載，刪定之旨，如日中天」的萬世教科書，這些經書模鑄了中華民族觀念世界的總體精神格局，成爲古代文化最核心的文獻文本。它們的類別區分不在於各自的學科屬性和邏輯意義，而在於它們在政治教化和人倫彝常上的功能價值。誠如《漢志》所云：「六藝之文：《樂》以和神，仁之表也；《詩》以正言，義之用也，《禮》以明道，明者著見，故無訓也；《書》以廣聽，知之術也；《春秋》以斷事，信之符也。五者，蓋五常之道，相須而備，而《易》爲之原」。《四庫法》把經書列在書目分類體系的最首位，又把「爲之原」的《易》列入經部的首位，這種編碼的深遠用意是不言而喻的。

綜上，中國古籍在意義內涵和分類位置之間，並不呈現出如《中圖法》所揭示的那種一一對應性，而是呈現出複雜的對應性。不是一一對應就不存在規律，不成規律的東西自然也就不能成爲分類學結構的特點。所以，拿《中圖法》類分古籍，本質上是不按規律辦事，即不實事求是。《四庫法》爲不同文獻提供了各種可能的類別位置，行爲主體可以根據自己的理解給予它一個最有益於人的身心的歸屬，以便眞正使分類學起到「爲治之具」的功能。例如，晁公武《郡齋讀書志》認爲「小學類」祇能依前人之例，附於經部，因爲它們「有補於經而無所系屬」。而清人陸深考慮到「不幼教者不懋成，不早醫者不速起，其道一也」。故其《江東藏書目》將小學和醫藥合爲一類，列爲《藏書目》十三個大類中的第十二位。可見，《四庫法》圖書分類本質上是要通過分類文獻，來暗示世界和人的某種特定的、應然性的存在方式。這一點是與傳統的價值型文化相一致的。

㈢中國古籍分類

中國古籍分類應當充分考慮到中國古籍和中國傳統文化自身的特點，而不應該據外律中、唯洋是好。蓋自近現代以來，西學東漸，西方理性文化也宣佈了對東方價值文化的勝利。值此之際，許多有識之士都考慮了古籍分類問題。這一關係到古籍定位的問題，本質上涉及到對中國傳統文化的定位。國人往往精於求同，疏於別異，唯恐自異於萬國。這一文化心態在分類學上表現爲義無反顧地以解決「古今中外圖書統一分類」爲己任。例如，1904年馮一梅《古越藏書樓書目》將所藏文獻按「學部」、「政部」加以分類，大類各細分爲24小類，計有332個子目，從而把古籍、新書統一於一部分類法中，爲近代圖書館的古今圖書統一分類作了可貴的嘗試。姚名達先生《中國目錄學史·分類篇》對此評價說：「規模完備，分類精當，系統分明」，是「混合庋藏，統一分類派的登峰造極者」。1922年初版杜定友先生《世界圖書分類法》「係爲解決中外圖書分類而作」，故名。1928年商務印書館刊行王雲五先生《中外圖書統一分類法》認爲「杜威法適用於中國圖書館，應設法擴充，以便容納關於中國的圖書」。1929年初版劉國鈞先生《中國圖書分類法》以「新舊統一之原則」，解決我國新舊圖書統一分類問題……。

我們認爲，傳統《四庫法》對中國古籍而言是唯一有效的整序形態。所謂《四庫法》，未必是指《四庫總目》、《中國古籍善本書目》、《中國叢書綜錄》或《中國古籍分類法》，而是泛指一種在分類代碼、分類構架、分類原則等方面堅持了古代分類學特徵的分類體系。當然，類分古籍的本質目的是爲了方便今人的收藏和利用。《四庫法》是特定歷史時期的產物，需要對它進行一番「現代化」改造；並應積極吸收《中圖法》的若干長處。它包括：

第一，關於標識符號。由於中國古籍的主題概念之間的排序遵守政事日用意義上的事理邏輯（而不是形式邏輯）次序，類表結構是線性平面式的鋪排。因此，標識符號應該相應地選擇順序代碼，而不是層累制代碼。它祇需反映類目排列的先後次序，而不需顯示類表的結構特點。

第二，關於注釋說明。注釋說明部份是非常必要的，尤其是關於類名選用的注釋。由於中國古籍的下限止於1911年，其數量不再增加，因此應盡量選用傳統《四庫法》中常見的類名。但由於時代久遠，類名內涵往往有很大的變化，需要對它們加以注釋。如《四庫法》中的「小學」，要用今天的「語言文字學」來注釋；「數學」要注明不是今天講的數學，而是「物生有象，象生有數，乘除推闡，務究造化之源者，是爲數學」（《四庫總目·子部數學類序》）。

第三，索引問題。索引是爲適應在更深、更廣的程度上檢索文獻的需要而產生的。爲了更好地方便中國古籍的標引和檢索，應該編製高質量的古籍文獻著者索引、題名（包括書名和篇名）索引、標識符號索引和類名索引等多種不同的檢索工具。

綜上，儘管中國古代分類學本身有待於進一步完善，但它卻是古籍的唯一整序類型。這在本質上也映證了分類學與文獻（文化）之間的深層通約與兼容。若用《中圖法》來類分古籍，就是要從主題概念的邏輯類項入手來知解古籍，但古籍並無明確的「類」，因而犯了一種邏輯本位錯誤。

用原子主義觀點建構起來的《中圖法》不適合古籍分類！誠如鄭振鐸先生《談整書》一文所云，「古書的分類編目，大可不必中外統一」；「古書的分類，還是不要多生枝節，老老實實地照四庫編目，先行編出來，供需求使用這些書的人應用爲是」。而如果我們不能從文化通約性的高度認清分類學問題的本質，卻寄希望於通過對完全屬於另一種文化系統的《中圖法》在技術或細節上的修補增刪，來解決古籍分類問題，結果必將是緣木求魚、南轅北轍。蓋修修補補祇能使體系越來越繁瑣、龐雜，卻在根本上與科學性無補。我們相信，文化不同，就應該有相應不同的分類學體系。雖然，由於現實、文獻、文化和分類學之間存在著某種普遍性特徵，《中圖法》類分古籍可能會在某些狹窄的範圍內適用，但絕不能解決根本問題。古籍分類還得立足於古籍自身的特徵，用我們民族自己的古代圖書分類學系統去整序它們。

第二節　對現代分類學之借鑒價值

1876年問世的第一版DDC將整個圖書分類法史劃分成兩個時期。之前可稱爲前杜威（Melvil Dewey）時期；之後可稱爲杜威時期。1876年也事實上構成了近現代分類法的開端。印度著名圖書館學家阮岡納贊（S.R.Ranganathan）則把1876-1975年稱爲杜威第一世紀。伴隨著新型分類法文本的建立，相應的分類學理論也被提到議事日程上來。1974年德國學者達爾博格（I.Dahlberg）博士創辦的《國際分類》雜誌，被認爲是近現代圖書分類學建立的標誌。專門的分類學研究組織，如FID/CR（國際文獻工作聯合會/分類研究委員會：Federation of International Documentation/Classification Research Committee）、CRG（英國倫敦分類法研究小組：Classification Research Group）、DRTC（印度文獻工作研究和培訓中心：Documentation Research and Training Center）等，對分類學專業的研究產生了極大的推動作用。1957年在英國多金、1964年在丹麥的愛爾西諾、1975年在印度的孟買、1982年在德國奧斯伯格以及1991年在加拿大多倫多召開的五次分類學研究國際會議，爲圖書分類學研究者提供了交流機會，標誌著不同歷史時期的研究水平。新成立的ISKO（國際知識組織學會：International Society of Knowledge Organization）也將對圖書分類學起著巨大的推動作用。與此同時，在圖書情報專業教育中，圖書分類學已成爲必不可少的傳統課程。隨著現代技術的發展，已經成爲情報語言學研究的重要內

容。（參見侯漢清，《圖書館分類工作手冊》，北京：中國科學技術出版社1992年版）

中國自1917年《仿杜威書目十類法》之後的分類法文本之編製及其分類學理論研究，一直跟在西方人的後面亦步亦趨。分類法的一般原則、方法和技術，甚至它的整個基礎，都是從西方照搬照抄來的。由此導致了人們對中國傳統的古代圖書分類學抱有一種虛無主義的態度。這種視西方分類學爲優、爲賢的觀點，本質上是認爲分類學史祇有一種發展和進化道路、並將西方分類學不加分辨地視爲分類學進化的最高成就。這實際上是國人在政治、軍事上敗在西方堅船利炮之下的某種文化心態的一部份。其實，中國古代圖書分類學能夠歷二千年而不衰，這本身就已經表明它暗含著巨大的歷史潛能。西方分類學的若干理性原則，祇能面向理性主義的文獻，而不可能概括中國古代的文獻。分類學系統和民族特徵以及文化差異是密不可分的，因而不會有一勞永逸的世界文化模式。整序不同文化的分類學體系也不會有普遍的、公式化的樣板。任何一種特定歷史條件下的分類學體系，本質上都祇是人類文化在一定時空條件下的整序類型和揭示原則，它們都不可避免地帶有局限性，形成了各自「片面的深刻」或「深刻的片面」。因此，我們祇有在對世界上所有分類學智慧進行廣泛研究的基礎上，纔能提出眞正有效的分類學原則、方法和技術。無論是中國古代分類學還是西方現代分類學，都不可能是世界圖書分類學發展的最高和最終成就。相反，這種最高和最終成就的獲得，祇能建立在中西方分類學體系之基質的眞正互補、融通的基礎之上。中國古代圖書分類學的若干智慧，對目下幾乎取得獨步地位的現代分類學恰恰提供了一個可資比照、借鑒的參照系統。作爲我們中國人，更應該立足於本民族的文化傳統，揭示出古代分類學作爲漢民族文化整序手段的一般特徵，充分發掘古代分類學中的若干智慧和優點，以期對世界圖書分類學作出自己的貢獻。

(一)現代分類學之局限性

現代分類學儘管在實際運用中取得了令人鼓舞的成就，然而，它們的局限性仍然是非常明顯的。人們發現，等級列舉式分類法由於受到單線排列的限制，對於複雜主題和列舉以外的主題文獻衹能按分類學規則放到規定的類目裏和較大的類目裏，不能作出完全適應文獻廣度和深度的標引。此外，還存在產生不能互斥的同位類、衹能體現主題間的種屬關係等局限；作爲列舉式分類法的反撥類型，分面分類存在「五種基本範疇的意義非常模糊、不易理解，把五種範疇規定出一個死的公式也不能免於拘束。空間、時間兩範疇和某些本體、焦點的糾纏，層的觀念的標準，相的種種區別，相和面的分別等等」局限（傅榮賢，《論分類檢索語言的局限性》，《晉圖學刊》，1996.4）。

現代分類學的局限性是顯而易見的。並且，上述對現代分類學局限性的認識還停留在實用的、操作層面上，沒有從更爲廣泛而深刻的本質層次上去討論分類學局限性的眞正根源。這反證了人們對現代分類學的某種功利態度和實用主義期待。事實上，人類文化要想通過分類學系統得以表述和組織，並進一步促進人類文化的發展，就必須對分類學的一切原則、方法和技術進行全面反省，就必須觸及到分類學賴以成立的基本理論根基。等級列舉式分類法成立的前提是知識分類、學科屬性以及文獻主題概念的邏輯概括與劃分；分面分類法成立的前提是範疇分析，即對主題的各種可以區分的特徵進行概念分析，本質上是基於對文獻主題概念的邏輯分析與綜合。總之，現代分類學文獻編碼和解碼的函數轉換焦點是理性精神和邏輯信念。由此可以分析出現代分類學若干局限性的眞正根源。

(1)從類名來看

現代分類學中的類名都是嚴格邏輯學意義上的。與此相配套的、由拉丁字母或阿拉伯數字結構起來的類號則進一步反映了類名的邏輯代碼性。類名和類號用於反映各個不同層次的內涵的文化信息，它們都是相關內涵的所有文獻的代表者和指稱物；同時，各個符號之間的關係則反映了文獻主題概念在邏輯上的從屬、並列等多項關係。現代分類學將自己的任務限定在通過邏輯範疇和用邏輯範疇的術語來描寫文獻主題，並根據描寫結果組織文獻，從而將分類類別範疇和邏輯範疇等同了起來。現代分類學系統中，當一個術語或詞彙用來表達已陳述的主題事物或概念時，它被稱爲「標識」。一個概念被定義爲「知識的集合」，這些集合是由必要的、可驗證的陳述構成，由「標識」表達出來。由此，邏輯構成了現代分類學的核心。事實上，西人的邏輯思想可以追溯到亞里斯多德時代。亞氏以來的西方科學方法論傳統認爲：所有取得表達的東西一定是屬於邏輯學的東西，邏輯囊括了一切，任何領域都不會拒斥邏輯；所有實在都是自足、獨立、絕對的存在，並因此而設置了主、客對立的二元論。其認識論前提是認爲一切實在皆可形式化，凡是能夠理解的東西皆可以用邏輯關係表達出來。這種認知方式把世界描寫爲客觀的和可證的，它爲我們提供了一個清晰、明白的觀念領域。受惠於這種方法論，現代分類學也致力於呈現一個理智符號的文獻世界，整套分類學系統被演繹爲用自然科學的方法作枯燥的限制、並沉迷於純粹的技術，其本質是一種廣義的運算和機械主義的科學觀，它超不出客觀邏輯的範疇。現代分類學的這種邏輯理性取向，導致了對人類文化信息之片面邏輯化的單向度理解：

首先，邏輯化本質上意味著對理性、客觀的肯定，以及對人文性、主觀性的排斥。事實上，當今分類學也一直以追求唯一性、規律性、定型性、通用性、準確性爲己任，極力排斥自然語言中的多詞一義、一詞多義和詞義含糊現象。質言之，現代分類學是以追求人工語言化爲旨歸的。然而，我們發現完全抽象的人工分類語言，也不可避免地最終與現實和思維聯繫起來。因爲祇有與人們的日常經驗建立起對應關係，亦即，受形式規則控制的符號體系祇有與現實世界建立起對應、同構或可類比的關係，分類學檢索系統纔是有意義和有價值的。而經過日常經驗理解和詮釋而飽受人文氣息濡染的人工語言，歧義和模糊也就不可避免。這一分析結果，暗示了理性邏輯在分類學系統中的固有局限。

其次，邏輯概念化的類名和類號所反映的文化信息都是一般的、普遍的和共性的東西，亦即概念性的東西。它在表述認知對象時，具有粒散性的特點。我們祇能通過它而得到一個疏略的框架，這個框架的顆粒是很大的，我們永遠不能知道顆粒以下的細部。現代分類學所能提供給我們的，和文化內涵本身相比，也永遠是粗疏的。即使我們用最詳盡、最細緻的描寫，也不能窮盡一個主題的全部知識。從現代分類學所選用的符號類型來看，分類號一般包括阿拉伯數字、拉丁字母和其它一些符號，它們都是有限的。如一個限定的整數範圍0～9，祇能揭示在一定描述範圍內的10個可能層次的主題；二進制代碼0/1，祇能簡單地指出有關主題的是與否……總之，對有限的系列主題材料的揭示，分類號是有限的。借號法、八分法（亦稱擴九法）、雙位法（亦稱百分法）可以作爲補救方法，實現類列的無限容納性，但其代價則是喪失了類號的可表達性，因而也祇能是權宜之計，不能解決根本問題。這樣，現代分類學祇能用有限的描述系統對無限的文獻主題進行描述，很難準確地描述文獻的各個不同或者相同的若干重要特徵。

一般地，文獻主題有許多方面或特點，要揭示它們，必然包括一系列主題標引變化的等級。如果將文獻所有有價值的特點或潛在主題都組合起來，那麼分類號一定很長——甚至在長度上達到無限。但是，在所有現代分類學系統的標引和檢索中，分類號都被壓縮到了方便操作的程度。這麼做的代價無疑是文獻主題信息的失眞，至少是部份信息的丟失。例如，LCC（第四版）中「檳榔果」的代碼爲SB2295.B5，其類號達到八級。但是，作爲邏輯主題概念的「檳榔果」無論被細分到什麼程度，都表明所有主題概念爲「檳榔果」的文獻都將無一例外地被列入SB2295.B5之中，而不再考慮到這一檳榔果文獻和那一檳榔果文獻之間存在的任何實際區別。可見，現代分類學給我們提供的認知對象是一種粒散性的語義網絡。因爲，概念本身是抽象的，它不能完全層層細分，去直面那些最具體、最個別的文獻主題。它表明，立足於邏輯的現代分類學，受到了表達條件的限制，它不能把人類文化事實的眞實內容表達出來。

再次，現代分類學符號結構的固定性也容易造成對文獻內涵的僵化理解。當你給出一個文獻以首先字母，就排除了該文獻進入其它類項的可能；當你確定了某文獻類號與其左鄰右舍類號之間的關係，該文獻就事實上陷入了形式主義的「小方格子」之中，很難對其持某種發展眼光的再理解。請看《中圖法》第三版的一個相關類目：

G25　　圖書館學、圖書館事業

G254　　文獻標引與編目

G254.1　分類法

可見，當「分類法」獲得類號G254.1之後，即意味著分類法僅僅是圖書館裏有關文獻標引與編目工作的一門具體操作技藝；而看不到分類法對於人類文化的能動作用（比如，像本書第四章第三小節所揭示的那樣）。

總之，以邏輯爲旨歸的現代分類學，其本身已經隱含著許多「漏洞」——因理性法則對文獻世界的整序而呈現出的邏輯不一致。今以《中圖法》第三版爲例分析說明。「K2中國歷史」大類子目的劃分有三個標準：①按時代標準劃分出六個子目：1原始社會、2奴隸社會、3封建社會、5近代史、6民主主義革命時期、7建國後；②按民族標準劃分出「8民族史志」一個子目；③按地域標準劃分出「9地方史志」一個子目。這顯然違反了邏輯學中概念的每次劃分必須按同一標準進行的要求。又如U448各種橋梁下也同時運用了①各種用途橋梁、②各種結構橋梁、③各種材料橋梁等三種分類標準，列出了三組平行的類目。這種多重列類法，也無疑違反了邏輯學中的「劃分後各子項必須不相容，即各子項的外延必須互相排斥」的要求。另外，如TS輕工業、手工業的子類最後列出的「生活供應技術」顯然不屬於輕工業、手工業的範圍，而這一點無疑違反了邏輯學中「劃分必須相稱，即劃分後各個子項外延之和必須等於母項外延」的原則。TF冶金工業的下位類是：……鋼鐵冶煉、煉鐵、鐵合金冶煉、煉鋼、其他黑色金屬冶煉、有色金屬冶煉。這裏，鋼鐵的冶煉都屬於黑色金屬冶煉、冶金的最接近子項應是黑色金屬冶煉和有色金屬冶煉。這種分類顯然越級，出現了跳躍，從而違反了邏輯學中「劃分不能越級，即每次劃分後的子項必須是母項最鄰近的」要求……諸如此類的邏輯「漏洞」也同樣存在於分面分類學體系中，茲不贅述。這表明，以理性邏輯爲旨歸的整個現代分類學體系，完全是有懈可擊的。

(2)從文獻來看

文獻的本質是其背後所記載的文化，而文化的一切行爲主體是現實的人，文化即爲人化。人之爲人的主體性決定了所有的文化不僅具有理性邏輯的一面，而且還具有具體的、切入主體心靈特徵的「另一面」。表明文獻作爲人類的一項精神產品，並不僅僅是純粹客觀的存在；相反，文獻主題的內容都如此豐富，必須從人文主義的寬廣的學術視野來探究文獻對人類精神生活的普遍而深遠的影響，必須揭示出文獻內涵之意義性和價值性方面的特徵。就當今人類文化的歷史走向而言，惟理論的觀點已經喪失了理由。早在本世紀中葉，相對論和量子力學的建立，以及新老「三論」的提出，使得人們的視野由客觀世界擴展到微觀和宇觀領域，從而爲人們重新描繪了世界圖景。人們對世界的理解方式也隨之改變：客觀性和確定性成了有條件的和相對的認知模式。由此，傳統的西方式的科學理性主義由自負轉向爲自省，理性方向的獨斷也喪失了理由。人們意識到，由理性帶來的「技術」文化，無論多麼發達，都不能提供給人們一種應然的尺度。西方文化對自身傳統的反叛，昭示著以抽象普遍性爲特徵的理性主義的式微。

誠如歐文斯（Ovens，　T.）指出：「從笛卡爾以來，哲學家們一直在絞盡腦汁解釋，主體是怎樣認識客體的，但是直到20世紀，哲學家們纔開始提出這個更難以理解的問題：一個主體是怎樣完全與正是作爲另一個主體的另一個主體相接觸的」（（美）T.歐文斯，《現象學與主體間性》，《哲學譯叢》，1986.2），表明人們開始在反思的層次上確立了文化的價值性和意義性存在，顯現了理性尺度的固有局限性。

這種世界範圍內的文化價值取向，導致世界範圍內的文獻之價值性存在。價值是一個主體範疇，它要揭示客體「爲我而存在」的關係，即客體事物的屬性、結構、本質及其規律等對主體所具有的意義。客體對主體所顯示出來的意義，既與客體的屬性有關，也與主體的需要有關。不同的主體總是從自身的需要出發，運用自身的尺度或標準來評判客體對於主體所具有的意義。因而，價值問題本質上是一個選擇性的問題，人們依據自身的主體需求制定價值是什麼，纔會承認什麼具有價值，價值評價因而也就成爲價值自身確立的前提和生成的環節。這是價值意識區別於理性認識活動的根本之點。價值不祇是體現了滿足人的某種需要，而且還表現著人的主動追求和他們的選擇性等等。

事實上，現代分類學中的若干邏輯「漏洞」，本質上都是人的主體價值選擇從中作梗的結果。如上文所舉《中圖法》「K2中國歷史」的分類標準不統一，乃因人們往往習慣於將時代、民族和史志視爲互相排斥的。如一本論述近代藏族歷史的文獻，標引員根據列類判斷，不會把它歸入K25中國近代史，而自然將其歸入K28民族史志之中。又如TS類最後列出的「生活供應技術」無所歸屬但又不宜單獨另立大類，故入TS，旨在使分類表顯得簡潔而有效。另外，TF類的劃分雖違反了邏輯規則，但卻突出了重點子項：鋼鐵冶煉等（邏輯上，鋼鐵的冶煉應屬於黑色金屬冶煉）。

文獻本質上是兼具「理性邏輯」和「價值理想」的雙重存在。以理性邏輯爲單向度取向的現代分類學，旨在對經驗文化作理性的分類或概括。這種以先入爲主的符號體系導出、發現和認識的文化現象和主題事物，肯定不是那個原初的、本眞的、價值論層面上的文獻現象和主題事物。本質上的文化是具體的、切入人類心靈的，它不可形式化。分類學符號僅僅是文化的類別指稱物，它絕對不是文化本身，而祇是對運動變化中的文化的一種觀念反映形式。分類符號不是現實文化所固有的，而是額外賦予的。符號的存在事實上造成了對具體文化的靜止的、僵死的理解。

總之，著眼於理性邏輯的現代分類學認爲文獻是立於我們面前供我們從物理形態和邏輯類項上加以打量的對象。它把人作爲主體放在文獻面前，再把文獻作爲對象放在人面前，然後，人作爲主體去認識、測量、製造和征服對象，本質上是把充滿人文性的文獻交由技術去處理，心靈也被邏輯化了。這樣的分類學祇能機械主義地組織起文獻，它永遠祇是一種手段，不能幫助我們直接接觸到一切文化實在的人文本質。我們認爲，文獻作爲人類文化事實、作爲日常經驗的記錄與總結，不僅具有概念和邏輯的性質，還有一種直觀的意蘊，其背後站著一個個不可形式化的、活生生的人。邏輯化的現代分類學意識不到邏輯祇是文化的一個側面，以爲思想即理智，可以進行廣義的運算，由此把思想變成了非思想。

(3)從人類感知能力來看

現代分類學是一套嚴謹的邏輯主義的工具系統和符號系統。其邏輯嚴謹性要求分類學編碼和解碼必須以邏輯爲基本立足點和歸宿點。但是，現實人如此實實在在地從事理性思維的時候並不多。主體人更多地是通過感知和外界發生關係的。首先，文獻標引者往往並不把分類表中的類名視爲某個嚴謹的符號性對應物，而是可以用於表示從概念（具體的、抽象的或純粹的關係）到完整思維的任何東西。所以，類名衹是一個形式，一個有一定內涵的東西按照本分類表系統的特性所能容許的程度，把完成思維的概念質料（根本意念和輔助意念）包括得多一點或少一點。顯然，類名創立的本意都是適應從經驗的現實裏抽象出來的科學的概念世界。但是，現實中的類名更多地卻是一種心理意義上的存在，是某種適應個體人的實際經驗的單位、歷史的單位、藝術的單位，而決非理性邏輯的單位。

其次，從文獻的角度看，文獻之間的關係顯示了一個事物主題與其他事物主題之間的這樣或那樣、直接或間接的關係。「關係」提供了直覺思維進行聯想性想像的基礎，該思維方式在對文獻信息進行加工處理時，總是以已儲存在大腦中的信息爲參照，得出相應的結論。誠如貝弗里奇（W.I.Beardmore Beveridge）所說：「以往的經驗和訓練在頭腦中形成聯想，通常就從回憶這類聯想的思想中直接產生了新的設想及新的配合」（貝弗里奇，《科學研究的藝術》，北京：科學出版社1979年版，P57）。同樣，我們理解文獻的方式，不僅是要讓它受制於普遍的分類學概念或法則，而且還需要一種基本的活動，需要人類心靈中的經驗、情感、欲望等特殊力量。唯其如此，纔能在具體和個別化的形態中直觀文獻的內蘊。現代分類學以理性邏輯爲旨歸，其要害是忽略了感知，否定了文化認知中主體人的存在。

自從計算機應用於分類檢索語言之後，機讀化帶來的優越性，吸引了衆多的現代情報科學工作者的精力，以求改進自然語言演算的方法——即採用自動化過程。但自動化過程作爲理性邏輯的突出反映，忽略了一個根本事實：人類認知的優點。比如一個詞「Benzene」對化學師而言是「苯」的意思，但對消防人員而言，則意味著是另一個意思。人類感知能夠區別同一詞彙在不同原文（語境）中的特定含義。誠如F·W·Lancaster語重心長地指出，與圖書館專業相關的工作內涵，例如collection development, subject analysis, interpretation of information needs, search strategy等是無法被機器所取代的（Artificial Intelligence，Expert Systems & the Digital Library. 台灣，《資訊傳播與圖書館學》，1996.2）。總之，人的思維更多地依賴於感知的統一性，而不是理性邏輯法則。人是靠感知和外界發生關係的，邏輯遠遠不是認知的唯一渠道。

最後，再從檢索者的角度來看。現代分類學系統中的文獻都是以代碼標識爲中介而存在於系統之中的。特定的分類學標識代表了特定內涵的文獻。分類學編碼和解碼的過程，應該能夠讓同樣是作爲主體的檢索者去經驗、體會正是作爲另一個主體的文獻標引者的情感、欲望和希冀。但是，檢索者能否「心有靈犀」，準確認識到分類學代碼標識與特定文獻之間的對應？他的認識能力能否和標引者保持一致？我們知道，文獻檢索除了取決於以技術形式出現的若干「精確」的規則之外，還取決於認知主體的認知背景、心理結構和思維方式，而這些因素在本質上是不可形式化和精確化的。和標引者的文獻編碼過程一樣，檢索者的文獻解碼過程也往往是高度主觀的，是個人思想的反映。他作出的決定包含了某種價值判斷，他對文獻的理解可能會、更可能不會跟標引者的文獻編碼過程保持一致。但是，現代分類學以理性邏輯爲原則，相關的分類學系統通常都被設計成了一個超越每個個別用戶認知特點的統一的傳播系統，忽略了作爲主體人的檢索者在從原文中查找索引詞時的無意識的心理活動。

並且，現代分類學作爲西方近現代科學文化的一個重要反思類型和組成部份，其局限性還有更爲廣泛而深刻的根源。自本世紀中葉以來，科學中的主體性因素與科學中的經驗論、實證論傳統產生了深刻的對立。量子力學證實，微觀粒子的位置和速度等共軛變量不可能同時準確地測定，對微觀世界的認識依賴於主體的測量方式。即，客觀世界中不存在描述運動所依賴的絕對參照系。量子力學測不準原理的證實和玻爾（Aage　Bohr）互補原理的確立，動搖了那種把研究對象盡可能小地還原爲分析方法的統治地位。人們發現大量社會系統問題、經濟系統問題、心理、生物甚至近代物理系統問題等等，一旦涉及人爲因素在內的系統，用經典理性建立在無生命現象之上的科學理論就會束手無策。它迫使人們追問：理性的人是否能夠客觀而又眞實地對包括人自身在內的現象進行理性的認識？這一疑問使得理性的人對人的理性產生了極大困惑。近現代科學的理想目標：確定性和形式化，在人性及其具體表現面前最終面臨著無法超越的極限。

綜上，作爲分類學客觀對象的文獻、作爲分類學行爲主體的標引者和檢索者、作爲主客體中介的現代分類學類名標識系統、以及作爲現代分類學之學科基礎的西方近現代科學方法論傳統，都被一種理性邏輯傾向所籠罩。現代分類學遂被不同程度地處理爲一套形式運算的數學系統和符號主義的邏輯系統，往往由主體首先學習和掌握一些有關的標識符號和指數，再通過符號構成的理論體系來認識和把握單個文獻或文獻系統，並進一步認識和把握文獻背後的文化。因此，圖書分類學也就可以表現爲這樣一門學問：以標識系統對經驗文化的不斷分類或概括，或者以先入爲主的符號體系發現、認識新的文化現象和主題事物，並掌握其規律。在這個恰恰是傾向於簡單化作法的時期裏，現代分類學並沒有從它的起點（1876年的DDC或1917年的《仿杜威書目十類法》）走出多遠。

㈡現代分類學之取向

西方傳統的科學理論已經由自負轉向爲自省，當今人類文化也逐步向價值型文化全面傾斜。然而，現代分類學卻仍然在理性化的道路上堅定不移。時至今日，現代分類學儼然已經成爲相對獨立的、較爲成熟的學科領域，並展現出下列「現代化」趨勢（參見白國應，《中國檢索語言發展的方向》，《圖書館雜誌》，1997年理論學術年刊；周全明，《我國情報語言學研究的方向、重點及熱點》，《圖書與情報》，1994.1）：

第一，分面組配化

1933年第一版CC的問世標識著分面分類理論體系的建立。分面分類是在對傳統的等級列舉式分類法徹底清算的基礎上，爲解決後者不能無限容納概念、存在集中與分散的矛盾等局限性而創立的，因而，問世後即受到廣泛重視。早在1955年，英國CRG即向UNESCO（聯合國教科文組織：United Nations Education, Scientific and Cultural Organization）及英國圖書館協會提交了題爲《需要以分面分類作爲一切情報檢索方法的基礎》（The Need for a Faceted Classification as the Basis of all Methods of Information Retrieval）的備忘錄。1957年英國多金第一次分類法研究國際會議上達成的共識是：「分面分類是今後編製分類法的方向」。事實表明，無論是分類法還是主題法，在引進分面組配理論和方法之後，就會出現許多優異的性能。因此，CC已成爲當今文獻分類法的一項基本技術，具體表現爲：分類學理論從靜態的等級列舉向動態的分面分類轉化；分面分類法的大量編製；傳統的等級列舉式分類法不斷實施分面改造，如BC（《書目分類法》：Bibliographical Classification）的分面改造等等。中國目前也正在開展對《中圖法》分面組配改造的研究、敘詞法先組度問題的研究、《漢表》（《漢語主題詞表》）的分面組配改造研究等等。事實上，中國現行的三大分類法：《中圖法》、《科圖法》和《人大法》以及許多專業分類法的修訂和編製都把組配化作爲提高分類法的適應性、增強分類法的生命力的重要措施。這些分類學取向都證實了1957年第一次分類法國際討論會的預言。此外，分面組配思想還在敘詞表（分類主題一體化詞表）的設計、新型主題索引的編製、自然語言理解和知識庫的建立等方面得到了應用。

我們知道，傳統等級列舉式分類法成立的前提是概念的邏輯概括與劃分；分面組配的基本原理則是對文獻主題概念的分析和綜合，它不是按學科體系，而是按組面——亞面——類目的體系編列類目。在分面分類表中通常祇列出最基本的主題概念或主題因素……總之，作爲傳統等級列舉式分類法的反撥類型，分面分類法成立的前提不是基於對理性邏輯的否定，而是更爲深刻地融入了理性邏輯。

第二，分類主題一體化

分類主題一體化語言是指分類語言和敘詞語言在其術語系統、參照系統、標識系統、索引系統等方面完全實現兼容所組成的統一體。其編製原則在於分類表和敘詞表之間存在著密切的對應關係，經過分面分析和詞彙控制，就可以實現二者之間的對應與兼容。一體化既可以進行分類標引，又可以進行主題標引，二者的數據可以轉換；可以在一個檢索系統內同時完成主題檢索和分類檢索；可以自動地由分類表生成敘詞表；可以集中進行分類表和敘詞表的管理；詞表具有較好的系統性和網絡性……分類主題一體化的上述若干優點使得人們樂此不疲，艾奇遜（Aitchison,J.）等人創立和編製的《分面敘詞表》就是分類法與主題一體化的最典型的代表。迄今爲止，人們已編出至少十幾部較有影響的分面敘詞表，如《聯合國教科文組織敘詞表》、《基礎敘詞表》（後者代表了分類主題一體化詞表的最高、最新水平）等等。此外，人們還熱衷於對現有的分類法或主題法詞表進行改造，使之成爲一體化的情報檢索語言，如《倫敦教育分類法》（第二版）、《分類的國會圖書館標題表》等等。我國80年代初，侯漢清從理論上系統地分析分類主題一體化的必要性和可能性；80年代中期，劉湘生、侯漢清、鄧順國、呂其蘇等提出分類主題一體化的設想，並著手試驗和編製一體化詞表，於是《教育敘詞表》、《中國分類主題詞表》、《社會科學檢索詞表》、《農業科學敘詞表》等先後出版。90年代後，廣東中山圖書館在《中國分類主題詞表》機讀版的基礎上，研製成功計算機輔助圖書分類標引、主題標引和檢索系統，並在地區公共圖書館自動化網絡中投入實際應用。

從更爲本質的層次上看，一體化是分類檢索用語（類名概念）和敘詞概念之間的對應和兼容。這種通過詞彙控制而實現的詞彙形式化、結構化和規範化，意味著對文獻主題的邏輯概念化處理。因此，一體化的基本前提依然是理性邏輯。

第三，標準化

迄今爲止，國際標準化組織(ISO：International Organization for Standardization)已提出了兩項有關分類法的標準，即ISO/R919《分類表編製指南：方法示例》和ISO/R1149《多語種分類表的版面設計》。由於標準化是實現文獻資源共享和聯機網絡化檢索的基本前提，因而廣泛受到世界各國的青睞，成爲圖書分類學的現代化趨勢之一。日本於1961年參照澳大利亞的有關國家標準，頒佈了《國際十進分類使用法》的國家標準，對UDC的性質、類表組成及使用方法作出了具體規定。前蘇聯曾頒佈兩個標準，及《分類與主題標引：術語與定義》和《文獻分類：一般要求》。此外還將UDC規定爲科技文獻標引的通用語言。英國標準學會在取得FID（國際文獻工作聯合會：Federation of International Documentation）同意的前提下，發行中等詳度的FID國際英語版，規定爲英國國家標準。匈牙利國家情報中心和圖書館在國家技術發展局的資助下從事UDC類表的翻譯和編製，並在匈牙利標準局的配合下，以國家標準逐冊頒佈使用……我國目前也正在加強對分類標準化的理論、方法和模式的研究，以及分類法標準的制訂和實施問題的研究。我國敘詞表編製標準《漢語敘詞表編製規則（GB13190-91）》已經批准並實施，《中圖法》在我國目前幾乎代行著標準分類語言的職能。目前，分類法編製原則中的兼容原則（兩個實體結合起來工作的能力）亦可視爲標準化取向的曲折反映。

顯然，標準化是以客觀、理性的原則爲基本依托的，本質上依然是對文獻主題概念的理性邏輯化知解。

第四，計算機化

分類檢索語言的計算機化，其內容主要包括：自動分類標引和檢索、分類法的自動化編排，以及文獻分類表的自動管理等等。目前，計算機用於文本分析和析取分類號的研究已取得重大進展（由計算機分析文獻原文，自動判斷文獻主題，並將文獻歸入分類表中某個類目的一種分類法），美國已開始採用自動分類標引編製刊物。在自動檢索方面，對UDC的研究較多，費里曼（Freeman,R.R.）和阿瑟頓（Atherton,P.）於1958年即在美國物理研究所開始研究。後來，李葛貝（Rigby,M.）、卡拉斯（Caless,T.W.）也進行了類似的研究，結論是：不管成批的或交互的處理，UDC都能成爲計算機系統的檢索語言。目前，分類法已廣泛運用於聯機檢索。薩爾頓（Salton,C.）、萊斯克（Lesk,M.E.）和瓊斯（Jones,K.S）對分類法自動編製的可能性和實用性進行了幾十年研究。美國著名的分類法DDC、LCC均已機讀化，並發行了機讀版。分類語言計算機化是推動信息網絡化的重要條件，是分類學理論走向高層次和高水平的基礎。因此，我國近年來也興起了對中文信息處理技術，尤其是對自動抽詞、自動標引、自動分類的研究。特別值得一提的是，自動分詞技術在我國已經基本達到實用階段，其中以王永成教授的「部件詞法」最爲成熟。

顯然，分類學的計算機化本質上意味著文獻主題概念的計算機化。而計算機賴以成立的前提恰恰又是理性邏輯。

綜上，現代分類學的發展正伴隨著義無反顧的理性邏輯傾向。這種把文獻交由技術處理的作法，意識不到文獻的本質是文化，而文化的本質又是人化，從而打碎了人與人的世界的統一，心靈也被邏輯化了。這種以理性邏輯化爲取向的現代分類學，本質上是和人類當今文化的總體發展趨勢背道而馳的，它違反了分類與文化相通約的原則，因而不能眞正有效地表述、組織和認識人類文化。目前，現代分類學所表現出來的標引難度大、效率低下等問題，其本質原因即在於它的理性邏輯傾向不能反映出人類文化的本質。因此，在分類法主題標引和檢索中始終存在著採用自然語言的傾向。這主要是因爲人們習慣於使用自然語言交流，如果在標引–檢索的函數轉換過程中也能以人們習慣的方式進行，無疑是最理想的。而更爲本質的原因則在於自然語言在更爲具體的水平上描寫了文獻，它比理性的人工語言更適宜於眞切地揭示文獻的本質。國外學者甚至預言，分類語言的未來將屬於自然語言的天下。

㈢中國古代圖書分類學的借鑒價值

⑴古代分類學和現代分類學：功能主義和形式主義

中國古代圖書分類學的基本出發點和具體操作方法，根本上迥異於現代圖書分類學。古代分類學以價值爲取向，形成了一套功能主義的分類學系統，恰恰可以彌補現代分類學之不足。古代分類學的所謂「功能」是指每個文獻單元在相關的分類類別結構中所處的位置、功用以及整套分類學系統的社會文化價值。「功能主義」則主要指分類學系統爲滿足人類社會生活的特定需要（如成爲「爲治之具」）而發揮的工具功能。現代分類學以理性爲取向，形成了一套形式主義的工具系統和符號系統。一方面，它具有看得見的外形及其排序、分佈、結構等「形式」；另一方面，又用公式化、數理化、形式邏輯化等形式主義手段來描寫整套分類學體系的基本形式結構。

形式主義的現代分類學以形態外顯的「語法」爲核心，力求描寫上的客觀、科學和可驗證。對這些「語法」可以進行孤立的研究（比如，通過對主要用於分類表、詞表以及代碼表編製過程的詞法和主要用於文獻標引和情報檢索過程的句法的研究），從而可以有效地實現文獻情報檢索，並將詞法和句法關係固定在一整套裸露的標識符號系統之上。語法的核心部份可以由一組概括力極強、具有普遍特徵的規則、原則和制約條件來生成。例如，等級分類學系統中，文獻主題概念之間的等級關係可以在分類標記中反映出來。分面分類中，標識號碼的長度與其被標記類目的內涵度相等，標識長度增加，類目的內涵度也增長。並且，標記能夠使分類特徵之更疊得以辨別，使主題的各個不同組面得以明確分隔。如果比較若干類號，我們能夠判斷這些類目之間的關係。可見，形式主義的現代分類學非常重視分類形式的描寫性、操作性以及驗證性，它不考慮分類在實際運用中的社會功能。功能主義的分類學則有著完全屬於自己所特有的基本出發點及其做法。功能主義將分類學視爲一種社會現象和一種關於信息存貯、整理、傳遞的系統，語法祇是其中的一個很小層面，它主張透過功能和意義價值來解釋相關的分類學形式和性質。整個研究重點是要揭示出標引者的信息編碼用意，以及分類學功能、意義價值對分類學結構體系所起的決定性作用。功能主義的分類學不建立在任何具有普遍有效的規則、原則或條件之上，相關的語法不是自主和自足的系統，而是由語法之外的意義、功能等非形態因素生成的。亦即，有限的語法規則可以由這些因素推導出來。古代分類學幾乎看不出任何形式化的、客觀、冷靜的規則或原則。它強調分類學結構對功能等因素的依賴性。這與現代人對分類學的知識沒有直接聯繫。現代人的分類學理論與實踐更多地活躍在下述領域：怎樣將有限的功能動因和人的主觀心理制約因素降低到最小程度。

現代分類學用一套四平八穩的標識符號及其所框定的小方格子，令各種文獻「就範」。任何被整序的文獻都被加上了一個額外的代碼符號（分類號），然後對號入座、各就各位。它們不再有任何選擇餘地，更不可隨意改變編碼，也不允許有太多的個人主觀因素。它們祇能是對客體文獻的理性認識的再現，祇能抱客觀主義的態度，同等地給予「天才著作和下流作品」以各自相應的分類號和類別位置。形式主義的分類觀以客觀、冷靜的法則見長，它在方便排架、排卡、標引和檢索等多項具體工作中具有不庸置疑的優點。同時，這些形式亦有它自身的若干弱點：第一，由於形式和意義內涵之間並不是一一對應，因此很難絕對正確地使某個具體意義內涵的文獻「就」形式框架之「範」。強爲之，則必不可免捉襟見肘和顧此失彼；第二，形式相對於文獻內涵而言，都是額外的。爲了識別形式，還要進行形式識別的再識別，從而人爲地增加了文獻整序工作的複雜程度；第三，形式主義規則或原則的強制性不以任何人的主觀心理因素爲制約前提，本質上是否認了在具體分類學工作中主體人的終極存在。

而就功能主義的古代分類學而言，功能解釋一般都不夠精確，沒有一個具有必然性和唯一性的檢索點，也不交待分類類別組織上的若干外在原則，不用關係結構或符號來固定文獻在分類學體系中的具體位置和文獻之間的彼此關系。它的分類學原則是隱含的，需要作爲行爲主體的人來調動一切動態因素，從對文獻形式和內容的總體觀照中，確立分類學類別組織的一般理論。

我們看到，形式和功能是一個問題的兩個方面，兩者相互依存。

因此，分類學有待解決的根本問題或許就在形式和功能的關係問題，亦即，分類學組織結構在多大程度上取決於形式，在多大程度上取決於功能；以及分類學研究在多大程度上取決於形式主義，在多大程度上取決於功能主義。但是，當今世界分類學的主體是西方的，其形式主義取向之流弊顯得尤爲眞實而深刻。因而我們更應該檢討現代分類學的形式，意識到中國古代分類學之功能的重要。

(2)古代分類學的借鑒價值

功能主義的古代分類學教導我們：類分不同文獻，本質上是類分不同文獻所記錄的各種不同文化。而所有文化的行爲主體是現實生活中的人，文化即爲人化。文化對於人及其存在而言具有本體意味，它構成了人之爲人的終極依據。因此，類分文獻也是類分世界和人，是世界和人的象徵定位過程，從而表現出分類學在形而上學層面上的哲理性。由此可以確立分類學的哲學地位。我們認爲分類學乃是植根於人之本性的文化本能，它應該復歸於原初的形而上學，恢復並保持自己的睿智。但是，當今世界上所有理論和實踐意義上的分類學都隱含著一種絕對的功利態度，使得它遠離哲學智慧，墮落爲一門操作層面上的具體技藝。這種功利目的，從第一版DDC以來，就一直是現代分類學的基本取向。這正如杜威早年所指出的那樣：「無論在什麼地方，哲學上的理論和正確性都讓位給實際的效用……理論上的和諧性和精確性不止一次地爲實際需要而犧牲了」（轉引自劉國鈞，《杜威十進制圖書分類法》，《社會科學戰線》，1978.2）。

我們認爲，純粹實用性和功利性的追求恰恰是放棄分類學自身責任的表現。因爲，分類學是一門眞正站在哲學層面上陳述人類文化及其走向的學問。除此之外的一切可能的學問，作爲人類文化存在的直接而具體的表徵，都以發散的方式拆解、分裂著文化母體。這固然是文化的創造之源，但也同時危及到文化的有機整合。因而，非分類學的所有文化形式都是相對的，都缺乏眞正的絕對性，它們都不能擔當起文化整合的使命。要完成這一使命，祇有訴諸分類學。我們祇有在分類學那兒，纔能見到「天下殊途而同歸，天下一致而百慮」的全息性文化景觀。總之，自1876年第一版DDC以來的西方近現代分類學，以及自1917年《仿杜威書目十類法》以來的中國近現代分類學都是以理性邏輯爲旨歸的。它們用於整序現當代文獻或許是自足的，但當今世界文化已經由理性型文化向價值型文化轉變，這使得依然固守著理性邏輯的現當代分類學未能起到應有的作用，發揮應有的功能。它們缺乏除理性邏輯之外的足夠必要的深度和眞實，不能眞正有效地表述、組織和認識人類文化，更不可以能動地促進人類文化的發展。

造成上述尷尬局面的主要原因，在於我們現代人習慣於用一種非分類學固有的方式來規範分類學，從而使其游離於原本的內在尺度，按照種種外在的尺度來塑造和建構自身。具體講，包括內外兩個方面的原因。從外在方面看，對分類學的過份的實用主義期待是扭曲現代分類學存在方式的主要原因。就對實證的和經驗的視野的超越而言，分類學不僅是實用主義的，而且還應當包含著形而上的哲學層面。套用章學誠的話說，不僅僅是「學術之宗」，更應該是「明道之要」。分類學以人類的一切文化事實作爲自己表述、組織和認識的對象，本質上反映了人們的世界觀：一種文化對整個世界所持的根本態度。文獻的分辨和整序過程，也是世界和人的象徵定位過程。因此，分類學越是遠離直觀的、現實的經驗，就愈具有現實性和歷史感。相反，它愈是堅持實用性、愈切近主題事物和文化現象的表象，則會愈疏遠於時代精神和人類文化事實。從內在方面看，分類學的理性邏輯傾向導致其自身在內容上拒斥形而上學，淪爲在視野和預設上都混同於一門具體的操作技藝，從而遮蔽了自身的哲學本性。

21世紀人類文化的嶄新走向，對分類學提出了切合時代精神的新要求：第一，分類學需要根據時代文化精神的變遷來加以重新構建；第二，選擇分類學恰當的存在方式，使其擺脫目前的尷尬局面。

首先，人類文化的一切行爲主體是人，因而文化不僅是理性邏輯意義上的存在，而且還是價值理想意義上的存在。作爲理性存在，必須借助於邏輯作爲唯一有效的調節手段；作爲價值存在，又是超理性、超客觀的，具有內在的精神和人格尺度，並通過自我意識自覺地把握這一尺度，以便建構起一自足的意義世界。它表明理性和價值的二律背反深深地植根於文化存在的悖論之中。人們已經充分意識到，任何片面的理性或價值一旦陷入獨斷化，就無法充分地表徵文化的完整性存在，從而使人以一種非全面的方式占有自己的全部本質。因此，解決人類當下的文化難題的實質仍然是如何協調理性運作與價值理想的衝突。換言之，人類文化應該在多大程度上取決於理性邏輯，多大程度上取決於價值理想。邏輯不再囊括文化的全部，而必須充分考慮到價值性存在。祇有理性和價值的充分整合，纔能構成文化存在的充分表徵。任何祇囿於價值或祇囿於理性而確立起來的單向度的文化，都屬於偏離自身本質的異化狀態。理性和價值在經驗的意義上常常是無法整合的，因爲整合的基礎僅僅隱藏於文化存在（本質上是人文存在）本身。而祇有分類學纔能把人的文化存在當作反思的對象。因此，也祇有分類學纔具有實現整合文化的基本職能。

其次，分類學必須找到自己的恰當位置，以便按照自身固有的尺度來塑造並發展自已，以克服當下的尷尬狀態。從起源上看，分類學源自人們的形而上學衝動，它內在地植根於人類文化的固有本性之中。為此，我們應該建立起分類學之哲理和形而上的堅定性。誠然，當代文化所面臨的最根本的問題就是無比堅定的理性邏輯傾向。而文化的眞正確立，有賴於邏輯化的揚棄，以便於文化自身能夠從僵硬的抽象中提升出來，回復到活生生的文化本體中來。回顧中國傳統文化，這種「提升」早已完成。中國傳統文化從不限於對事物作純粹的知性分析，不以追求理性之「眞」為己任，而是力求事物客體對人生的實際價值和效用。相應地，中國古代圖書分類學也同時「通約」和「兼容」了中國傳統文化的價值型取向。古代分類學不是建立在對文獻主題概念所作的邏輯分析基礎之上，不是從原子分析主義出發來追求某種可驗證的信息編碼和解碼效果，沒有形式邏輯意義上的「眞」。相反，它有「善」——文獻編碼者對解碼者以及人生處世的誠意，上升為倫理規範，是一種文化精神極其充沛、人生境界極其高尙的學術標準與追求；它還有「美」——即通過文獻編碼和解碼過程，給人一種賞心悅目、淨化心靈的功能效果。

總之，中國古代圖書分類學超越了抽象的理性普遍性對人類文化的統治，具有一種眞正哲學的睿智。當下世界分類學要想既被動地整序文化又能動地促進文化發展，必須回首2,000年前，去吸收劉向的智慧。正像「如果人類要在21世紀生存下去，必須回首2,540年，去吸收孔子的智慧」一樣。當然，如何在操作層面上實現這一理論可能性，尙待進一步探討。但理論的前瞻與先導無疑更為重要。

第三節　哲學收益：古代分類學啓迪了我們對整個世界所應持的根本態度

中國古代圖書分類學的超越旨向，使得整個分類學系統構成了一種文化氛圍，它旁及和廣涉古代文化生活的各個領域，統攝又消融於中國人的思維和情感之中。古代分類學系統反映了漢民族的整體文化風貌，文獻的整序方式可以非常鮮明地折射出漢民族情感和生活的特定方向。總之，古代分類學在文獻整序過程中，幫助我們指定和分辨了日常生活中的各種對象，統一和系統化了人們的經驗，由分類學可以幫助人們獲得對外部世界的基本認識。天地人被濃縮在了分類學系統之中，我們可以通過分類學系統之有限爲媒介，去把握天地人三道之無限。古代分類學遂成爲人和世界相互溝通的一種形式；成爲人類生存和發展的內涵和必要條件。這樣，對古代分類學的研究，就不僅具有分類學自身的收益和價值，而且還具有一種根本的哲學收益和價值。

(一)分類學的實體論和哲學的實體論

一本本文獻是古代分類學系統的最終類分對象。古代分類學家理解文獻的方式，本質上等同於中國古人理解外部世界之實體的方式。古代分類學不滿足於從文獻的實然存在狀態去認識、界定它們，即不滿足於被動地接受它們，而是以動態的意義去理解，力求表現出它們的價值和深度。文獻並不被看作是一種現實的東西、一種機械的給予之物；而是被看作一種時刻不停地實現著的活動，是一項任務，負載著我們意志和個性的全部力量。所以，古代分類學對文獻的理解，總是全力以赴於對文獻背後各種文化形式得以產生的各種精神能量加以全面反省。分類學的眞正任務不是要描寫文獻的客觀事實和成份，而是要激發起人們的情感，促使人們去行動。顯然，古代分類學理解文獻的方式，並非祇是要揭示出文獻內涵的某種觀念或思想，而是要借助分類的過程，創造出超越文獻存在之機械秩序的東西。文獻不再是一個客觀性存在問題，而應該是主體性價值問題。

古代分類學對文獻的這種實體論審度，可以折射出中國先人對一切實體對象的基本理解：一切客體實在也都不再是一個客觀性存在問題，而應該是主觀性價值問題。現實人不是生活於一個僵死的物理對象世界之中，而是生活於一個人性的、文明的世界之中。外部事物除了具有物理的含義之外，還是一種審美存在。它們成爲我們的情感、感受和旨趣的暗示，它們是「比」（朱熹云：「比者，比方於物；以此物比彼物也。」）；是「興」（朱熹云：「興者，先言他物以引起所詠之辭。」）；是「象」（王弼云：「夫象者，出意者也。」《易傳》云：「立象以盡意。」），其背後還有一個「理」、「義」等更爲本體的價值存在。生活和自然不再表現爲它們的經驗或物質形態，不再是透明的、不可入的事實，而是注入了形式的生命活力，它們攜帶著諸種形象和特定的旨趣。因而，一切看似客觀的實在，都不僅打動著我們的理解，而且還打動著我們的情感和想像。《莊子·齊物論》云：「非彼無我，非我無所取」，準確地概括了人與客體世界的關係以及由此而來的認識論關係。客觀性不再是一種出發點，而是一種結果。對客體事物實體的理解不再局限於對其本身形式和性質的描述，而是要超越表象和名言，切近事物最深層的內涵。實然物理的事實特徵成了無關緊要的成份，這使得我們的觀念時刻處於一種主觀的想像之中，由此可以獲得一個「主觀」的精神領域。中國傳統文化藝術皆強調象中有意、目擊道存，這與古代分類學中的文獻實體論一脈相承。

現代分類學從形式主義和邏輯完滿性的角度對文獻加以界定和說明，它對應於西人主客二分的認識論傳統。主客二分，所以要去認識客體。於是，必須以實然的理性態度去固定認識對象，尋找客體世界並執著認識世界。西方文化的目標就是思考不變的實體，謹慎細緻地認識和分辨整個物質世界和心靈世界——這也是整個西方科學的本質所在——一切事物皆是自足、獨立和絕對的存在，人類理智在認識事物的過程中起著絕對統攝作用。而這一點無疑壓抑了人性的其它能量。所以，西方分類學以及西方哲學方法論所堅持的實體論，本質上是一種極其片面的活動。這種片面性把我們引入一個客觀的事實世界，力求必然地考察對象，它使我們的觀念處於一種純粹客觀性的聯繫之中，由此我們可以發現一個「客觀」的世界，它超不出事實的領域。而假如我們要獲得對實在的價值把握，要恢復人的主體地位，那麼就需要一種新的活動和努力，需要我們從根本上認識到一切實在都不是現成、給定和外在的，它們背後皆有價值和意義——這就像我們在古代分類學中看到的一本本古代文獻那樣。《詩經》不僅僅是一部文學意義上的詩歌總結；《蹴鞠》不僅僅是單純體育意義上的足球專著……價值和意義必須依賴於人類獨立的、完全自律的活動纔能獲得，它們以人類自身的尺度爲標準，以盡「善」（而不是求「眞」）爲旨歸。價值和意義本質上是主體範疇，它們不可論證和推理，而是心靈的一種體驗過程，一種創造性的想像過程。這個過程散發出了在西方那兒被純粹客觀和邏輯壓抑著的人性成份；並在這種發散性解釋中重新確立了一種審美本體。

顯然，古代分類學家不單純是文獻意義內涵的詮釋者，而且還是他們個人生命意義的詮釋者，是主體人作爲創造性主體的自由的顯現。當然，古代分類學家並非不尊重文獻意義內涵之「客觀」性的一面，他們祇是不拘泥於此，不屈從於它們的客觀形式和性質，而是要能夠制約它們，並使它們連同它們的「客觀性」全部轉向爲一種嶄新的、服務於主體價值論的目的。同樣地，中國古代音樂家對於音符、文學家對於作品、哲學家對於實體乃至農夫對於穀粒、鋤頭等等，都不拘泥於它們的形式和性質，而是視它們爲一種生命的啓示。它們已經卸下了物質的負累，銘刻著人類主體心靈的印記，人們總是從中看到情感、欲望、痛苦、希冀、理想，看到一個個主客一致、物與民胞的境界。這種實體論，業已超越了客觀實在，超越了宿命，進入了自由意志的境界。

㈡分類學的建構論和哲學的建構論

中國古代圖書分類學的獨特的文獻實體論，必然導致分類學之組織結構上所特有的變動不居、富於彈性的建構論特徵。古代分類學通過文獻內涵之功能大小來確立其分類位置和各種可能情況，它要創造一個應然的、各俱特色、互不相同的文獻價值世界。古代分類學的這種文獻建構方式，折射出了漢民族整個世界觀的建構，從而使得我們後人可以從一種嶄新的視野（即分類學的視野）去觀照世界。

圖書分類學借助於不同的標識符號，使得若干文獻成爲可辨別的單元，然後從分類學系統的總體系的意義關聯上來確證每個個別文獻的意義。標識符號帶來的穩固化，維繫著理智的統一堅實，藉此，纔談得上對文獻進行把握和認識。西方現代分類學對文獻實體的基本認識，必然要求每一個個別文獻都比較嚴謹地對應於不同的類別符號，並經由邏輯思維或經驗推論的過程，構造出文獻世界的概念體系。對文獻的這種質實把握和具體理會，必然要求現代分類學也相應地形成一套抽象的概念體系，通過觀念思維以達到分類學理論的形成。因此，意義的界定、從定義到推理就顯得極爲重要。由這一建構論作支撐，現代分類學自詡能夠以一種系統的形式提供出對於不同文獻的先驗綜合認識。其全部思路在於：讓文獻屈從於某種客觀規定性，即屈從於關於文獻形式和性質之規則性的規定。所有的文獻都祇能作必然的物理界定和理性說明，文獻之間的各種關係最終被還原爲若干附加的準則和規範。整個分類學研究的根本目的即在於探討這種理性規則。

現代分類學的這種分類觀提供給了我們某種普遍的陳述和規則，它們感興趣的是關於文獻的事實和形質，力求以概念思維爲原則，依靠概念在根本上的確定性以及證明的盡量精確，機械地建構起客觀文獻的世界。這在本質上乃是植根於借助一組邏輯形式的幾何運動去把對象世界符號化、代碼化。現代分類學視野下的文獻，取一種理性建構方式。爲了維護和保持文獻的客觀同一性，分類標識符號的同一就顯得非常重要。於是，人們創造出一系列的人工分類語言，每個類名都是以確定的方式被界定的，由此可以描述出觀念之間的客觀關係以及文獻之間的理性聯繫。人工語言所帶來的固定性，意味著在對文獻的領悟和認識過程中所必須依賴的理智的穩固性。現代分類學遂提供了一個理智符號的系統，「形式化」成爲現代分類學的最終歸宿，也構成了現代分類學的根本優點。

與此同時，「形式化」還是現代分類學的根本局限所在。因為，邏輯並非文獻的唯一本質。我們理解文獻，不是要讓它們受制於普遍的分類概念和規則，而是要在其個別、具體的形態中直觀它們的內蘊。所有文獻都同時攜帶著特定的情感和價值，它們是一個個心理的單元，是一個個藝術的對應物，僅僅憑藉邏輯是不能夠揭示出文獻內涵之全部的，邏輯總是遠離它旨在勾勒和表現的東西之根本意蘊。這啓發我們，所有純概念的力量都應當、而且必須效力於相反的課題，它必定不使我們跳出經驗世界，而使我們更深入地步入經驗世界。它應當使經驗本身以及它們的邏輯結構和規律、它們的普遍原則和條件等等為我們所理解和感知。誠然，現實人並非被動地表述、組織和認識外在客觀實在，而應該是以心靈中的一種特殊的積極力量去體驗它們。應該能夠顯現出人之主體性的終極存在。

中國古代圖書分類學正是通過感知和文獻發生關係的。文獻不是以一種抽象的方式被理解的，因而古代分類學體系也不表現出嚴謹的邏輯等級結構，而是一種伸張性強、極具可塑性的動態體系。古代分類學所建構的文獻世界是一個經驗性的世界，它不受客觀成份的約束，而祇能用動態的方式去理解。即用關係、活動、運用的方式去理解。分類學系統在文獻整序過程中，為思想建構起一個嶄新的焦點，所有被類分的文獻都不是一種靜態的存在，而是表現出文獻本身的動態的力量和生機，那是一種浸潤到我們心靈所有活動和能量中的力量。這就將客觀文獻的世界提升到了依目的和理想的建構性秩序之深刻反思上來。這種建構性包含著古代分類學的根本含義，塑造著古代分類學的本質及其最具代表性的特徵。

古代分類學並不從文獻之物理或形式上的內涵入手，而是把人的世界、文明的世界作爲出發點。文獻不是作爲一種「客觀」而存在，它們必須由人類心智之持續不斷的努力所建構。因而，在古代分類學的文獻之建構過程中，人們試圖奮力達到的目標，就是使人類自身的情感和情緒、欲念和知覺、思維和觀念等等諸種主體精神的客觀化。分類的過程始終將人類的精神世界作爲自己的出發點。因此，分類學所建構和組織的文獻體系永遠是知覺、直觀的世界。而科學思維以及由此產生的現代分類學，卻試圖發現文獻之內在性質和形式關係，思維的條理性更多地限定在邏輯的而非情感的層次上。因而不會有任何主觀選擇的餘地，亦不會有眞正的創造性和建構性。可見，不同的分類學系統總是向人們傳遞出不同的意味。它們以不同的方式辨別和組織文獻，進而啓迪人們對其它經驗材料之不同的辨別和聯繫方式，並最終導致對各種經驗對象的不同的理解方式。

西方現代分類學中的每一個分類標識都以清晰和明白的方式加以定義，這是客觀化過程中具有決定性意義的一步。其代價卻是其直接的、具體的生命體驗蕩然無存，所剩的僅爲一理智符號的世界，而非一直觀體驗的世界。古代分類學並不走類似的普遍化和抽象化道路，而是一種主體價值選擇趨前、知性分析滯後的建構過程。這一獨特的文獻建構方式，令我們領悟到：人已經不再生活於單純的、自然的和物理的世界之中，而是生活於一個人類自己創造的、人自己賦予它們以各種意義的「實在」之中。這種賦予的過程，顯現了人類自己的想像力和心智，它使人所面臨的世界發生了變化。整個「客觀」世界被情感和人性的統一性所湮沒，整個宇宙成爲一個巨大的生命一體化的社會。這種變化，體現了現實世界和可能性世界、物理世界和目的性世界之間的區分過程。

㈢分類學的目的論和哲學的目的論

古代分類學不滿足於按文獻的實然存在狀態去描述它們，而是要竭力追問文獻背後的意義和價值。所有的文獻皆存在於人格的世界而不是物理的世界之中。分類學系統不是要將文獻納入形式主義的構架之中，而是要呼喚出、並激發起我們最隱秘的情感。古代分類學從來都不允許我們把文獻視爲直接性的材料，視爲牢靠的和眞實的事實。從哲學分析的角度來看，我們稱之爲客觀性的東西並非一種直接而不可懷疑的材料，它們的背後皆可體察到一種永恆精神。所以，古代分類學並不以文獻分類的是否科學作爲著眼點，表現出分類組織結構上圓潤融通的整體性特徵，要求「因其變而觀其通」。我們祇能從古代分類學的動態過程中把握其總體精神，追求融會貫通的全面，而不是分門別類的精確。

古代分類學的目標不是要去探求眞理，而是爲了實用的目的。分類學系統祇以人自身的標尺衡量文獻對象，以價值應然性而非理性必然性爲旨歸，具有「科學」的現代分類學所無法比擬的內在價值。現代分類學僅僅把文獻視爲自足、獨立和絕對的存在，而我們從古代分類學中看到的文獻卻恰恰是一種雙重實在：文獻的實在和人性的實在；或曰：類名的語義存在和主體人的審美存在。古代分類學作爲一種超越現實的文化活動，其目標是欲揭示出人性存在和審美存在的統一性。亦即，通過若干文獻之規整性的呈現，爲人們確立一個統一的情感交流對象，然後，再使人從這個統一的目光來看待自己、他人和世界，從而最終把人的生活引導到一個嶄新的高度，使他們在自己身上發現一種肯定的力量：個體人不是孤立的，而是與世界的正義、道德聯繫在一起。這正像個體文獻不是孤立的，而是和作爲「明道之要」的整個分類學體系聯繫在一起一樣。人應該爲一種神聖的力量而生活，並使生活獲得這種神聖的意義。分類文獻的過程，將永遠是人類精神之持續不斷的勞作過程，永遠不會有一勞永逸的結果或定論。而現代分類學卻始終以某種「結果或定論」爲自身的追求目標。

古代分類學以儒家倫理道德爲終極價值，這種理性的倫理理想既是一種整體世界觀的產物；同時又必須依賴於分類學自身的內在力量獲得確證。被分類的文獻沒有必然的邏輯類項、分類學系統也沒有嚴謹的幾何構架，這些都表明古代分類學所劃分的各個類目並非人類心智中嚴格分割的區域。每一「類」都有一種整體功能和整體能量之依托。這樣，把不同的人類心智現象歸結到一個普通的名目之下不僅是允許的，甚至是必需的。從客體而言，我們用不同類目劃分的文獻並非具有分類的功用，並非眞的是分類的實體。從主體而言，現實人並不是由單一和孤立的功能混合而成的，他們的活動雖然可能趨向於不同的方向，但這些活動並不劃分爲不同部份。在這些活動中，表現了人性的整體。程子說：「萬物皆是一理」；楊簡說：「夫道，一而已」。人類文化的每一個分支，都被感受和情緒、想像和冥思、思維和理性共同分享。我們在所有這些活動中，發現了人性之整體。

古代分類學注重喚起人們的主體普遍心理感受，它超不出人格的範疇。分類學系統正是要使人們的生活獲得這種普遍的、超越的意義。它表明人類心智可以超越經驗個體的範圍，追求一種普遍的人格理想，一種所有不同的人類心智力量可以參照並在其中獲得統一和諧的理想。分類學的編碼者或解碼者都在統一的人格背景中，經由不同文獻之用心良苦的類別釐定，領會到人性之本體價值：儒家倫理理想。

總之，古代分類學爲我們提供了對世界的嶄新理解。它表明一切實在皆是一種經驗實在，必須依照經驗的原則加以考察。而這種經驗的原則應當在倫理意義上而不是在物理意義上去理解。誠然，人類勞作的最終歸宿即爲普遍向上的人格道德，因而，我們應當從道德的意義上去理解文獻，理解一切。正是這個關涉到道德律之精粹和人的基本價值的問題，構成了人類文化教育最本質的特徵。就中國古代圖書分類學而言，它的形式和表述，在面臨著最透徹地分析時，也將祇能歸結爲和簡化爲道德原則。倫理化不僅是古代分類學的某種標識，而且，倫理化的程度也是衡量其價值的唯一標準。

圖書分類學作爲一種文化反省形式，總是致力於對文化的全部加以理解。古代分類學並不把文獻囊括在一個抽象的公式中，而是要竭力透察它們的具體意義。這種意義是以一般倫理道德爲基礎的，它們不過是分類學整體倫理理論背景下的一種表現和解釋，顯現出古代分類學獨特的目的論特徵。因而我們祇有在倫理學體系中纔能找到古代分類學的根本原則。而這些原則，遂成爲古代書目分類中提要、類序、案語、凡例等的具體任務；也成爲古代分類學系統之類別釐定的根本取向。這是分類學編碼主體和解碼主體作爲創造性主體的自由的顯現，是對生命的充實，是生命的具體展開形式，是自由的、逐步推動自我解放的活動，古代分類學因此而演繹了人類文明進程的本質。

後　記

近年，本人「薄積厚發」，有諸多分類學論文行世。今稍事總結，連綴而成是書，意欲爲中國古代圖書分類學張目弋聲，成就一概括方式準確、概括層次貼切之理論構架。綜觀全書，自覺走筆空靈：空在攷據不勤，虛辭浮說言而無徵，有乖於古人「有璞而後施雕，有質而後運斤」之訓示；靈在超逸靈活，不著枝葉，簡約而直取英華，信夫「意翻空而易奇，言徵實而難巧也」。

是書或爲本領域首次理論總結，並無先例可循；加之著者學殖膚淺，時有未逮，不能引舉繁富，卻欲議論閎肆，妄以「所言盡出先儒之外」爲戒律，故內容疏漏訛誤在所難免，仰祈讀者高明不吝諟正。

如此捨器言道之作，嘗渥蒙鹽城市南港中學李滿花老師，台灣淡江大學陳仕華教授、台灣師大教授賴貴三博士抽暇審閱（貴三博士更是最後審核，一錘敲定）；台灣師大博導黃慶萱教授、台灣世界新聞傳播大學圖書資訊系主任、《資訊傳播與圖書館學》主編賴鼎銘教授欣然賜序；台灣中華易學研究會、易學研究雜誌社、中華佛學雜誌社創辦人張廷榮教授賜題書籤；台灣學生書局編輯游均晶對本書之撰作、審訂和出版給予莫大之鼓勵與支持。諸位師友，道德文章俱佳，覆瓿小書實賴提携而增色：並致感銘，順遂如意。

傅榮賢　一九九九年四月五日夜於

鹽城悅達新村新居

國家圖書館出版品預行編目資料

中國古代圖書分類學研究

傅榮賢著.—初版.—臺北市：臺灣學生，1999[民 88]

面；公分

ISBN 957-15-0946-9 (精裝)
ISBN 957-15-0947-7 (平裝)

1. 圖書分類

023.31　　88004250

中國古代圖書分類學研究(全一冊)

著作者：傅榮賢
出版者：臺灣學生書局
發行人：孫善治
發行所：臺灣學生書局
臺北市和平東路一段一九八號
郵政劃撥帳號00024668號
電話：(02)23634156
傳真：(02)23636334

本書局登記證字號：行政院新聞局局版北市業字第玖捌壹號

印刷所：宏輝彩色印刷公司
中和市永和路三六三巷四二號
電話：(02)22268853

定價：精裝新臺幣三一〇元
平裝新臺幣二四〇元

西元一九九九年八月初版

01108

ISBN 957-15-0946-9 (精裝)
ISBN 957-15-0947-7 (平裝)